W9-BNX-959

Hermann Broch (1886-1951) nació en Viena en una familia acomodada de origen judío. Cursó estudios de ingeniería textil y trabajó largo tiempo en la fábrica de su padre. En 1928 abandonó sus actividades en la industria para dedicarse por entero a la literatura y a sus estudios de filosofía, matemáticas y psicología. Perseguido por la Gestapo en 1938, logró salir de la cárcel gracias a la intervención de algunas personalidades, entre ellas James Joyce, y huir primero a Inglaterra y luego a Estados Unidos, donde falleció en la ciudad de New Haven. Aparte de una importante producción como ensayista, en el campo de la narrativa dejó varias obras capitales para la literatura contemporánea: *La muerte de Virgilio*, *Los inocentes* y la trilogía de Los sonámbulos, que, escrita entre 1931 y 1932, incluye *Pasenow o el romanticismo*, *Esch o la anarquía* y *Huguenau o el realismo*.

Hermann Broch

Los inocentes

Prólogo de
Lluís Izquierdo

Traducción de
María Ángeles Grau
revisada por
Jaume Bonfill

DEBOLS!LLO

Los editores quieren expresar su agradecimiento a Lluís Izquierdo por su inestimable ayuda en la edición de este libro

Título original: *Die Schuldlosen*

Primera edición con esta presentación: noviembre, 2016

Printed in Spain – Impreso en España

ISBN: 978-84-8346-250-8 (vol. 598/4)
Depósito legal: B-1.554-2007

Compuesto en Fotocomposición 2000, S. A.

Impreso en ServicePoint F. M. I., S. A.

P 8 6 2 5 0 B

Penguin
Random House
Grupo Editorial

PRÓLOGO

Junto a Robert Musil y Joseph Roth, Hermann Broch representa una literatura crítica de la Viena finisecular y, por extensión, de una Europa que dos guerras mundiales dejaron real y espiritualmente hecha trizas.

Dos notas distinguen su producción, aparte del lirismo casi hipnótico de muchas de sus páginas. La primera es el interés por la religión como ingrediente mental de la aristocracia caduca y de la burguesía ascendente, en el paso del siglo XIX al XX. «Los sonámbulos» trataba dicho proceso como muestra de la decadencia de una época hasta la «degradación de los valores», que Broch exponía críticamente en la parte final de su famosa trilogía. De 1888 a 1903 y 1918, la progresión narrativa ilustraba el eclipse de viejos rituales y el arribismo de protagonismos emergentes. Los temores, la desorientación y la crisis allí referidos pasan, con *Los inocentes*, a una amalgama de temas, excursos líricos y personajes emblemáticos de una disolución fatal y destructiva, que presagia las sombras del nazismo. La conciencia del escritor deviene más intensa y sutil respecto al recorrido de su propia obra, que recapitula desde la perspectiva de su exilio en Estados Unidos.

La segunda nota, que destacó Maurice Blanchot en su ensayo *Le Livre à venir* (1959) tiene que ver con el vértigo estilístico brochiano, tenso entre la especulación lógica y la atmósfera de sus descripciones figurativas y ambientales. Se trata de momentos en los que el autor se debate en un conflicto apenas superable: armonizar las exigencias del rigor cognoscitivo y su tendencia recurrente al despliegue de su genuina vocación poética.

El impulso lírico debe contenerse ante los imperativos rasos de lo cotidiano y, al propio tiempo, captar —con acendrada exigencia— el flujo incesante del descontento y las abultadas sombras del siglo XX en Alemania. Con *Los inocentes*, el autor procede a una revisión de los aspectos que considera premonitorios del nazismo. Al investigar su trasfondo hasta 1933, mostraba el lado oscuro de la supuesta normalidad imperante.

Broch aspiró a superar, o trascender —como verbo afín a una religiosidad personal de signo católico, aunque retronó a su lealtad hebraica— la literatura, pues consideraba sus recursos dependientes en exceso de la estética. Por ello recelaba de la poesía y sus logros formales que, con todo, constituyen un aspecto insoslayable de su legado. Muestra de dicha tensión, constante —y ética al fin y al cabo—, son sus páginas en *Hofmannsthal y su tiempo*. En ellas denuncia el vacío de la época y su sociedad, «la "democracia gelatinosa" del alegre apocalipsis vienés», como recuerda Carl E. Schorske en su celebrado *Viena Fin-de-Siècle*.

La pugna entre su vocación de escritor y el afán por transformarse en investigador crítico de lo real, se explica por la bondad de una inteligencia alarmada ante una Europa deshecha, y por su generosidad y desprendimiento personales. Pero ese talante le lleva a una escritura tan preocupada por absorber los datos e imágenes —de la historia y en la mente, de lo objetivo inapelable, y en la irreductible subjetividad— que obligan a una lectura en ejercicio constante de obligada correspondencia.

El texto de *Los inocentes* (título que cabría matizar, asociándolo a «inculpables», *Gli Incolpevoli*, como reza la versión italiana, o «irresponsables», en la versión francesa de Gallimard) despliega un panorama de vidas que ignoran su propio discurrir. Excepto el apicultor y Melitta, al resto de personajes les caracteriza su indolencia y pasividad, emblemáticas en el caso de Andreas. Su complementario, tratado por Broch con sarcasmo demoledor, es el docente Zacharias. Esas letras, A y Z, anunciadas en el par de relatos inicial, configuran simbólicamente una sumaria nomenclatura burguesa que incluye a la baronesa y a su hija —obligadas a alquilar parte de su mansión—, desde el resentimiento vengativo de la sirvienta Zerline.

La culpa corresponde a la indiferencia (*Gleichgültigkeit*) mostrada por los personajes. Y el talento del novelista la hace evidente y condenable por sus meros gestos y omisiones. Pues el hecho de disentir, tan urgente como heroicamente escaso en los años previos al nazismo, se eclipsaría hasta su extinción con el rechazo de los judíos, intelectuales y políticos remisos a su avance arrasador. Y por disentir, Broch fue encarcelado en marzo de 1938, aunque tuvo mejor suerte que otros y consiguió exiliarse en el Reino Unido en julio y en Estados Unidos en octubre del mismo año. Le ayudaron sus traductores Edwin y Willa Muir, el interés de Joyce y, más tarde, la intervención de Albert Einstein y de Thomas Mann.

A mediados de mayo de 1949, en una carta a Hannah Arendt, Broch se confesaba agotado por el ensayo *Hofmannsthal y su tiempo*, la numerosa correspondencia y la refundición de cuatro relatos en una novela breve (*Kleinroman*), que no lo sería tanto, pues se transformaría en *Los inocentes* que, en constante elaboración hasta noviembre de 1950, profundiza en la visión y complejidad de su universo creativo.

Apuntados el aspecto religioso y su opuesto, por decantado al conocimiento puro, sin sublimaciones, su proyecto alcanza una significación y sutileza ejemplares. Ensambla una polifonía de voces, temas e historias, complicada y exigente. Tres tiempos —1913, 1923 y 1933— pautan la trama poético-narrativa, precedida de una «Parábola de la voz» extraída de un texto hasídico de Martin Buber. La pregunta que plantean al rabino unos discípulos entraña un envite análogo al lector. «¿Por qué el Señor alzó la voz, al empezar la creación, si nada existía antes que Él, y por tanto nadie había de escucharle?» El rabino contesta sin responder, enigmático y apocalíptico, y les dice que el lenguaje es silencio, y este revierte a su vez en lenguaje. Con la paradoja de estas líneas iniciales, apunta Broch al enigma o misterio inherente a toda conciencia radical del sentido último que las palabras pueden alcanzar. Anhelante de expresar el límite, toda palabra es penúltima; lo máximo que puede alcanzar es el susurro indescifrable de la agonía, como ocurre en el vértigo final de las páginas de *La muerte de Virgilio*. El crítico George Steiner lo apuntó cabalmente en su ensayo *Lenguaje y silencio*.

En 1948, el editor muniqués Willi Weismann proponía a Broch la publicación de los relatos que desde 1918 habían ido apareciendo en revistas varias. Aunque renuente al principio, decidió por fin reelaborarlos, añadir otros y conformar así una novela. La complejidad de *Los inocentes* se debe tanto a su ambición de totalidad expresiva como al trabajo sobre otra novela —*El tentador*, luego titulada *El maleficio*— que dejaría inacabada en su tercera versión, a problemas de salud —dos operaciones en 1949—, la revisión de la traducción al francés de su obra magna, y sus ensayos sobre psicología de las masas, y política y cultura europeas. Para algunos, entre los que se cuenta Paul M. Lützeler, editor de la obra completa de Broch en Suhrkamp y reconocido especialista en su obra, el libro supone una *summa* de su producción por el empeño en «reconciliar abstracción y metáfora, memoria y mito, intención crítica y evidencia fáctica», en palabras del crítico Thomas Koebner. Pero tal aspiración de totalidad, de fusión entre el impulso lírico y la fluidez narrativa, plenamente conseguida en *La muerte de Virgilio*, no llegó a resolverse.

El lector disfrutará, no obstante, de la riqueza de los diferentes materiales y géneros que integran la novela: ritmo dramático y diálogo revelador, clima y atmósfera descriptivos en función de la psicología de los personajes, poemas en las dos primeras partes —las Voces— y prosa alternada con verso en la tercera. Parafraseando a Broch, si toda acusación es, éticamente, autoacusación, cabría decir que en toda escritura ha de habitar, estéticamente, su comentario. Esta conciencia del oficio, en definitiva, «conciencia de las palabras» —título que dio a sus ensayos Elias Canetti, uno de los primeros en saludar la obra de nuestro autor—, constituye el don irreductible de su estilo, y un estímulo constante al recorrer las páginas de *Los inocentes*. Proyectar en el mundo pequeño burgués el auge latente del veneno fascista es uno de sus logros indudables.

Mencionados ya los personajes, y apuntados los tiempos —décadas de 1913 a 1933, en lugar de los quince años que de 1888 a 1918 pautaban la trilogía de *Los sonámbulos*—, en *Los inocentes* la retrospección es más cercana, la perspectiva más inmediata y la atención crítica más acusada. El desenmascaramiento del escenario alemán concluida la guerra y averiguados sus desafueros, se imponía, aunque la preocupación, y aun angustia, del autor fuera más allá, pues encara el problema básico al afirmar que «en política la indiferencia es indiferencia ética y está emparentada con la perversión ética».

Al comentar las circunstancias respecto a la gestación de la obra en sus páginas finales, se refiere el autor al «marco lírico» que se propuso para «unificar sentido y ambiente» y que, de manera inevitable y reiterada, hemos apuntado a lo largo de estas líneas. Asimismo, el tono evocador de las novelas que componen «Los sonámbulos» y su degradación de los valores cobra aquí una dimensión crítica acentuada.

En «Los relatos», la parte central del texto, la escritura dibuja sutilmente el laberinto de codicias, evasiones y estrategias en el que se debaten los personajes. Zacharias representa el embolismo sin solución de una conducta envanecida por enseñar lo que se debe, receloso por tanto de la relatividad. Einstein le parece una mortificación. Semejante a Esch, el protagonista del segundo volumen de «Los sonámbulos», ya abocado a soportar o aliarse a los camisas pardas, el hieratismo de la autoridad que cree encarnar traza el esquema de su vacío. En cuanto a Andreas, compone la figura del especulador triunfante, entre Huguenau y Bertrand, personajes también de «Los sonámbulos», convertido en rentista gracias al comercio de diamantes y a las inversiones inmobiliarias. No quiere involucrarse en nada y sus diálogos con Zacharias, incompatibles como son, reflejan, no obstante, un común desinterés por los problemas de la época. Son indiferentes, partícipes por tanto de la «culpable inculpabilidad» (*schuldhafte Schuldlosigkeit*) que representa su anónima unanimidad, pasiva y aquiescente. Lo que para Broch implica una condena ética sin paliativos.

En ese dejarse llevar por la corriente de los hechos, Andreas encarna un sensualismo que la sirvienta Zerline, destacada por Hannah Arendt en el que consideraba uno de los relatos culminantes de la prosa alemana del siglo XX, aprovechará desde su resentimiento antiguo. El triángulo de mujeres de la mansión donde se instala Andreas, que incluye a la baronesa, su hija Hildegard y Zerline, ayuda en la indagación sobre el discurrir del personaje. Pero ellas no son sólo un pretexto para reflejar la psicología de Andreas, sino entidades autónomas que objetivan la realidad multiforme. Zerline, a través de Melitta, tienta a Andreas, y este no repara en la trasgresión que tal hecho supone dentro, digámoslo así, de la economía de la casa, los cálculos de la alcahueta y los recelos y la represión de la implacable Hildegard. Zerline, propiciadora del encuentro, conseguirá por fin el pabellón de caza tras suministrarle una dosis excesiva de somnífero a la baronesa. De algún modo, la alcahueta activa protagonismos nuevos que suplantan a una burguesía no por insólita menos digna, dados sus servicios, de sucederla.

Al margen de la culpabilidad inculpable de las figuras más frecuentes, sólo Melitta —sencilla aparición inefable en «Una leve decepción», relato que centra la novela— y su padre adoptivo representan la inocencia verdadera. Y esta ha de pedir cuentas. Años después de la muerte o suicidio de la muchacha, inducida por Hildegard al mostrarle la imposibilidad de su unión con un amante de otra clase social, el apicultor Endeguth visita a Andreas. Y este, enfrentado a su propia trayectoria por la obligación de dar respuestas, de rendir cuentas, decide su único acto verdaderamente personal: suicidarse.

Cabría aventurar, en el entramado de la problemática brochiana, una teoría posible, que calificaríamos de «doble imagen». Una es la externa y autosatisfecha, basada en la meta diamantina del dinero. Y otra, su reverso sin apelación, la crisis cuyo desenlace no es otro que la autoeliminación. Lo que no era nada, sólo capital impasible y abusivo, ha de volver a la nada. De manera análoga a cómo la plaza triangular se opone al carácter circular del cielo y el espacio es distinto según esté vacío u ocupado —en «El hijo pródigo», donde la cohesión del sentido del todo se produce como un zoom sobre la ciudad de provincias, premonitorio del drama general—, el suelo y las nubes representan la interacción de lo concreto y lo abstracto en una suerte de impresión aglutinadora y a la vez, evanescente. La situación del hombre urbano es signo de un deambular errático que angustia y desconcierta. Aquí la masa, con un resentimiento susceptible de ser manipulado tras el resentimiento de la Paz de Versalles al que se suma la inflación, constituirá un objetivo muy rentable para la demagogia nazi.

Broch, además de conservar en la ambientación la impronta de su admirado Kafka y la de Hofmannsthal, combina elementos del Don Juan mozartiano. El apicultor es un trasunto del convidado de piedra, figura también de un comendador más alejado. El señor de Juna, anagrama obvio del célebre seductor, amante de la baronesa y padre de Hildegard, había tenido relaciones con Zerline pero sin fruto efectivo para ella. De modo que traslada su frustración a Melitta —la llora lo justo, como Hildegard le comenta sarcásticamente a Andreas—, y las cosas quedan como tienen que quedar: cada uno/a en su sitio. Pero Zerline urde la venganza por la falta de reconocimiento —de todas maneras, ella es imprescindible en la casa— y, aprovechándose de la indolencia de Andreas, le convence para que adquiera el pabellón de caza, su nido de amor con Juna, un bien que acabará poseyendo gracias a sus servicios a la baronesa y el suicidio de Andreas.

Apuntamos ya que el trasfondo de «Los sonámbulos», anterior a la época nazi, se transforma aquí en el invernadero tenebroso de su escenificación. Los personajes habitan la ignorancia culpable de su propia existencia. En la fórmula impecable del autor no son sino «huéspedes de su [propia] vida». El relato que cierra el libro, «Nube pasajera», traduce una nostalgia de pureza —y tentación de caída— en la figura de la mujer (Hildegard sola de camino al oficio religioso) que rechaza la democracia y, preocupada o atraída por los pasos de un hombre hacia los suyos, llega a una formulación lapidaria: «... se trataría de uno de los primeros partidarios del nazismo y no de un comunista. No obstante, era un atrevido». Tal conclusión ahorra cualquier comentario. Bloqueados en el papel que les ha tocado, los personajes no saben asumirlo, carecen de la doble imagen que sólo atraviesa la mirada escrita del autor. Una bandera nazi ondea sobre una torre, la escultura de un caballo aparece frágil como un remo erguido, unos turistas hojean una guía —el oportuno Baedecker— y, en fin, el demente Hitler no es ya una figura en lontananza. Parecería tal estampa el proceloso aviso alarmado por los ocios y la indiferencia, la terrible indiferencia, de un futuro tan consumista como nada inocente.

Desde la ironía de Broch, los inocentes son la cohorte tácita y silenciosa de la barbarie nazi en ascenso. Con su indiferencia facilitan el triunfo de Hitler, reflejo agresivo este de resentimientos que se ignoran o lo pretenden, y que el gran demagogo atizará mediante la teatralización deslumbrante de las antorchas y la disposición geométrica perfecta de los desfiles. Ese orden mayúsculo, diseñado por Goebbels, que agiganta al pequeño burgués (*Spiesser*), lo compacta y lo disuelve en la masa, feliz de encarnar el «espíritu popular» o *Volkgeist*, sea lo que fuere tamaño sintagma.

Como radiografía de una época que en algunos aspectos parece augurar la hora presente, *Los inocentes* nos enseña un panorama imprescindible para entender el mundo y comprenderse en él, más allá del solo entretenimiento. El protagonismo del dinero, las formalidades de clase y sus rituales —religiosos o de ocios sentimentales, hechos de hipocresía o de desfachatez—, se revisan con sutileza y rigor ejemplares. El lector se sumerge, por tanto, en unas páginas que muestran el «inspecto», lo interior, la otra cara del mundo estable de casi todos los días. Un mundo a menudo carente de atención crítica, más de solitarios que solidario, y necesitado, además, de nuevas rectificaciones. Esa materia delicada, tan dura, que nos concierne.

LLUÍS IZQUIERDO

PARÁBOLA DE LA VOZ

Los discípulos del rabino Leví bar Chemjo, que hace más de doscientos años vivía en el Este y era muy famoso, fueron un día a ver a su maestro y le preguntaron:

—Rabí, ¿por qué el Señor, cuyo Nombre sea siempre alabado, alzó la voz al empezar la creación? Si Él hubiera hablado y traído a la vida con su voz la luz, las aguas, las estrellas, la tierra y a todos los seres que en ella se encuentran, habrían tenido que existir ya antes para escucharle y obedecerle. Pero no existía nada. Nada podía oírle ya que Él fue quien sacó todas las cosas a la luz al alzar su voz. Y esta es nuestra pregunta.

El rabino Leví bar Chemjo arqueó las cejas y, contrariado, contestó:

—El lenguaje del Señor, glorioso como Su Nombre, es silencioso y Su silencio es Su lenguaje. Su ver es ceguera y Su ceguera es ver. Su hacer es no-hacer y Su no-hacer es hacer. Regresad a vuestros hogares y reflexionad.

Se fueron turbados al comprobar que le habían disgustado y regresaron días después muy indecisos:

—Perdónanos, rabí —comenzó tímidamente aquel que habían designado para hablar—, tú nos dijiste que para el Señor, cuyo Nombre sea alabado, hacer y no-hacer eran una misma cosa. ¿Cómo es eso si Él mismo diferenció Su hacer de Su no-hacer al descansar el séptimo día? Y ¿cómo pudo Él fatigarse y necesitar descanso, si con un simple aliento lo pudo crear todo? ¿Acaso la creación le supuso un esfuerzo tal que con Su propia voz se quiso llamar a Sí mismo?

Los demás asintieron con un gesto a estas palabras. Y como el rabino notara cuán ansiosos le observaban todos temiendo irritarle de nuevo, se tapó la boca con la mano para disimular una sonrisa:

—Permitidme que os conteste a mi vez con una pregunta. ¿Por qué Él, que se nos anunció con Su sagrado Nombre, tuvo a bien rodearse de ángeles? ¿Acaso para que le protegieran cuando Él no necesitaba de ninguna protección? ¿Por qué se rodeó de ángeles si se bastaba a Sí mismo? Ahora regresad a vuestras casas y reflexionad.

Volvieron a sus hogares, extrañados por la pregunta que a guisa de respuesta les había formulado. Y, tras haber empleado media noche en sopesar los pros y los contras, regresaron por la mañana a casa de su maestro y le dijeron con alegría:

—Creemos haber comprendido tu pregunta y nos sentimos capaces de contestarla.

—Hablad, pues —respondió el rabino Leví bar Chemjo.

Entonces se sentaron frente a él y, tomando la palabra el orador, explicó lo que ellos habían deducido:

—Puesto que, según tu explicación, ¡oh, rabí!, el silencio y la palabra, así como todo lo que se contrapone, tiene un mismo significado para el Señor, cuyo Nombre sea alabado, de forma que en Su silencio está Su palabra, así Él decidió que un discurso que nadie oyera carecería de sentido, como tampoco lo tendría un acto efectuado en el vacío, y tuvo a bien requerir a los ángeles a Su alrededor para que le escucharan y complementaran Sus sagrados atributos. Por tanto dirigió a ellos Su voz al ordenar la creación y los ángeles, que siguieron la poderosa obra, se sintieron tan cansados, que necesitaron descansar. Entonces descansó Él con ellos el séptimo día.

Mayor fue su espanto al ver que en este punto el rabino bar Chemjo se echaba a reír; sus ojos empequeñecieron tras la barba a causa de la risa.

—Así pues, ¿consideráis al Señor, cuyo Nombre sea alabado, como una especie de bufón ante Sus ángeles? ¿Como un prestidigitador de feria que hace juegos de manos con una varita mágica? Casi me inclino a creer que Él ha creado locos como vosotros, para poderse burlar de ellos igual que lo hago yo ahora; pues en verdad que Su seriedad es risa y Su risa es seriedad.

Se sintieron avergonzados, pero también contentos de ver al rabino de buen humor y le suplicaron:

—Ayúdanos un poco, rabí, a seguir adelante.

—Eso quiero —contestó el maestro— y voy a ayudaros sirviéndome de nuevo de una pregunta. ¿Por qué el Señor, el Santo de los Santos, empleó siete días en la creación cuando pudo llevarla a cabo en un instante?

Regresaron a sus hogares para celebrar consejo y cuando, al día siguiente, se presentaron ante el rabino, sabían ya que se encontraban cerca de la solución. El que siempre hablaba en nombre de todos dijo así:

—Tú nos has señalado el camino, rabí, pues nos hemos percatado de que el mundo creado por el Señor, cuyo Nombre sea alabado, se basa en el tiempo, y por tanto también la creación, puesto que ya pertenecía a lo creado, necesitaba un principio y un fin. Sin embargo, el tiempo tenía que existir ya para que hubiera un principio, y los ángeles tenían que estar ahí en el lapso de tiempo que precedió a la creación para sostener el tiempo con sus alas y obligarlo a avanzar. Sin los ángeles, no hubiera existido ni siquiera la intemporalidad de Dios, en la cual, por Su santa decisión, se cobija el tiempo.

El rabino Leví bar Chemjo pareció satisfecho, y dijo:

—Ahora estáis en el camino acertado. Sin embargo, vuestra primera pregunta se refería a la voz que el Señor, en Su santidad, alzó al empezar la creación. ¿Qué podéis decirme sobre esto?

Los discípulos respondieron:

—Con supremo esfuerzo hemos llegado al punto que te

acabamos de exponer. Pero no hemos llegado aún a esta última pregunta, la primera que planteamos. Con todo, puesto que de nuevo te has mostrado benévolo hacia nosotros, confiamos en que tú nos darás la respuesta.

—Lo voy a hacer —contestó el rabino—, y mi respuesta será breve.

Así habló:

—En todas las cosas que Él, cuyo Nombre sea alabado, ha creado, o todavía ha de crear, hay una parte de Sus sagrados atributos, ¿cómo podría ser de otro modo? Pero ¿qué cosa es a la vez silencio y voz? Evidentemente, de todo cuanto yo conozco, es el tiempo el que reúne esta dualidad. Y aunque nos abarca y atraviesa, es para nosotros silencio y mudez. Sin embargo, al hacernos viejos, si tendemos el oído al pasado, oiremos un suave murmullo. Es el tiempo que acabamos de vivir. Y cuanto más escuchemos el pasado, más capaces seremos de oír la voz de los tiempos, el silencio del tiempo, que Él en Su santidad ha creado por Su propia voluntad y también a causa del tiempo mismo, a fin de que la creación se cumpliera en nosotros. Y cuanto más tiempo transcurra más poderosa será para nosotros la voz de los tiempos. Creceremos con esta voz, y al fin de los tiempos entenderemos su principio y oiremos el llamamiento de la creación, pues entonces percibiremos el silencio del Señor en la santificación de Su Nombre.

Los discípulos quedaron en silencio, confusos. Pero como el rabino no volvió a hablar, sino que permaneció sentado con los ojos cerrados, se marcharon calladamente.

RELATOS ANTERIORES

VOCES
1913

Mil novecientos trece. La poesía, ¿para qué?
Para descubrir mi juventud de nuevo.

* * *

Padre e hijo marchan juntos de camino
desde hace tiempo ya. Estoy muy cansado
dice el hijo, de pronto. ¿Adónde vamos?
Desde el comienzo, todo deviene cada vez más sórdido,
planean tempestades y a nuestro alrededor
anuncian su peligro muchedumbres, fantasmas y demonios.
Dice a su vez el padre: Avanza así el progreso,
derecho hacia el camino rutilante, y ¡quién lo para!
Tú lo estorbas con tus dudas y tu mirar cobarde,
¡cierra los ojos ya y avanza con fe ciega!
Responde el hijo: El frío me invade,
¿acaso no has sentido jamás una honda pena?
¡Oh, repara en nuestra marcha como sombras!
¡Oh, fíjate!, nuestro progreso apenas deja huella,
el suelo falla a nuestros pies y en el derrumbe nos arrastra,
y giramos en un torbellino como plumas sin peso.
Engañan nuestros pasos, sin espacio.
Y el padre: ¿Acaso el hombre al avanzar

no se encamina siempre al infinito?
La meta del progreso es algún mundo ilimitado,
tú en cambio lo confundes con fantasmas.
Maldito don, contesta el hijo, y el progreso
que nos cierra el espacio
sin permitir que nadie avance,
así el hombre resulta sin espacio un ser ingrávido.
He aquí del mundo el nuevo rostro:
El alma no precisa de progreso,
pero sí en cambio de gravidez.
El padre sigue, avanza, inclina la cabeza:
«La reacción ha corrompido a mi hijo».

* * *

¡Oh, primavera otoñal!
Nunca se dio una primavera tan hermosa
como aquella en otoño.
Floreció la reposada placidez,
Justo la que precede al temporal.
De nuevo germinó el pasado,
y con él la disciplina.
Y hasta el dios Marte sonreía.

* * *

De todo el padecer que los hombres se infligen
no es la guerra el peor mal,
pero sí el más absurdo
y padre de todas las cosas.
Y el mundo de los hombres
ha heredado la insensatez, la guerra
ya adherida a su carne, inextirpable.
Dolor, ¡ay, dolor!

La insensatez es solo falta de imaginación,
se burla de lo abstracto, absurdamente alude a lo sagrado,
el solar de la patria y de su honor,
de mujeres y niños a los que defender.
Pero ante lo concreto ya enmudece
y es incapaz de imaginar los rostros,
cuerpos y miembros desgarrados de los hombres,
como también el hambre que infligió a las mujeres y sus hijos.
Eso es la insensatez, digna de la piedad de Dios,
la insensatez de pensadores y poetas,
que hablan ignaros de espíritus que sangran y bocas que babean,
y de las guerra santas,
pero que deberían evitar banderas al viento y en las barricadas,
pues ahí acecha la abstracta verborrea,
la irresponsabilidad sangrante y sanguinaria.
Y es el dolor. ¡Oh, desgracia!

* * *

En el espacio al que no cabría dar tal nombre,
por ser la sede de ángeles y santos,
allí habitó una vez el alma.
Ni el suelo, ni el progreso, ni los cielos le importaban,
pues lo que hollaba era el infinito, en vilo desde lo alto,
inmerso en la maraña de lo impecable eterno.
Mas cuando el infinito convocó al espíritu,
este hubo de volver al ámbito real
y conquistarlo y aceptar la altura, amplitud y hondura
como formas del ser ineludibles.
Así el saber se transformó en progreso,
bañado en sangre, torturas y deberes.
Y su nuevo comienzo, embrujado y herético, confuso,
desgarrado por su fe en la barbarie,
torturado sin piedad por los infiernos
y, sin embargo, al fin y al cabo humano,

abierto a investigar y a conocer
y a descubrir un infinito nuevo en las imágenes del mundo.
El mismo juego de otros tiempos:
el infinito, apenas poseído del espíritu,
se evade a espacios de lo extraño
hasta la orilla del conocimiento,
donde enmudece la palabra y se congela el sueño,
se apagan los sonidos y las mismas imágenes se esfuman.
No hay medida allí, ni valen juramentos
es la maleza de los sin destino,
la proliferación de lo monstruoso
que confunde lejanías con lo próximo,
un hervidero de marmitas embrujadas,
confusión con el calor y el frío.
Y surge un nuevo espacio, exento y sin medida,
espacio del tiempo nuevo
que de nuevo se abre a las torturas —¡oh, cuánto sufre el corazón!—,
y otra vez a las guerras —¡oh, pecados sin fin!—,
a fin de que el alma del hombre resucite.

* * *

Es la gran época de jóvenes burgueses
que piensa solo en el dinero, y en el amor y cosas parecidas,
mientras renuncian —dicen— a todo lo demás;
suman a otros su mundo por simple cuestión de celos.
Dios es un útil recurso en poesía,
y la política, virtud en otros tiempos principesca,
solo es vileza para quien repasa los periódicos,
pues la juzga un pecado popular
y esto la exime de otras obligaciones.
Así emergió mil novecientos trece,
Con un ruido sin alma, gestos de ópera,
luciente sin embargo el arco iris de siempre, bello y suave,
como hálito ritual del amor y los ecos de antiguos festivales,

cuellos almidonados, corpiños y encajes,
¡oh, seducción del miriñaque!,
¡oh, año de adiós final y dulce del barroco!

* * *

Hasta lo que hace tiempo sobrevive y se ensombrece
gana con el adiós el dulce tono de la melancolía,
¡oh, lo que ha sido!
¡Oh, Europa! ¡Oh, milenios de Occidente!,
vida ordenada de Roma y sabia libertad de Inglaterra,
opuestas una a otra y desde ahora amenazadas ambas.
Y resurge el pasado,
el orden plácido de los símbolos terrestres
en los que —oh, poderosa Iglesia—
se reflejaba y se expandía el infinito,
reflejo del cosmos en la calma del triple acorde
con sus lentas resoluciones y armonías.
Esta resultó ser la dignidad de Europa,
El impulso dirigido, presentimiento de totalidad
con la mirada en alto siguiendo progresivas las líneas de una música
—¡oh, cristiandad de Sebastián Bach!—
que, como el iris de este mundo,
se impregna de cuanto en el otro existe,
de forma que se cumplan
tanto los enlaces de lo alto como los inferiores.
Y el acontecer del orden tradicional y la libertad
se extienden de un símbolo a otro
hasta los soles más escondidos del orbe occidental.
Y es evidente de pronto que nada cambia,
que las imágenes carecen de conexión, inmutables en su fugacidad,
que apenas hay símbolos,
y que el finito y el infinito a la vez
amenazan la atrayente disonancia.
El triple acorde, tradición en la que ya no se puede vivir,

se vuelve risible y a la vez insoportable;
el Elíseo y el Tártaro se precipitan uno en otro
y ya no se pueden distinguir.
Adiós, Europa. La bella tradición toca a su fin.

* * *

Din-don, gloria.
Nos vamos a la guerra
sin saber por qué,
pero quizá resulte divertido
yacer en fila
junto a los cuerpos de los hombres.
La amada, queda, en casa
llora amargamente,
pero el soldado, con gallardía
ríe de las lágrimas de su mujer,
cuando ante el enemigo
retumban los cañones
con din-don gloria.
Aleluya, aleluya.
Nos vamos a la guerra.

I. NAVEGANDO CON BRISA SUAVE

Bajo los toldos a rayas marrones y blancas, desplegados incluso ahora durante el invierno, se alinean sillas y mesas de mimbre. Un suave viento nocturno se filtra por entre las hileras de casas y las verdes copas de los árboles de las avenidas. Uno tiende a creer que el viento viene del mar, pero no es sino el efecto del húmedo asfalto. Acaba de pasar el coche del riego. Un par de manzanas más lejos se encuentra el bulevar de donde llegan los claxons de los coches.

El joven quizá iba ya un tanto bebido. Bajaba la calle sin sombrero ni chaleco, con las manos en el cinturón a fin de que la americana, abierta, dejara correr el viento hasta su espalda como un baño tibio, fresco. Cuando apenas se han sobrepasado los veinte años, se nota casi siempre todo lo vívido en el propio cuerpo.

Frente al café, el suelo está cubierto con unas esteras de color marrón, que huelen un poco mal. Con pasos algo inseguros, sonriendo y disculpándose, pasando levemente la mano por el hombro a unos y a otros, se dirigió a la puerta de cristal por entre las sillas de mimbre.

En el interior del local se estaba aún más fresco. El joven se sentó en el banco de cuero adosado a lo largo de la pared, bajo la galería de espejos. Se colocó adrede frente a la puerta, pues, por así decirlo, quería recibir de primera mano las ligeras ráfagas de viento en los pulmones. Resultó desagradable y molesto que, precisamente entonces, dejara de sonar el gramófono que dos minutos antes aún siseaba en sus vueltas. El local estaba ahora impregnado de ese ruido silencioso típico de los cafés. El joven fijó la vista en el suelo de mármol, a cuadros azules y blancos, que le recordaban el juego de tres en raya. Los cuadros azules formaban en el centro una cruz oblicua, una cruz de san Andrés, y para el juego de tres en raya no hace falta, no, en absoluto. Pero es absurdo pensar estas cosas. Las mesas eran de mármol, ligeramente jaspeado, y en la que tenía enfrente había un vaso de cerveza negra. La espuma subía y se desparramaba.

En la mesa contigua había alguien, también en el banco de cuero. Hablaban. Pero el joven sentía demasiada pereza para molestarse en volver la cabeza. Las voces eran dos. Una, masculina, de muchacho, y la otra, femenina, maternal y profunda. Debe de ser una muchacha morena y llenita, pensó, pero volvió la cabeza intencionadamente hacia otro lado. Cuando uno ha perdido recientemente a su madre no busca otros rasgos maternales. Y se esforzó en imaginar el cementerio de Amsterdam, la tumba de su padre, aquello en lo que nunca había querido pensar, pero en lo que ahora había de meditar forzosamente, ya que a ella también la habían metido allí.

—¿Cuánto dinero necesitas? —dijo junto a él la voz masculina.

La respuesta fue una risa oscura y algo gutural. ¿Sería realmente morena la mujer? De pronto se le ocurrió algo: Morena de edad madura.

—Dime de una vez cuánto necesitas.

La voz era ahora como la de un muchachito irritado. Todos queremos dar dinero a nuestras madres, lógico. Y esta de aquí lo necesita. La suya no lo había necesitado, lo tenía todo. Y habría sido hermoso ocuparse de ella, ya que sus ingresos —allá en África del Sur— eran cada vez mayores. Ahora no tenía sentido. Todo resultaba muy claro y muy absurdo.

Otra vez la risa oscura. Ahora ella le ha cogido la mano, piensa el joven, e inmediatamente oye:

—¿De dónde has sacado tú tanto dinero…? Y aunque fuera tuyo, ya sabes que de ti no lo aceptaría.

Así hablan siempre las madres, sólo aceptan dinero del padre… ¿Por qué no regresó a casa después de la muerte de su padre? Habría sido lo normal. ¿Qué otras cosas tenía que hacer en África? Y sin embargo se quedó, sin pensar que su madre podía morir. Y eso hizo. Cierto que no le telegrafiaron a tiempo, pero de hecho él lo habría tenido que intuir. Llegó a Amsterdam seis semanas después de su muerte. ¿Y qué hacía ahora en París?

El joven fija la vista sobre la cruz de san Andrés. Todo el suelo está cubierto de minúsculos montoncitos de serrín que forman pequeñas dunas alrededor de las patas de las mesas de hierro fundido.

Al cabo de un rato se le ocurrió: Probablemente cien francos la ayudarían. Si supiera cómo hacerlo, le daría gustoso esos cien, no, doscientos, trescientos francos. Ahora dispongo de la herencia holandesa, que no pienso usar. Mi padre siempre temió que la despilfarrase alguna vez. ¿Se decepcionaría si me viera ahora? No, no tocaré su dinero. Pero lo he invertido bien, con prudencia, y además me produce un rédito. Esto también le habría sorprendido. ¡Y pensar que él reflexionó una y otra vez sobre las ventajas y desventajas de sus nuevas inversiones de fondos!

A todo esto, había perdido el hilo de la conversación que se desarrollaba a su lado. Al prestar de nuevo atención, oye la voz del muchacho:

—Pero es que yo te quiero.

—Precisamente por eso no debes hablar de dinero.

Ambos envían al aire sus voces, sus bocas dejan salir el aliento junto con la voz, y dos palmos más allá, no más lejos que la mesa que tienen delante, se funden sus voces, se casan. Es la misma esencia de un dúo amoroso.

Y en efecto, se oye otra vez:

—Es que te quiero, te quiero tanto…

La respuesta es un suave murmullo:

—¡Oh, pequeño mío!

Ahora se besan. Es mejor que no haya un espejo enfrente, porque les habría visto.

—Otra vez —dice la profunda voz de mujer.

Por eso le daría yo cuatrocientos francos, piensa el joven mientras se asegura de que su cartera está aún en su lugar. Una cartera demasiado llena. ¿Por qué demonios llevaré siempre tanto dinero encima? ¿A quién pretendo impresionar? Con cuatrocientos francos se la podría hacer feliz.

La voz de muchacho parece haber interpretado su pensamiento robándole la palabra de la boca:

—¿Lo necesitas todo de una vez…? A pequeñas sumas no me costaría casi ningún esfuerzo.

El muchacho tendrá aproximadamente mi edad, quizá un poco más joven. ¿Por qué no gana dinero? Se le tendría que enseñar lo fácil que resulta ganarlo. Me gustaría proponerle que se viniera conmigo a Kimberley. Y por mí, como si ella lo acompaña.

—Preferiría morirme antes que aceptar dinero tuyo.

¡Eh!, eso no es cierto, a mí no me podría hablar así. Ya sé, ya sé que preferiría ahorrarle molestias y en cambio alimentarle, darle materialmente de comer, pero ella quiere y debe vivir y para vivir hace falta dinero, dinero de mierda. Pero ¿con quién quiere ella vivir? ¿Con quién? Si yo le diera quinientos, seiscientos francos, viviría conmigo y lo mantendría a él a escondidas. Si aceptara el dinero de su hijo, quizá también viviría con él, pero entonces ya no sería su hijo y eso es lo que ella quiere evitar. Tanto una cosa como la otra son malas. Sería mucho mejor para él que ella muriera. Pero no hará eso, y suicidarse menos. En realidad habría que protegerle de esa mujer. Y ya no pudo seguir pensando. Cuando se ha bebido un poco, no se puede pensar cada cosa hasta el final.

Parece que la cerveza no sirve de nada. El último vaso se lo ha bebido de un trago y no le ha sentado muy bien. Algo helado le oprime la zona del estómago, se le pega la camisa, y no logra recuperar el bienestar de hace un momento ni aun aspirando profundamente. Estaría bien tener al lado una mujer maternal.

Se ríe y dice para sí: Si yo me suicidara y ella heredara mi dinero, todo ese precioso dinero de mierda, entonces podría alimentar al muchacho, y si mi suicidio la empujara además a imitarme, entonces el pequeño se vería libre de ella. Tanto lo uno como lo otro sería bueno, en el caso de que quisiera suicidarme, porque no quiero ni sé por qué se me ha ocurrido ahora.

Detrás del mostrador se movía una persona mayor, vestida con un traje color rosa no muy limpio. Cuando hablaba con el camarero se veía su perfil, y entre la mandíbula superior y la inferior se le dibujaba un triángulo que se abría y se cerraba. Un gato de angora, blanco como la nieve, saltó silenciosamente sobre el mostrador, se limpió un poco los bigotes y se quedó allí sentado sin moverse, contemplando el local con sus ojos redondos y azules y su hociquillo rosa.

Estoy contento de no ver a la mujer que está junto a mí, pensó y, de pronto, sin casi darse cuenta, dijo a media voz:

—Suicidarse es fácil.

Lo había dicho y eso le asustó: fue como la respuesta a una llamada que había oído y no oído, a sabiendas, no obstante, de que le habían llamado por su nombre de infancia, ordenándole dejar el juego y regresar a casa. Si yo no hubiera tenido nombre, ella no me habría podido llamar, pero al tenerlo he de obedecerla. A una madre hay que obedecerla siempre, hay que seguirla hasta la tumba, como si estuviera prohibido sobrevivirla. Y por terrible que fuera tenerse que suicidar, no era posible cambiarlo. Lo que es justo es justo, y hay que hablar de ello con franqueza:

—Sólo la muerte nos evita nuevas obligaciones.

Esta última frase hizo que, en cierto modo, se proyectara una parte de su Yo en el aire, de forma clara y penetrante, como ratificando todo lo dicho anteriormente. Y era de esperar que ahora su voz, impresa en el aire, se mezclara con las otras dos voces, e incluso calculó en qué punto del espacio podía tener lugar: a unos seis o siete pies de distancia. Ahora se formará un trío, pensó, y escuchó atentamente a fin de ver cómo reaccionaban los otros dos. Pero no parecían haberse dado cuenta, ya que la mujer, medio en serio medio en broma, dijo:

—¡Y si ahora llegase él!

—Nos mataría —contestó la voz de muchacho— o por lo menos me mataría a mí si apareciese por aquí... cosa por demás poco probable.

Estos dos no dicen más que disparates. Están hablando de alguien que por lo visto es una especie de vengador, juez y fiscal, una especie de verdugo que los degollará a los dos. Debo tranquilizarles:

—No vendrá. Hace tres años sufrió un infarto en el tren de Amsterdam a Rotterdam.

—Dame un cigarrillo —dijo la mujer, y su voz sonó evidentemente más tranquila.

Vaya, parece que ella lo ha entendido, piensa, moviendo la cabeza en señal de asentimiento. Y ahora me tomaré un whisky para ahogar el susto. Lo pide al camarero.

Luego se sintió realmente mejor, casi bien. Podía seguir adelante.

—¡Camarero, otra!

Sí, señor, vamos a continuar así. ¡Qué idioteces decían estos! Como si los muertos salieran de sus tumbas para matar. El Comendador, el Convidado de Piedra..., por favor, amigos míos, eso sólo sucede en el teatro, y no en todas las obras, únicamente en Don Juan. De repente se le ocurrió:

—Ahora viene, y va a poner las cartas sobre el tapete.

Pero era simplemente el camarero con el whisky. Le resultó tan gracioso que repitió riendo:

—Sí que viene, ha llegado ya.

La mujer se lo ha tomado en serio:

—Es mejor que nos vayamos.

—Sí —contesta el joven. Quizá iba en serio, quizá era realmente el Convidado de Piedra y no el camarero, quizá venía a buscar y no a traer.

—No te intimides así —suplica la voz de muchacho—, antes nos lo encontraremos en la calle... No es fácil que se deje caer por este café...

Cuidado con esa petulancia, muchachito... Si pudo llegar hasta el hospital y llevarse a mi madre, ¿por qué no puede llegar hasta aquí? Los médicos dijeron que la operación de estómago, que se vieron obligados a practicar, no la habría resistido ni el mejor de los organismos, pero nada demuestra que no fuera él quien la obligó a suicidarse.

La mujer dijo:

—Pero en la calle por lo menos se puede huir.

La huida no existe, querida mía. Si usted huye, él le disparará por la espalda. Sólo hay una protección: el anonimato. A aquel que no tiene nombre nadie le puede llamar, nadie. A Dios gracias yo he olvidado mi nombre. Sacó un puro de un estuche y lo encendió con placer.

—Nos iremos lejos, cariño, muy lejos... y ni nada ni nadie nos podrá alcanzar nunca —dijo la voz de muchacho.

O sea, que te has enterado de que nos vamos al sur de África a ganar dinero. Por mí está bien... Lo único que no está tan bien es este puro, que ya no sabe a nada... ¡Maldita sea!, tendría que tomar una leche caliente.

La mujer de la mesa contigua adoptó enseguida la idea:

—Camarero, tráigame un vaso de leche caliente.

Ya estamos en marcha. La trama de las voces es perfecta, inmediatamente se producirá la de los destinos. Ahora es cuando debería irme. ¿Por qué razón he de correr la misma suerte que esos dos? Me gustaría meterle a ella un billete de mil francos en el bolsillo y luego desaparecer. No me afecta lo que les pueda ocurrir. Estoy solo, y así es como estoy mejor protegido ante él. Si me quedara con ellos nada me salvaría.

—¡Oh, cariño, cariño! —musitaba el muchacho.

¿Es que no tienen nombre con que llamarse? ¿Es que saben ya el peligro que encierran los nombres? Sería lógico. Pero en cambio he de reprenderla. Sí, querida, usted no tiene nada de maternal. Las auténticas madres encuentran nombres para sus hijos y los usan siempre, aunque eso signifique un gran peligro.

—Estamos en un lugar público —se disculpó la mujer, y pudo sentirse que lo había dicho señalando al camarero.

El camarero tenía una calva reluciente. Cuando no tenía trabajo se apoyaba en el mostrador y la cajera le hablaba con énfasis, abriendo y cerrando las mandíbulas. Era una suerte no entender lo que decían sus voces, porque también sus voces se habrían implicado en el nudo de las obligaciones que tenían los destinos de las demás, formando una trama común y total pero en la que estarían solas, abandonadas: Ahora este nudo se me sube a la garganta, tengo otra vez sed, una sed de todos los diablos.

Sirvieron a la mujer la leche que había pedido. La cajera echó el resto en un platito y dijo con voz cariñosa:

—Arouette, ven, aquí tienes tu leche.

Y Arouette se dirigió por encima del mostrador, lenta y dignamente, hacia el platito de leche.

Probablemente también la mujer bebía la leche a pequeños y golosos sorbos, pues la voz de muchacho dijo en tono de admiración:

—¡Oh, cómo te quiero! Tú y yo nos entenderemos siempre.

—Entenderse es atarse —dijo el joven—. Y esta es mi situación. Si las cosas no tuvieran nombre, la comprensión no existiría. Pero tampoco existiría el mal. Estoy borracho como una cuba y ya no tengo nombre; y mi madre ha muerto.

¿Había respondido la mujer? En efecto:

—Nos amaremos, nos amaremos hasta la muerte.

—Él vendrá, sí, y disparará, no se inquiete por eso, distinguida señora —y el joven se tranquiliza al descubrir el reflejo de la lámpara central sobre la calva del camarero.

Una calva es una calva, una luz es una luz, y un revólver es un revólver. Y entre los nombres se tienden los tensos hilos de las cosas que ocurren, de forma que un mundo sin nombres sería un mundo de silencio. Pero mi sed es sed ¡y qué sed!

Entretanto, había entrado en el café un hombre algo grueso, con bigote negro y unas manchas rojas en el rostro que parecían indicar cierta propensión a la apoplejía. Sin mirar a su alrededor, se dirigió a la barra, se apoyó en el mostrador, sacó un periódico del bolsillo y empezó a leer. Un cliente habitual que no necesitaba decir qué quería; la cajera le sirvió un vermut del modo más natural.

El joven pensó: Ellos no le ven. Y dijo en voz alta:

—Ya está aquí.

Al ver que nada se movía, ni tampoco el hombre se daba vuelta, dijo más alto:

—Camarero, otra.

Entre la sed y la cerveza, dos nombres, se tienden los tensos hilos del acto de beber.

Afuera el viento era cada vez más fuerte. Los picos del toldo se agitaban. Y los que leían el periódico, sentados a las mesas de mimbre, se veían obligados a alisar con frecuencia el papel que el viento doblaba y que crujía de modo especial. Pero el tipo del mostrador era mucho más interesante que los lectores de fuera, y el joven, que lo observaba, tuvo de pronto la impresión de que sostenía el periódico al revés. Impresión falsa y ofensiva, ya que el hombre, evidentemente, hablaba acerca de lo que estaba leyendo con la señorita del mostrador, pues golpeaba una y otra vez determinado punto del periódico con los nudillos de su mano velluda.

¿Qué habría leído que tanto le excitaba? Casi parecía que le iba a dar un ataque. No cabía duda: el hombre había encontrado su propio proceso impreso en el periódico, un proceso por asesinato. Eso era muy sorprendente, tanto más cuanto que suponía no sólo una anticipación del futuro, sino una inversión en el orden de jerarquías. ¿Cómo puede uno atreverse a levantar un proceso en contra de un juez, de un fiscal? ¿No se tiene acaso perfecto derecho a matar a la mujer, al muchacho, eterno derecho a matarlos a todos? Y el joven se quedó con la vista fija en el lugar en que se habían entrelazado las voces de todos, y donde se seguirían siempre entrelazando:

—Estamos aquí —informa al fin, ya impaciente.

—Si lograra reunir el dinero... —dijo la mujer—, es un hombre que se puede comprar.

—Seré yo quien pague —dice el joven—, yo... —Y pone sobre la mesa un billete de cien francos, como para ver si es suficiente.

El cliente del mostrador no presta la mínima atención al gesto ni al dinero. Las deudas hay que pagarlas con la vida.

—No te preocupes, no quiero que te preocupes —dice suplicante la voz de muchacho—, yo...

¿Qué significa «Yo»? Tú, cállate. Cuando uno no tiene dinero, debe callar. Me das asco. Yo quiero pagar y pagaré. Yo soy yo. Aun sin nombre soy yo.

—¡Eh!

Era el joven quien había gritado. Había gritado para que el inmóvil cliente se volviera y diera el ansiado y largamente esperado grito de reconocimiento, y se juntaran grito con grito, destino con destino, en un punto común.

Pero no ocurrió nada. Ni siquiera vino el camarero. Estaba ocupado en la terraza y la brisa movía su blanco delantal de acá para allá. El hombre del mostrador permaneció impasible, insensible como una piedra, y continuó hablando con la cajera, a quien había entregado una página del periódico. Esta era su venganza para con los sin nombre: un desprecio glacial. La mujer dijo:

—No me preocupo, al contrario. Mi corazón está lleno de

esperanza. Pero me pesan las manos y los pies. Si él viniera me quedaría como paralizada... Ya es hora de ir a casa.

¿Esperanza? Sí, esperanza. Quien no tiene nombre vive dentro de lo que no ocurre y ya nada le puede suceder. Yo no tengo nombre ni lo quiero volver a tener, ya me paseé bastante con el que me impusieron. Ahora todos los nombres me dan asco. Sin embargo, ¿no es eso una protesta vacía e inútil, incluso una protesta contra la madre que usó ese nombre? Casi llorando concluye:

—Todo es inútil.

—Sí, vámonos a casa —dice la voz de muchacho.

¿A casa te quieres ir? ¿Sin un Yo? ¿Sin nombre? No puedes hacerlo. Nunca ha sucedido nada igual. Nota que le invade de nuevo la debilidad y que su rostro —aunque quizá también el del muchachito de la mesa contigua— palidece. Se lleva la mano a la frente, cubierta de sudor frío: Yo tengo todos los nombres, todos, desde la A hasta la Z, y por tanto ninguno.

—¡Oh, pequeño mío, mi dulce pequeño! —dice la mujer en voz baja, triste, enamorada.

El joven asiente con la cabeza. Ahora ella se está despidiendo. Yo también me despediré. Una despedida sin nombre. Colgaré en mí las cadenas de todos los nombres. Empezaré por la A, a fin de ser juzgado el primero y que comprueben mi corazón y mis riñones, que juzguen mi vida y mi muerte, aunque él tenga ya el veredicto en el bolsillo de la chaqueta.

El hombre del mostrador ha sacado en efecto un revólver y muestra su funcionamiento al camarero. O sea, que lo del periódico era una preparación, una auténtica preparación. ¿Por qué una vez siquiera no podrían ocurrir las cosas completamente a la inversa?

El camarero sopesa el arma y frota el cañón con la servilleta hasta dejarlo brillante como un espejo.

No, lo que es demasiado es demasiado. Al camarero no le importa nada todo eso. Después tendría que limpiar la sangre del suelo y esparcir serrín por encima. Y para llamarlo de nuevo a su deber: —¡Otro doble!—, al tiempo que agita el billete de cien francos como una última y desesperada señal al tirador. Naturalmente este no hace ningún caso, sino que continúa asegurando uno y otro tornillo del arma poniéndola a punto de disparar, él, juez, fiscal y verdugo a la vez.

El gato Arouette se ha terminado la leche y se dispone a dormir enroscándose bajo su pelaje blanco, tras haberse lamido el bigote, el cuello y la cola.

Mientras, la cajera ha comenzado a colocar una hilera de vasos sobre el mostrador, toda una cadena de vasos, cada uno de los cuales produce un sonido suave y sonoro. El revólver hace un ruido metálico. Se afinan los instrumentos y, cuando todas las voces suenen conjuntas, habrá llegado el momento de la muerte. Entonces seré atravesado por la bala que él está poniendo ahora en el cargador, seré arrojado al suelo de mármol, sobre la cruz de san Andrés, como si tuviera que ser atado a ese nombre. ¿No me llamé yo alguna vez Andreas? Es posible, ahora ya no lo sé. De todos modos Andreas empieza por A... Se le escapó este ruego:

—De ahora en adelante llamadme A.

El viento, que llegaba cada vez más adentro del local, traía un suave perfume de acacias.

—¡Qué hermosa noche hace hoy, bajo los árboles, bajo el tintineo de las estrellas! —dijo la voz de mujer con una opaca suavidad.

—Bajo el tintineo de las estrellas de la muerte —replicó el joven sin saber exactamente si había sido él quien lo había dicho.

La voz de muchacho dijo:

—En una noche así quisiera morir sobre tu pecho.

—Sí —contestó el joven.

—Sí —dijo la voz de mujer en tono muy grave—, ven.

El hombre del mostrador se movió por fin, aunque con extrema lentitud. Primero cogió la hoja de periódico de las manos de la cajera y golpeó de nuevo con fuerza el lugar donde figuraba su proceso. Luego volvió lentamente el rostro hacia los presentes, mirando a lo lejos sin ver, pero con la sentencia en los labios:

—La ejecución puede empezar.

A pesar de su blandura, la voz del juez no admitía réplica. Llegaba hasta el punto de unión de la trama, hasta el lugar que el joven no había dejado de mirar con fijeza y supremo esfuerzo, y allí se quedó.

La réplica de A. —así quiere que lo llamen de ahora en adelante— es:

—La cadena ya se ha cerrado; nacimiento y tumba, presididos ambos por la madre.

Al cliente del mostrador no le afecta. Levanta el arma con un gesto amplio, la muestra ante los ojos paralizados a su alrededor y, escondiéndola tras su espalda, se aproxima —¿no se esperaba esto?— a la mesa vecina con decisión firme, inexorable, inamovible. Y puesto que había llegado el momento de la catástrofe y el tiempo transcurrido alcanzaba el ahora, el punto actual, el presente de la muerte en el que el tiempo salta del futuro al pasado puesto que, ¡oh!, ahora todo se convertía en pasado, A. se permitió por primera y última vez descubrir el sueño que le había de devorar en el instante próximo: sin apartar los ojos del que se acercaba, siguiendo paso a paso la dirección que había tomado, posó por fin la mirada en la mesa contigua.

Estaba vacía. La pareja había desaparecido. Y en este instante empezó a sonar en el gramófono «Père de la victoire».

El camarero, con el paño colgando del brazo, había seguido al que se acercaba. A. le tendió el billete de cien francos:

—¿Han pagado los que estaban sentados ahí?

El camarero le miró sin comprender.

—Es que quería pagar por ellos.

—Está todo pagado, señor —contestó el camarero indiferente, mientras con el paño iba limpiando la mesa, a fin de que el gordo cliente de aspecto apopléjico y bigote negro, que estaba a punto de sentarse en el banco de cuero, la hallara limpia.

En el sonrosado rostro del cliente se dibujó una sonrisa:

—No sea usted tan honrado, amigo mío.

¿A quién se ha referido? ¿Al camarero o a mí? Estoy realmente borracho, como una cuba.

La cajera empezó a limpiar los vasos puestos en hilera, cogiéndolos sucesivamente uno tras otro. Se oían los tintineos, en cada uno de los vasos se reflejaba la luz del café. Arouette, que se había vuelto a despertar, intentaba apresar, juguetón, los reflejos. Y afuera el viento había amainado.

II. CONSTRUIDO METÓDICAMENTE

Todas las obras de arte deben cumplir un cometido esclarecedor y mostrar en su singularidad la unidad y universalidad de cuanto sucede: esto ha de cumplirse sobre todo en la música y, a su semejanza, se tendría que poder crear también una obra narrativa mediante similares estructuras y en contrapunto.

Admitiendo que los conceptos del público medio dan su fruto en todas direcciones, situemos un protagonista de clase media en una ciudad provinciana, o sea, en una de aquellas ciudades residenciales de la antigua Alemania. Época: 1913. Y encarnémosle en la persona de un profesor interino de instituto. Se puede suponer que enseñaba matemáticas y física, debido a una ligera predisposición hacia estas ciencias, y que había aprobado sus estudios por haberse dedicado a ellos con hermosa entrega, las orejas encendidas y un sentimiento de felicidad en el corazón, por supuesto sin meditar en los principios ni en la alta misión de las ciencias elegidas, sino con el convencimiento de haber alcanzado en ellas un notable nivel dentro de su especialidad, no sólo burocrático sino intelectual, pues había superado los exámenes para convertirse en profesor.

En efecto, un carácter surgido de la mediocridad no se plantea cuestiones acerca de si las cosas o conocimientos son ficticios, eso le parece extravagante. Sólo entiende de problemas aritméticos, problemas de repartos y combinaciones proporcionales, no de problemas de la existencia. Y tanto le da tratar de fórmulas algebraicas como de formas de vida, lo único que le importa es que «el resultado sea exacto». Las matemáticas constituyen una serie de «problemas» que él o sus alumnos han de resolver, y a la misma altura están las cuestiones del horario del instituto y sus preocupaciones económicas, e incluso la misma alegría de vivir, herencia en parte de sus antepasados y en parte de sus colegas.

Un hombre de este tipo, completamente determinado por las cosas de un mundo exterior plácido, en el que encajan y armonizan un mobiliario de burgués medio al lado de la teoría de Maxwell, trabaja en un laboratorio, en una escuela, da clases particulares, va en tranvía, bebe cerveza algunas noches y se encamina después a un burdel, visita a veces a un especialista y come en casa de su madre los días de fiesta. Un cabello rubio rojizo adorna su cabeza, en sus manos las uñas tienen ribetes negros, sabe muy poco del hastío y el linóleo le parece un cubresuelos perfecto.

Un mínimo tal de personalidad, un no-Yo semejante, ¿puede convertirse en instrumento de interés humano? ¿No se podría desarrollar de la misma manera la historia de una cosa muerta, por ejemplo, una pala? ¿Qué hecho trascendente puede ocurrir en una vida así cuando su mayor acontecimiento son los exámenes? ¿Qué pensamientos pueden surgir todavía en el cerebro del protagonista —su nombre poco importa, que se llame pues Zacharias—, ahora que incluso la pequeña predisposición mental hacia las matemáticas empieza a entumecerse? ¿Qué piensa ahora? ¿Qué pensaba antes? ¿Sobrepasó alguna vez el terreno de los exámenes de matemáticas hasta llegar al humano?

Es cierto que cuando se licenció su mente se concentró en ciertas esperanzas de futuro. Se veía por ejemplo en un hogar propio, e imaginaba, un tanto borroso, un comedor donde destacaba en la oscuridad del atardecer la silueta de un aparador tallado en madera y el fugaz reflejo verde del suelo de linóleo. En estas imágenes se presentía que en ese «futurum exactum», a un hogar de ese tipo le correspondía un ama de casa con la que él estaría casado; pero todo esto eran, como se decía más arriba, imágenes nebulosas.

En el fondo era incapaz de imaginar la presencia de una mujer. Aunque la imagen de la futura ama de casa levantaba en su cerebro ciertos vapores eróticos y algo en él le gritaba trémulamente que la ropa interior femenina, con sus manchas y agujeros, le llegaría a ser tan familiar como la suya propia, y si bien a veces un corsé o un portaligas —temas de ilustración muy a tono con el entonces naciente expresionismo— le sugerían esa mujer, le resultaba en cambio inimaginable que una muchacha o una mujer concretas, con las que se hablaba de cosas corrientes en sintaxis normal, tuvieran una esfera sexual. Las mujeres que se ocupaban de tales cuestiones estaban completamente al margen, no en un plano inferior a las otras sino en un mundo absolutamente distinto, un mundo que no tenía nada en común con aquel en que uno vivía, hablaba y comía: eran sencillamente otra cosa, seres vivos de constitución radicalmente diferente a la propia y que empleaban un lenguaje mudo para él, o al menos desconocido e irracional. Pues si uno iba a parar entre esas mujeres todo se desarrollaba con una precisión determinada y consciente y nunca se les ocurriría hablar de bayetas —como su madre— o de ecuaciones diofánticas —como sus compañeras de estudios—. En efecto, le parecía inexplicable que se pudiera pasar de estos temas puramente objetivos a los temas eróticos, mucho más subjetivos; esto suponía para él un hiato que se manifestaba por doquier en disyuntivas (origen de todo el moralismo sexual) allí donde había imperado una inseguridad erótica y, por tanto, habrían podido ser tomadas como base del libertinaje artístico de la época, mucho más que como raíz de un hetairismo específico, muy abundante en la literatura de su tiempo.

El mundo de Zacharias, por lo general muy sólido, presentaba una grieta al llegar a este punto, que en determinadas circunstancias habría podido convertir el normal automatismo de su proceder en una especie de obligación de tomar decisiones mucho más humanas.

Pero no ocurrió nada de ello. Poco después de licenciarse recibió un cargo de profesor interino, con el fin de dotarle de eficacia pedagógica. Desde aquel momento, comenzó a desmontar el cerrado, manejable, limpio y bien atado paquete de su saber en pequeños paquetitos, que traspasaba a sus alumnos para luego podérselo exigir en los exámenes. Si no sabían responder, tomaba cuerpo en Zacharias la idea, un tanto confusa, de que el alumno le escatimaba algo que le debía y se sentía traicionado. De este modo todas las aulas en que daba clases se convirtieron para él en lugares donde depositar una parte de su Yo, como los trajes que colgaba en el armario de su pequeña habitación de alquiler, pues también estos eran trozos del mismo Yo. Cuando daba cálculo de probabilidades en el curso tercero, o cuando hallaba los zapatos bajo el tocador de su casa, se sentía indefectiblemente entregado y atado al mundo exterior.

Este género de vida había durado algunos años pero se interrumpió al aparecer la conmoción erótica de que hablábamos antes, pues sería una construcción antinatural y forzada no asociar a Zacarías un complemento muy cercano a él, a saber: Philippine, la hija de su patrona.

Poder vivir durante años junto a una muchacha sin sentir el menor deseo correspondía a la idea que se había formado Zacharias sobre las mujeres y, aunque esta postura negativa no encontrara eco en los anhelos de la muchacha, seguro que no habría sido él la clase de hombre capaz de interpretar los suspiros de una muchachita burguesa. Así pues, se puede admitir sin más que la imaginación de Philippine, se centrara o no en Zacharias, iba dirigida a objetos externos, y se le puede atribuir un carácter romántico sin peligro a equivocarse.

En las pequeñas ciudades, por ejemplo, es costumbre ir todos los días a la estación para ver pasar los trenes expresos, y Philippine seguía gustosa esa tradición. ¡Qué fácil le habría sido a un joven de los que se asoman a las ventanillas del tren decir a esa chiquilla, no exenta de belleza, «ven conmigo»! Philippine transformaría primero esa imagen un tanto absurda y sonriente en otra que la obligase a regresar a casa con pasos lentos. Pero después daría lugar a un nuevo sueño: durante la noche ha de correr, ¡y cómo le pesan las piernas!, tras los trenes que se alejan y que, en el momento de poderlos alcanzar se hunden en la nada, no dejando tras de sí más que un horrible despertar. Pero también durante el día, al levantar los ojos de la costura y seguir con la mirada el vuelo inacabado y atrayente de las moscas alrededor de la lámpara, surge de nuevo la escena de la estación, más penetrante y más rica que en el sueño, más fascinante aún que la extinguida realidad. Y Philippine ve con claridad, como por arte de magia, de qué modo habría podido subir al tren en marcha, ve el peligro, mejor dicho, siente en su cuerpo la herida que en su atrevido salto forzosamente se habría causado, se siente arropada en el suave asiento de primera clase, con su mano en la de él, transportada en la negra noche. Todo esto es lo que ve Philippine mientras atenúa la imagen del revisor, que ha recibido una propina considerable por viajar ella sin billete y que desaparece en la sumisión; sólo queda por decidir si en el último momento podrá alcanzar o no el freno de alarma de su honor, cosas ambas angustiosas.

Viviendo pues en tal atmósfera, era lógico que no reparara apenas en Zacharias, y no a causa de los calcetines de punto grises que este usaba y que ella zurcía —si hubiera tenido que describir al amado del tren le habría atribuido idénticos calcetines—, sino debido al billete de cuarta clase que Zacharias sacaba en sus excursiones de domingo, con la mochila a la espalda y sombrero tirolés con plumas. Ella apenas se daba cuenta de su presencia, y ni siquiera una alusión a su excelente manera de cuidar de la pensión habría hecho que el corazón le latiera más rápido.

Realmente sólo una coincidencia espaciotemporal podía

hacer que estos dos seres se encontraran. En efecto, fue en la burda oscuridad y por una circunstancia totalmente casual que sus manos se encontraron, y el impetuoso deseo que suele surgir al ardiente contacto entre una mano de hombre y otra de mujer les sorprendió a ellos mismos. Philippine decía la pura verdad cuando, incesantemente colgada de su cuello, repetía: «No sabía que te amaba tanto», y es que en efecto no lo había imaginado.

Zacharias se sentía un tanto inquieto ante el nuevo curso de las cosas. Ahora tenía siempre la boca llena de besos, y no podía apartar de su imaginación los huecos de las puertas donde tenían lugar los abrazos, ni la escalera del desván donde se veían apresuradamente. Experimentaba pausas soñolientas dando sus clases, y durante los exámenes escuchaba a los alumnos distraídamente, mientras escribía en el secante «Philippine» o «Te amo», cosa que no hacía usando los caracteres corrientes, a fin de no traicionar el secreto de su corazón, sino en letras clave completamente arbitrarias. Esto le proporcionaba un segundo placer, al tener que reconstruir luego las palabras mágicas.

La Philippine a quien él dedicaba todos sus pensamientos era la que le proporcionaba esa preparación a lo sexual en contactos fugaces: amante detrás de las puertas y, en cambio, compañera de conversación en público con quien hablaba de la comida o de cosas caseras. La muchacha se convirtió para él en un ser de doble personalidad, y mientras escribía ansioso el nombre de una Philippine en el secante, la otra Philippine le resultaba indiferente como un mueble. ¿Puede cualquier mujer dejar de notar un comportamiento de este tipo? No: le sería imposible, ni aun sintiendo ella lo mismo. Tampoco Philippine podía dejar de notarlo. Y así ocurrió. Un día resumió su intuición femenina en palabras justas y escogidas: «Tú sólo amas mi cuerpo». En realidad, no habría podido decir qué otra cosa había en ella merecedora de amor, y probablemente se habría sorprendido al recibir otra clase de amor, pero esto lo ignoraban tanto él como ella, y constatar el hecho en sí fue para ambos motivo de humillación.

Zacharias lo tomó muy a pecho. Hasta entonces su juego amoroso empezaba por la tarde, cuando la madre estaba fuera y él regresaba de la escuela, y evitaban los encuentros a primeras horas de la mañana (la estética amorosa se lo aconsejaba, por no haberse lavado aún del todo). A partir de ese momento se esforzó en probar la universalidad de su amor, prodigándolo a diversas horas del día. Al sorber deprisa el café, antes de partir para la escuela, no olvidaba nunca deslizar en el oído de ella unas frases íntimas y apasionadas, y sus encuentros en la escalera del desván, que no eran más que un rápido contacto de sus bocas, se convirtieron poco a poco en un abrazo apretado y sensato con las manos entrelazadas. Y cuando se quedaban solos por la noche —las frecuentes ausencias de la madre se podían interpretar como una confianza en sus buenas cualidades para regentar y habitar una pensión—, ya no empleaban el tiempo en locos abrazos sino que Philippine lo obligaba a no apartarse de sus correcciones (cosa que hacía sobre la mesa del comedor bajo una lámpara de petróleo). Ella se movía de puntillas poniendo orden en el bonito aparador tallado en madera, y sólo muy de vez en cuando se acercaba a él y depositaba un beso silencioso en su rubia cabellera llena de caspa, inclinada bajo la lámpara; o se sentaba a su lado apoyando la mano, con serenidad y confianza, en su hombro o en la pierna.

Con todo, el terreno espiritual en el que se desarrollaba ahora su amor no era suficiente para desterrar la desazón que, inevitablemente, va unida a todo problema insoluble. Y era algo más que desazón, pues Zacharias estaba casi a punto de desesperarse al tener que seguir siempre en dirección ascendente en sus sentimientos. Aquel «te quiero» del primer beso resultó sorprendente, pero al menos fácil de transformar en palabras, en cambio ahora se sentía incapaz de llenar estas palabras con un pathos pujante cuyo arsenal, por otra parte, no era fácil de manejar. Seguía pintando este te quiero o el nombre de Philippine en el secante, pero lo hacía sin sentirse partícipe, y ya no se entretenía en reconstruir las palabras divididas sino que prestaba creciente atención a los alumnos, que sabían menos que nunca.

La constante tensión de sus sentimientos había apagado en él la idea del ser: el ser que antes se cobijaba en los pequeños conocimientos matemáticos que intercambiaba con los alumnos, en los trajes que se ponía según determinadas reglas, en la obligada jerarquía que observaba con sus superiores o sus colegas; todos estos intereses, sin duda más que legítimos, ya no hallaban eco en su Yo, cosa muy desagradable. El problema de Philippine, al que él se había entregado por completo como hacía con los otros problemas, sobrepasaba incluso lo irresoluble. Era un problema sin fin, pues se trataba de alcanzar un infinito más que de amar un cuerpo, y aunque se recurriera a todas las fuerzas del alma, pobre y terrenal, y aunque para conseguir este fin prescindiera esta de todo lo que el mundo real significa, es decir, de sus experiencias metafísicas, incluso el alma dudaría de lo inalcanzable y tendría que desvalorizarse y negar el maravilloso fenómeno de su consciente existencia.

Todo lo infinito es único. Y como el amor de Zacharias se proyectaba hasta el infinito, quería ser también único. Pero se oponía a ello la exigencia de la evolución de este amor. No se trataba sólo de que hubiera sido enviado por azar al instituto de la pequeña ciudad, ni de que asimismo por casualidad hubiera ido a parar a la pensión de la madre de Philippine: era el azar del comienzo repentino y perfeccionado de su amor lo que él consideraba ahora una monstruosidad; y la pasión surgida sorprendentemente del contacto de sus manos se le antojaba igual a la vivida en los brazos de aquellas mujeres que calificaba de prostitutas. Él habría podido, en definitiva, apartarse de esta falta de unidad si no se hubiera tratado más que de su propia persona. Pero, por consecuencia lógica, debía atribuírsela también a Philippine, y la sola idea le dolía cada vez más. Porque el hombre, en su búsqueda hacia el infinito, puede quizá ascender en su propia y vivida universalidad, pero sería pedirle demasiado que arrastrara a su compañera a esa misma grandeza. En esto las fuerzas de Zacharias, volcadas hacia el infinito, le negaban su ayuda. Él no podía sentir el amor de Philippine como algo único e infinito. Veía sin cesar las llamas de la pasión, ciega y absurda, brotar de las manos de Philippine y, aunque estaba seguro de su fidelidad, sufría mucho más por su posible infidelidad que por un hecho concreto, caso de haberse presentado.

En consecuencia, se le hizo insoportable, no sólo en la escuela sino también con Philippine. Si esta se sentaba confiada junto a él, como tenía por costumbre, bajo la glorieta del jardín, la atraía bruscamente hacia sí y le mordía los labios hasta hacerle sangre; otras veces la apartaba con rudeza. Manifestaba en suma sus celos de la forma más grosera. Philippine, que no se sentía culpable de nada, soportaba estas crisis con incomprensión y sin hallar ningún remedio que pudiera ayudarla. Si ella hubiera otorgado lo que llamaba su último favor, que desde un principio se habría considerado como una comprensible protección más que como una toma de posesión simbólica; si ella hubiera entregado este último favor cuando él, precisamente para demostrarle cuánto la amaba, no demostraba ningún deseo en sus gestos, entonces no habría cabido en la imaginación unilateral de ella el buscar la curación en el amor corporal dándole con frenesí lo que siempre le había negado levantando pícaramente el índice. Ignoraba, la pobre, que con ello no hacía sino echar leña al fuego. Pues si bien Zacharias no rechazaba lo que ella llamaba su último favor, le resultaba a continuación molesto, porque veía con claridad que lo que acababa de recibir habría podido ser entregado, y con idéntica pasión, a cualquier otro, a cualesquiera de esos jóvenes elegantes —nunca hasta entonces se había fijado en ellos— que descubrió de repente paseando por las calles en espera del verano.

Empezó a vagar de un lado a otro. ¿No se reían todos de él, buscador de lo infinito, hombre que pretendía sobrepasarse a sí mismo? ¿No se reían los transeúntes que, en su superficialidad y mesura, podían disfrutar no sólo del amor de Philippine, sino del de todas las mujeres? ¿No se reían todos de él porque había considerado intocables a las mujeres, mientras que ellos habían sabido desde siempre que en resumidas cuentas no son más que busconas? Incluso empezó a observar con desconfianza a los alumnos de los cursos superiores. Cuando regresaba junto a Philippine casi la estrangulaba, porque «nadie, ¿oyes?», la podía amar como él. Y las lágrimas de la muchacha, aterrorizada y halagada, se mezclaban con las suyas, concluyendo que únicamente la muerte podía librarles de tal tortura.

El espíritu romántico de Philippine, cautivado por la palabra muerte, fue repasando las ventajas de las distintas clases de muerte. La fogosidad de su amor exigía un final también tempestuoso. Pero como nada sucedió —ni la tierra estalló en temblores ni la colina de la ciudad comenzó a vomitar lava—, y Zacharias se dirigía a la escuela con el rostro contraído por el dolor mientras Philippine estaba ya llena de cardenales en el cuello y los brazos, se sintió impelido por ella a que preparase el final adquiriendo un revólver. Él sintió —como nosotros, que lo ocasionamos, también sentimos— que la suerte estaba echada. Entró en la armería, con la boca seca y las manos sudorosas, y señaló tartamudeando lo que deseaba, al tiempo que se excusaba diciendo que lo necesitaba para defenderse en sus paseos solitarios. Mantuvo oculta su compra durante varios días y no la mostró hasta que un día Philippine, al traerle el café por la mañana, le susurró: «Dime que me amas», y le puso en respuesta el arma sobre la mesa, tímida, imperiosa y también penosamente.

Lo que siguió se desarrolló con gran rapidez. Tomando como pretexto, como en otras ocasiones, una visita a una amiga, se encontraron al domingo siguiente en el lugar cercano a donde solían ir, como si se tratara del acostumbrado paseo. A fin de descansar por última vez uno en brazos del otro, escogieron un lugar callado del bosque, con una bella vista hacia montes y valles. Pero el panorama, que tan hermoso les pareciera en otras circunstancias y cuya belleza comentaran, no les decía ahora nada en su angustia. Deambularon sin rumbo por el bosque hasta bien entrada la tarde, hambrientos, ya que comer no casaba con morir, evitando la casa del guardabosque, aunque —o precisamente porque— allí hubieran encontrado leche, mantequilla, pan negro, miel; evitando también el viejo pabellón de caza, que los observaba amigablemente a través del follaje acariciado por el sol con sus muros amarillos y sus postigos verdes. Por fin descansaron, agotados, entre los arbustos. «Ha llegado el momento», dijo Philippine, y Zacharias sacó el arma, la cargó con cuidado y la colocó con precaución junto a sí. «Hazlo rápido», ordenó ella, mientras apretaba los brazos alrededor de su cuello al darle el último beso.

El susurro de los árboles los cubría, pequeñas manchas de luz se filtraban por entre las hojas casi inmóviles de las hayas y poco se podía ver del despejado cielo. La muerte estaba al alcance de la mano, sólo hacía falta tomarla. Ahora, o dentro de dos minutos o de cinco, llegaría la completa liberación y el día de verano se extinguiría antes de ocultarse el sol. Con un simple movimiento de la mano se podía acabar con la diversidad del mundo, y Zacharias sintió que se establecía una relación nueva y esencial entre él y aquel complejo: frente a la libertad de una simple y única decisión, el objeto de la voluntad se convertía en una unidad, se redondeaba, cerraba sus perspectivas, se encerraba en sí mismo; manejable en su totalidad dejó de ser un problema y se transformó en un conocimiento de la totalidad, esperando que él lo aceptara o rechazara. Era una estructura con un orden absoluto, claridad perfecta y con la realidad más palpable, y los ojos de Zacharias se abrieron a la luz.

La visión del mundo quedaba atrás, y con ella desaparecía el rostro de la muchacha que yacía junto a él, pero ni una ni otro se desvanecían totalmente. Por el contrario, se sentía atado con más intensidad que nunca al ser del mundo y a la mujer, sobrepasando ambas cosas cualquier deseo. Los astros se movían en círculo por encima del vivir, y a través del firmamento de estrellas fijas vio mundos con nuevos soles por centro que giraban conforme a la ley de su saber. Su saber ya no radicaba en el pensamiento de su cabeza, antes creía percibir la luz en su corazón, pero esta luz que ensanchaba su Yo se extendía más allá de las fronteras de su cuerpo, fluía hasta las estrellas y retornaba, resplandecía en él y le enfriaba con maravillosa dulzura, se expandía y se trocaba en un beso infinito, el beso que recibía de labios de la mujer. Él lo tomaba como una parte de su Yo y, en cambio, lo veía oscilar en una lejanía desmesurada: la meta del Eros, que es el absoluto, una meta inaccesible y sin embargo demasiado accesible que se procura la libertad en lo eterno cuando el Yo rompe su soledad desesperada, su idealismo sin límites, cuando, levantándose por encima de su dependencia del mundo, se disgrega dejando tras de sí tiempo y espacio.

Como las líneas rectas, que se encuentran en el infinito cerrándose en un círculo eterno, así también el conocimiento de Zacharias, «Yo soy el todo», se unió al de la mujer, «Yo me sumerjo en el todo». Y esta unión daba un último sentido a la vida. Pues para Philippine, que reposaba en el césped, el rostro del hombre se elevaba hacia cielos cada vez más amplios al tiempo que penetraba más profundamente en su alma, fundiéndose con el murmullo del bosque, el zumbido de los insectos, el crepitar de la madera y el silbido de una lejana locomotora, transformándose en el dolor emocionante y portador de dicha que acompaña a la total revelación del misterio que reside en el saber engendrador y alumbrador de la vida. Y mientras ella se entregaba extasiada a ese sentimiento creciente, temió no poderlo retener: con los ojos cerrados vio ante sí la cabeza de Zacharias rodeada de estrellas y murmullos del bosque, le sonrió un momento y le apuntó al corazón, cuya sangre se fundió amorosamente con la que brotaba de su sien.

Sí, así era imaginable ese misterio, así era construible, así se puede reconstruir, pero habría podido ser de otro modo. Porque los naturalistas cometen un error petulante al creer que pueden determinar al hombre de forma inequívoca según su ambiente, humor, psicología y otros ingredientes semejantes, ya que olvidan que nunca se podrán abarcar todas las causas. Nosotros aquí no nos preocupamos de analizar el límite material, sino simplemente apuntamos que el camino de Zacharias y Philippine habría podido conducir hasta el éxtasis de la muerte por amor, y encontrar en ella el infinito y lejano punto donde su unión habría estado fuera de lo corporal pero encerrada dentro de su fin. Señalamos también que este camino que va de lo sórdido a lo eterno es un caso excepcional para el hombre medio: excepcional y antinatural. Por eso casi siempre se interrumpe antes de tiempo, o, como se acostumbra decir, «a tiempo». Cierto que la preparación común a la muerte es ya en sí un acto de liberación ética, y puede adquirir tanta importancia que a muchos amantes les supone toda una vida, prestándoles a lo largo de ella la fuerza de una realidad de valores que de otra forma no habrían podido poseer. Pero la vida es larga y el matrimonio facilita el olvido. Por eso, lo único que nos es lícito conjeturar en este caso es que los acontecimientos que se desarrollaron entre los arbustos acontecieron con la grosera torpeza de costumbre para precipitarse luego a su fin natural, no necesariamente feliz.

Zacharias y Philippine habrían podido tomar, a hora muy avanzada de la noche, el último tren y, semejantes a una pareja de recién casados, regresar de la mano en un vagón de primera clase al hogar para celebrar el día. Se habrían presentado de la mano ante una madre inquieta y asustada y, fiel al gesto patético de todas las tardes, el huésped perfecto se habría arrodillado sobre el suelo verde de linóleo brillante esperando

LOS RELATOS

VOCES
1923

Mil novecientos veintitrés. La poesía, ¿para qué?
Para informar de todas nuestras negligencias.

* * *

Es en la santidad, sólo en ella,
donde el hombre se enriquece más allá de sí.
Cuando, sumido en la plegaria, se entrega
a algo superior,
la parte anterior de su cabeza, el rostro,
se hace más humana,
su existencia se humaniza y adquiere plenitud,
el mundo adquiere sentido.
Pues sólo en la santidad, sólo en ella,
encuentra el hombre la convicción
sin la cual nada lo tendría,
la certeza de la veneración
que se dirige a lo más grande y que,
precisamente por ello, es la pura sencillez sobre la tierra:
la ayuda al prójimo es buena, el asesinato malo,
sencillez de lo absoluto.
Todo lo santo lucha por este absoluto,
se acerca al martirio y, atrayendo hacia sí

la vida simple, la eleva hacia la santidad,
hacia la única convicción soportable,
hacia la pureza más sencilla.
Pero cuando
convicción y santidad
y sencillez desaparecen,
cuando son destronadas
por diversas convicciones muy santas
o, mejor, son reemplazadas
por otras opiniones muy puras
que juegan sin respeto a ser santas,
aparece la idolatría
el culto a muchos dioses,
culto que ya no permite al hombre dirigirse a lo más grande,
no, le arroja a lo inferior, de suerte que
pierda su humanidad, caiga en el rebajamiento
y finalmente, con veneración falsa, se dirija plegarias a sí mismo,
sin venerar la auténtica humanidad: aquí aparece lo pagano,
el vacío del mundo en que todo tiene el mismo peso,
en que todo tiene la misma santidad pagana.
Y así se enfrentan las convicciones,
al no existir veneración ni santidad ni distinción,
y cada una de las convicciones es la más santa,
la absoluta, y quiere aniquilar a las demás,
dispuesta a cualquier crimen.
De la abundancia de convicciones
y de las falsas santidades surge, pavoroso,
el terror
en el salvajismo ronco del vacío,
pero imitando la santidad
de modo que incluso se podría morir por él
con la alegría de un mártir.
Y
cuando los hombres volvieron de la guerra,
cuyos campos de batalla habían sido un vacío ululante,

encontraron lo mismo en su casa:
el vacío de la técnica
ululaba igual que los cañones,
y el dolor humano debía refugiarse,
como en los campos de batalla,
en los rincones de los espacios vacíos,
circundado por la ronquera que produce el miedo,
rodeado sin compasión por la nada más brutal.
Entonces les pareció a los hombres
que, no obstante, seguían muriendo,
y preguntaron lo que preguntan los moribundos:
¿Por qué, con qué fin hemos malgastado nuestra vida?
¿Qué nos ha conducido a este vacío?
¿Qué nos ha entregado a la nada?
¿Es esta en verdad la determinación del hombre?
¿Es esta su suerte? ¿Es que verdaderamente nuestra vida
no puede tener otro sentido que este sin-sentido?»
Mas las respuestas a estas preguntas
las daban los mismos hombres,
y eran por tanto opiniones huecas,
otra vez el vacío de la nada
cobijado en la nada,
formado por la nada
y por ello predestinado a de nuevo sumergirse
en la confusión de las convicciones
que obligan al hombre a ofrecerse nuevamente en sacrificio,
a ofrecerse de nuevo en la guerra,
a ofrecerse de nuevo a la heroicidad pagana y vacua,
a la muerte sin martirio
al sacrificio vacío
que nunca más rebrotará.
¡Ay de la época de las convicciones huecas
y los sacrificios vacíos!
¡Ay del hombre de vacío altruismo!
Pues aunque los ángeles le lloren

será un llanto inútil.
¡Fuera convicciones!
¡Fuera el caos de las certezas,
la santidad pagana!
¡Oh simplicidad de la vida sencilla!
¡Oh absoluto!
¡Oh, dadles ya su eterno y sano derecho!
¡Oh piadosos deseos! Nadie puede cumplirlos,
pues todos son culpables, sin serlo,
de no cumplirlos:
pero aquel que se aproveche de la culpa humana
en su propio beneficio
recibirá el castigo de la misma;
la maldición de la infamia caerá sobre él.

III. EL HIJO PRÓDIGO

Se quedó perplejo en el vestíbulo de la estación, ante la hilera de criados. Pasó por delante de ellos y dejó sus maletas en consigna. Fuera estaba lloviendo. Una lluvia fina, semejante casi a la dulce lluvia de verano, y las nubes que cubrían el cielo parecían suaves capas de aliento. Delante de la estación había tres autobuses de hotel, dos azules y uno marrón. Un poco más a la derecha terminaban los raíles de la línea de tranvía que llevaba a la estación.

A., un tanto aturdido por el viaje, cruzó el granuloso y brillante asfalto hasta el borde de un pequeño parque; sin pensarlo mucho dobló a la izquierda, siguiendo la acera que rodeaba el parque. Lo primero que vio, o mejor dicho, olió, fue el húmedo césped y los arbustos a su derecha, suavemente abandonados a la repentina lasitud que flotaba en el húmedo ambiente. Como una rama sobresalía por encima de la valla metálica, deslizó los dedos por entre el mojado follaje. Pasó un rato hasta que se recompuso y pudo orientarse.

Detrás de él estaba la estación en una plaza en forma de triángulo, cuyo vértice apuntaba en efecto hacia la ciudad, como un embudo destinado a verter el tráfico hacia una de las calles principales, tráfico que ahora no existía, pero quizá sí a otras horas. Esto armonizaba de modo agradable y pacífico con la humedad del ambiente, y el recién llegado habría podido decir que se encontraba en un tranquilo balneario inglés.

La plaza, construida sin duda en la misma época que el ferrocarril —a pesar de todas las modificaciones urbanísticas—, o sea, allá por los años 1850-1860, mostraba las huellas de aquella gracia severa, último reflejo del imperio, que mezcló caprichosamente la época moderna de la técnica con el antiguo estilo cortesano, debido a que el dominio de la primera no era todavía evidente y la fuerza del segundo no estaba en total pujanza. Por eso dicha plaza producía la impresión de una antesala fría pero tenía el ornato del lugar donde se han de celebrar grandes solemnidades. Las dos hileras de casas a sendos flancos del triángulo eran muy parecidas y todas, sin excepción, tenían dos plantas. Estas casas mostraban el estilo complicado y orgulloso de aquella época y, como los terrenos con césped del parque se hundían en una suave depresión, parecían surgir al borde de un estanque verde, separadas de este sólo por las dos vías de acceso, cuyo carácter aristocrático resaltaba ahora que había desaparecido la gente llegada en el tren: muy raras veces pasaba un auto por allí, sólo algún coche de punto con su vaivén.

Dos pasos de peatones simétricos en forma de S atravesaban el triángulo del parque. En el cruce había un quiosco coronado por un gran reloj, cuyas tres esferas estaban encaradas hacia las tres calles de la plaza. Las manecillas daban un salto a cada minuto. Las 17 horas y 11 minutos, constató A., mientras lo comparaba con su reloj de pulsera, las cinco pasadas, la frontera entre la tarde y el anochecer. Y, de repente, se le pasaron las ganas de ver más cosas de la ciudad. Ya no le interesaba lo que pudiera haber detrás de la plaza de la estación. Le pareció como si esta última se hubiera construido exclusivamente para acoplarse al triángulo residencial, y como si los trenes sólo se detuvieran para los habitantes de aquí y los demás tuvieran que trasladarse en autobús. Y A. sintió, de pronto, el fuerte deseo de ser uno de los habitantes de este lugar.

Contempló las casas. No había ningún hotel, ni siquiera tiendas. Era lógico. Si no se equivocaba, había visto un hotel justo al lado de la estación, pero no pertenecía a la plaza; tanto la entrada como las ventanas daban a la estación. Quien quisiera vivir en la plaza, tener ventanas que se dieran al húmedo y brillante césped, detenerse en estas orillas, debería renunciar a la comodidad que supone llegar a un hotel y descargarse de las preocupaciones de la propia suerte. Ante todo, habría que recorrer las dos hileras de casas y ver si en alguna colgaba un letrero de «se alquila». Cierto es que no resultaba cómodo, pero A. había renunciado a la comodidad desde el momento en que se sintió asustado en la estación ante las filas de criados, y, quisiera o no, tenía que aceptar las consecuencias.

Puso en marcha, pues, una búsqueda sistemática. Fue hasta el límite del parque, lanzó una ojeada a la calle principal que allí empezaba, y siguió luego despacio hacia el grupo de casas de la izquierda, examinando cuidadosamente cada puerta para ver si había un letrero que anunciara una habitación en alquiler. Al llegar a la base del triángulo, tomó uno de los caminos en forma de S y al llegar al vértice repasó el grupo de casas de la derecha, para volver después al mismo sitio a través del parque. Repitió el juego dos veces, pero a pesar del doble examen no pudo descubrir ningún letrero. ¿Debía comenzar una tercera vez para cerciorarse? ¿Podía conformarse con la segunda tentativa? En parte le satisfacía no haber encontrado nada, pues iba creciendo en él un asco profundo hacia las viviendas de extraños y las mujeres que las alquilaban para ganarse la vida. Las veía llenas de mobiliario, de camas, de vajillas y de baterías de cocina heredadas de sabe Dios qué antepasados. Veía el conglomerado de mecanismos vivos —sí, conglomerado era la palabra exacta en este caso— que se distribuía por todas las habitaciones y que, sin embargo, se comprimía en una unidad que llenaba las dos hileras de casas que rodeaban el triángulo.

Entretanto, las manecillas del reloj del quiosco marcaron casi las seis, y empezaron a verse reflejos dorados en las ventanas de la parte derecha de la plaza. Había cesado de llover y, desaparecidas las nubes, el verde de los árboles y los arbustos adquiría tonalidades metálicas. La plaza se vio ahora concurrida. Evidentemente porque salían masas de empleados de sus oficinas y también porque ahora partía un tren de la estación: al menos se veía a mucha gente dirigirse allí con prisa. Otros, en cambio, atraídos por el frescor del verde, se sentaban en los bancos pese a que todavía estaban húmedos.

A. se sintió otro, aunque sin ser consciente del repentino cambio experimentado en la plaza al llenarse de gente. Pues el alma del hombre se encuentra tan sola que no le afecta habitar en un cuerpo con pulmones y entrañas; tendría que permanecer también indiferente ante el hecho de que hubiera otros seres en la tierra y poblaran una plaza cerrada. Con todo, en cuanto se halla en compañía de dichos seres vivientes, se siente atada a ellos con lazos indisolubles, en cierto modo subterráneos; pierde su unidad, por así decirlo, se expande y deforma, desdoblada entre la tristeza y la alegría, consciente de todo lo terreno y de la muerte. A., que acababa de pasar una hora de confusión en esta plaza construida por la mano del hombre en un pasado no muy lejano, se evadía de su ser normal; casi pensaba que nunca encontraría una cama donde extender su cuerpo, él, que estaba por creer que no necesitaría nunca una cama así. Se dirigió al quiosco situado bajo el reloj de tres costados, contempló las revistas colgadas, un tanto reblandecidas por la lluvia, y compró un periódico local. Al devolverle la vendedora el cambio, le preguntó —pues la gente del barrio compraba de seguro sus periódicos aquí— si había en los alrededores alguna habitación en alquiler que estuviera bien.

La muchacha del quiosco reflexionó un rato y dijo por fin que podía preguntar en casa de la baronesa W., que vivía allí (lo dijo levantando el brazo por encima del mostrador y señalando hacia una casa de la parte este) y quería alquilar una o dos habitaciones que no necesitaba; en el supuesto, claro, de que todavía no estuvieran ocupadas.

A., con la mirada fija en la casa y en los refulgentes cristales de las ventanas, se sorprendió de no haberse dirigido allí en un principio. La casa, dentro de la armonía del conjunto, destacaba por tener un balcón sobre la puerta de entrada, y aun por un segundo distintivo: en el balcón llamaban la atención las flores colocadas al pie de la baranda de forma que los pelargonios brillasen en consonancia con el centelleante cristal, como si el alma hubiera nacido para una mayor alegría, más aún, como si el alma existiera desde y para siempre. Naturalmente era sólo la fachada. A. lo sabía muy bien, e igualmente sabía que hay oscuros reductos tras las fachadas más transparentes, tras aquellas que se podrían calificar de atemporales. Sabía perfectamente que no existe ningún color sin sustancia en sí, pero en todo su saber fluían —ablandándolo y disolviéndolo— el azul del aire y la maravillosa transformación del arco iris fragmentado sobre la plaza y atravesado por la transparencia de sus múltiples venas, dejando adivinar a su paso la oscuridad e inconmensurabilidad del universo: escala que une, con la abierta luz del cielo, lo oscuro y lo terreno, lo sustancial y lo hermético y que, sin embargo, vuelve de nuevo a la oscuridad de lo inconmensurable.

Quizá la muchacha del quiosco conocía todo esto y, si ella no lo sabía, lo intuía su mano, pues aquella mano venosa, huesuda en todos sus dedos y articulaciones, seguía señalando hacia la casa, como prolongándose hacia ella de manera invisible, armonía unida e impalpable entre la muerta arquitectura de allá y la mano viviente de acá, un fluir de luz que iba y venía y en el que flotaban los pelargonios como dulces medianeros entre el allá y el acá. A. se encaminó hacia la casa, arrastrado por múltiples corrientes ocultas, con los ojos fijos en la meta, como los tienen los hombres que se mueven en el mundo empujados por su propia corriente. Avanzaba dentro del engranaje de corrientes, él, un hombre desnudo, con muchas venas, articulaciones y huesos, desnudo bajo las diversas prendas que le cubrían.

Por lo general se suele olvidar aquello que ocurre entre una y otra etapa de la vida. No obstante, mientras cruzaba la calle por entre el torrente de personas que se dirigían aprisa a la estación, A. pensó que no olvidaría nunca ese instante que acudiría a su memoria cuando la muerte viniera a llevárselo a la eternidad. ¿Por qué escogía este instante apenas perceptible e impreciso, y no otro más notable y exacto? No habría podido explicarlo, pues si bien habían penetrado en su entendimiento la facilidad con que cruzaba la calle, la divina transformación del majestuoso arco iris y el relajamiento de sus miembros, no había llegado a sentirse consciente de todo ello, y si le hubieran preguntado en qué pensaba, probablemente habría hablado del precio que esperaba le pidieran por la habitación, o habría intentado recordar qué fin práctico le había traído a la ciudad. Pero no lo habría conseguido, y menos ahora, porque una señora salía de la puerta de la casa miró arriba y abajo de la calle, como escogiendo en qué corriente había de integrarse. ¿O es que simplemente esperaba al huésped para acompañarle, para saludarle?

A. encontró natural preguntar por la baronesa W. y por la habitación en alquiler.

Muy apurada tartamudeó:

—Sí, mi madre… —Y luego añadió bruscamente—: Ahora no alquilamos nada.

Y sin más, sin prestar ninguna atención a A. ni percatarse de su decepción, desapareció, como si tuviera que entrar en la casa para protegerla del intruso.

De haber ocurrido esto una hora antes, cuando aún llovía, habría sido comprensible. Pero ahora el comportamiento de la señorita —pues evidentemente se trataba de una señorita— contrastaba tanto con la naturaleza que A. no podía creerlo. O bien se ocultaba algo detrás de lo visible y realizable, o había aquí algún error, un error de observación quizá. A. se atrevió a entrar en el vestíbulo. Al otro extremo de este, había una puerta cerrada, pintada de blanco y con cristales, que daba a un jardín. El jardín se extendía a lo largo de la casa, y era lo suficiente profundo para que la parte posterior de los bancos blancos se encontrara todavía fuera de la sombra y recibiera la caricia del sol al ponerse, que le daba un reflejo húmedo.

Un agradable olor a comida, que anunciaba la próxima cena, se mezclaba con el olor que exhalaban las paredes de la caja de la escalera pintadas con cal. A. sabía también que con sólo abrir la puerta del jardín penetraría igualmente el olor de la tierra húmeda de la tarde, y el de las plantas. Todo estaba encuadrado dentro de un orden tan perfecto que A. subió las escaleras sin pensar, lleno de confianza.

Al llegar al primer piso, se encontró con una puerta de cristal, también pintada de blanco, y en ella vio una pequeña placa de latón, muy brillante, con el nombre del barón de W. Los adornos de la puerta adquirían reflejos dorados debido a la luz que entraba por la ventana de la escalera abierta al jardín. Un moderno botón eléctrico, colocado bajo el picaporte de metal, rompía la armonía del conjunto. A. esperó un momento y pulsó el timbre con decisión.

Tardó un poco en abrirse la puerta. Asomó la cabeza una mujer de edad con una cofia de doncella.

—Vengo por lo del apartamento —dijo A.

La vieja criada desapareció. A los dos minutos regresó y le hizo pasar. A. se encontró en un recibidor que, por falta de luz directa —había sólo la puerta de entrada y otra enfrente con un tupido cortinaje— y también por un exceso de mobiliario, producía una impresión un tanto lúgubre y poco acogedora. No ayudaba en nada el que fueran buenos muebles de estilo y no los corrientes de recibidor. La criada fingió hacer algo en un rincón a fin de observar al recién llegado, hasta que se cansó de disimular y se quedó simplemente mirando al forastero con ojos opacos, la cabeza un poco ladeada.

Olía a cerrado; el agradable olorcillo a comida provenía, pues, de otro piso. A., que había calculado el plano de la casa, llegó a la conclusión de que la puerta de cristales tenía que conducir a la habitación central, a la que debía pertenecer el balcón con los pelargonios. Estaba impaciente por entrar.

Detrás de la puerta de cristales se oían dos voces femeninas corteses y apagadas:

—Con el precio tan bajo de los alquileres... no comprendo cómo todavía piensas en alquilar. Lo que hoy tiene valor mañana ya no lo tiene. La desvalorización del dinero es cada vez más angustiosa.

—Pero siempre es un ingreso.

—Nos lo tendremos que gastar en reparaciones.

—No hay que ser tan pesimistas.

—Además, un extraño en la casa... si por lo menos fuera una señora. Nos sentiremos siempre incómodas.

—Quizá sea bueno contar con una protección masculina.

Alguien corrió una silla.

—Si no quieres comprender que vivimos en mil novecientos veintitrés y que hemos perdido una guerra... en una palabra, si no te puedo convencer...

—Dios mío, por probar..., no comprendo por qué te opones de esa forma.

—Bueno, le haré pasar..., pero yo me voy. No quiero tener nada que ver con esto. Discúlpame.

Todo aquello fue dicho con la mayor calma y educación, aunque quizá había una ligera inflexión de ira. Entonces se oyeron pasos y apareció la señorita en el recibidor, después de haber recorrido un pasillo que sin duda comunicaba también con las habitaciones posteriores. La oscuridad de la habitación le impidió reconocer de inmediato al forastero. Con gesto indiferente indicó a la criada que le hiciera pasar, pero en la puerta se dio cuenta de a quién tenía delante. Visiblemente sorprendida e indignada, no supo decir más que:

—No comprendo.

A. se inclinó:

—Supuse que había una confusión.

La señorita reflexionó unos segundos:

—Mi madre se molestaría si usted se fuera ahora, pero le pido encarecidamente...

Habría seguido de no haberse acercado la vieja criada con la cabeza inclinada hacia delante y la expresión muy atenta. Se limitó a indicar con un gesto imperceptible y casi suplicante que quedaría muy agradecida a A. si se dignaba establecer sus reales en otra parte. Precisamente este lazo secreto despertó en A. una nueva seguridad, la convicción de que unas leyes ocultas barrerían los pequeños estorbos de los sucesos universales que le estaban afectando desde hacía un cuarto de hora. Y aunque acababa de oír que ella no quería saber nada del alquiler, o quizá precisamente por ello, se atrevió a preguntarle si no deseaba tomar parte en la conversación.

Ella reflexionó un momento y dijo luego en tono frío:

—Espero que esto no sea necesario.

Y salió, al tiempo que la vieja abría la puerta de cristales. A. no se había equivocado. Era una habitación con tres enormes ventanales que daban al balcón, iluminado por el sol poniente. Al pie de la balaustrada de hierro relucían los rojos pelargonios entre las recias hojas. La tierra de las macetas pintadas de verde era negra. Hacia aquí señaló la mano de la muchacha del quiosco, y era extraordinario que A., siguiendo la línea invisible que llevaba hasta arriba, se encontrara ahora al otro extremo de dicha línea, conducido por algo que nada tenía que ver con el cuerpo y las piernas que le habían traído. Y el que la vieja señora, sentada en un sillón junto a la ventana y cuyo perfil se recortaba oscuro ante la luz cegadora, le tendiera la mano a guisa de saludo, en un gesto casi sorprendente fue una de aquellas concordancias en las que cada vez se sentía más atrapado pero que lo hacían feliz.

—Así pues, tiene usted la amable intención de residir en nuestra casa —dijo la baronesa W. en cuanto él hubo tomado asiento frente a ella.

Sí, esta era su intención. En el fondo, la presencia de la mujer le estorbaba. Se veía obligado a mirarla, mientras que su mirada habría querido recorrer la habitación, el brillante suelo de parquet, los distintos muebles y los diversos objetos que allí se encontraban. Por la puerta abierta del balcón llegaba el acompasado ruido de la plaza; lo que más destacaba era el gorjeo de los pájaros en las copas de los árboles.

—¿Vino usted recomendado por alguien? Mi hija se opone a que alquilemos..., pero si tuviera usted alguna recomendación...

—Acabo de encontrarme con la señorita —terció A. para desviar la conversación.

—¡Ah!, ¿sí? —Y en su voz había un matiz de inquietud—. ¿Ha hablado usted con ella? Vivimos muy aisladas, casi diría que solitarias.

—Tenía esta impresión —dijo A.—, y por supuesto no quisiera turbar en absoluto sus costumbres.

—Mi hija teme por mi tranquilidad, se preocupa demasiado de mí. No soy tan vieja.

Nadie es viejo. Los años habían dejado huella en el rostro y en el cuerpo de la baronesa; su Yo intemporal fue el que dijo: no soy vieja. Y de modo intemporal conserva la memoria lo sucedido. La noche iba cayendo por momentos, pero los muebles y las paredes de las habitaciones continúan intemporales, los pelargonios florecen y se marchitan, pasan el invierno en el interior, el sueño se cierne sobre los hombres, los hombres andan por los aposentos de sus mansiones, se acercan a la cama, andan por la mansión del sueño, pero su Yo permanece inalterable entre sueño y sueño, arrastrado por corrientes y líneas que atraviesan la plaza, el parque, atado a hilos que viven en el Ser, siempre tendiendo hacia el firmamento del arco iris.

La baronesa dijo:

—Desde la muerte de mi marido, vivimos muy aisladas.

—Pero su hogar, baronesa, rebosa placidez.

Pareció como si la baronesa, cosa extraña, moviera la cabeza, pero tal vez era sólo el típico movimiento de los ancianos. Sin responder, se levantó con dificultad, de modo que A. creyó que había terminado la conversación. Como hiciera ademán de despedirse, ella dijo:

—De todos modos, podría usted ver la habitación.

Y apoyándose en su débil bastón, se dirigió a la puerta, apretó el botón que había en el marco de la misma y se adelantó hacia el recibidor, donde se le unió la vieja criada. Las dos mujeres condujeron al huésped a través de esta oscura y relativamente larga habitación hasta un aposento en penumbra donde unos muebles negros destacaban de las blancas paredes. Como si estuvieran esperando al huésped, alguien había colocado sobre la mesa cubierta de cretona floreada, que se encontraba en el centro de la estancia, un jarrón con amapolas y liebrecillas.

—Mi hija se preocupa siempre de las flores —dijo la baronesa, y ordenó a continuación—: Zerline, abre la ventana.

Así lo hizo la vieja Zerline, y toda la dulzura del jardín penetró de golpe en la habitación.

—Siempre ha sido la habitación de los huéspedes —dijo la baronesa—, y aquí al lado está el dormitorio.

La vieja Zerline penetró en el dormitorio igual que si condujera a un recién casado a la cámara nupcial y, con un movimiento algo ladino, le invitó a entrar y a dar su opinión sobre la cama, señalándola con su mano artrítica.

La baronesa se había quedado en el primer aposento y profirió en voz alta:

—Zerline, ¿está vacío el armario? ¿Lo has limpiado bien?

—Sí, señora baronesa, está vacío, y la cama recién hecha. —Diciendo esto abrió uno de los dos armarios y pasó la mano por un estante para convencer a A. y convencerse a sí misma de que estaba brillante como un espejo—. Ni pizca de polvo —dijo mirándose el dedo.

—Tienes que ventilar también el dormitorio.

—Lo habría hecho de todos modos, señora baronesa. Y he cambiado el agua de los dos jarros.

—Está bien —dijo la baronesa, a quien por lo visto resultaba difícil alabar algo—, pero por la noche la podrías volver a cambiar.

—Por la noche traeré un jarro con agua caliente —contestó la sirvienta con aire de superioridad.

A. se había acercado a la ventana y aspiraba el aire del jardín. Aún no era de noche del todo, pero en la planta baja había ya una habitación iluminada, y la luz se proyectaba sobre el parterre comunicando a las rosas y a sus diversos colores un aspecto irreal, transformando sus hojas en láminas de latón laqueado. Más allá, en el lugar donde se encontraban los bancos blancos, los colores tenían su aspecto natural, un tanto apagados por efecto de la luz crepuscular, y las dos hileras de claveles, muy juntas, con sus lánguidos tallos azul-verdes, se inclinaban hacia el camino central del jardín.

El misterio que encerraba el jardín había desviado suavemente a A. de su primera intención. Al notarlo, hizo una pequeña tentativa para remediarlo:

—En realidad, me había hecho a la idea de una habitación con vistas a la calle.

—El sol de la mañana es aquí maravilloso —fue la respuesta de la vieja Zerline que, como él asintiera sonriente, añadió muy bajo para no ser oída por la baronesa desde la habitación contigua—: ahora tendremos un hijo.

A. se habría reído muy a gusto, pero no fue capaz. Volvió a la primera habitación, donde seguía la baronesa apoyada en su bastón. Y como si hubiera una tácita comunidad de pensamiento entre las dos mujeres, incluso cuando se escondían algo, la baronesa preguntó:

—¿Qué edad tiene usted, señor A.?

—Algo más de treinta, baronesa.

Siempre sentía un poco de vergüenza cuando le preguntaban la edad. Rubio, de piel suave, casi delicada, con la boca y el mentón poco acusados, pero en cambio con una mirada muy viva de ojos azules, producía la impresión de ser muy joven, demasiado para su gusto. A fin de tener un aire más digno se había dejado crecer —por cierto con poco éxito— unas leves y delgadas patillas al estilo de la época del Biedermeier.

—Algo más de treinta —repitió la baronesa—, algo más de treinta. Mi hija... —No siguió hablando, había estado a punto de revelar la edad de su hija. Al cabo de un momento añadió—: ¿Y qué profesión tiene usted?

Por una especie de orgullo obstinado y para probar al mismo tiempo hasta dónde podía llegar un hijo en la casa paterna, así como qué cosas se le perdonarían, estuvo tentado de mentir haciéndose pasar por un emisario político. Pero ¿por qué poner de nuevo en juego la victoria casi conseguida? Dijo, pues, que era tratante en piedras preciosas. Por otra parte esto ya era bastante atrevido, dado que la baronesa podía imaginar que, bajo la capa del tráfico de piedras preciosas, se dedicaba a manejos ilícitos y peligrosos, o incluso que se había dirigido aquí con premeditación a causa de sus joyas familiares.

Pero los pensamientos de la baronesa no parecían ir tan lejos. No podía asociar sus palabras con ningún concepto. Tenía la expresión del que no ha oído bien y, con la vista fija y desconcertada, murmuró:

—¿Tratante de piedras preciosas?

Zerline, que venía tras él, lo confirmó: «Sí, sí, tratante de piedras preciosas». Pero al contrario que su dueña lo dijo en un tono animoso, como si se hubiera sacado a relucir una profesión noble con la que uno debe sentirse satisfecho.

—Hablaremos de lo demás allí —decidió la baronesa, a quien la permanencia en la habitación de un tratante en piedras preciosas se le hacía visiblemente cada vez más molesta, y se dirigió con A. a la espaciosa estancia central, mientras Zerline desaparecía en la cocina.

Cuando estuvieron sentados de nuevo uno frente a otro, la baronesa preguntó con voz insegura:

—Así pues, es usted joyero, señor A.

—No, baronesa, tratante en piedras preciosas. No es lo mismo.

Quizá era la palabra «tratante» lo que molestaba a la baronesa, quizá le recordaba los verduleros, carboneros y demás gente insignificante. Probablemente para ella un tratante no era un ser capaz de alternar en sociedad. No le habría gustado compartir el baño con un joyero. Y por eso dijo:

—Mi hija entiende más que yo en asuntos profesionales. Por desgracia no está en casa...

A., que se dio cuenta del verdadero sentido de sus palabras, aclaró:

—El comercio con diamantes es una profesión muy hermosa. Yo he residido años en las minas de diamantes de África del Sur.

—¡Ah! —dijo la baronesa, llena otra vez de confianza.

—Y cuando haya resuelto mis negocios en Europa pienso regresar a África.

—¡Oh! —dijo la baronesa con una confianza cada vez mayor y, olvidando preguntarle qué clase de negocios le habían traído precisamente a esta ciudad, añadió—: Nadie le tomaría por un inglés.

—Soy ciudadano holandés.

Esto fue definitivo. La baronesa respiró. Uno acoge en su casa con más facilidad y naturalidad a un extraño que venga de muy lejos que a uno del país, y aquello que sería un negocio de gente pobre adquiere, con la lejanía, un halo de generosa hospitalidad. Así, sin necesidad de decirlo, se estableció un acuerdo entre ambos en aquella habitación, tomada ya por el ocaso.

Las dos figuras de cobre de la pared, con sus paneles de madera de cerezo, eran simples manchas de sombra, y sólo destacaban los dos paisajes romanos de los óleos colgados junto a las ventanas, aunque sus tonos eran algo más grises. Recuerdo de una lejana luminosidad. Estaban sentados allí como suelen estarlo madre e hijo al anochecer, en silencio. Y a través de la ventana entraba el reflejo verde claro del cielo, sin nubes ahora, brillante como la seda, grisáceo y rojizo sobre los tejados de poniente. Con la confianza recién establecida, A. solicitó permiso para salir al balcón.

Allí estaba, bajo sus pies, la plaza triangular, no exactamente como lo había deseado pero casi. Los árboles del parque estaban ya sumergidos en la oscuridad, rodeados por el asfalto, ahora seco y muy gris, de la ancha acera. En el interior de la estación brillaban las luces; allí estaba el vestíbulo con los criados de hotel, pero A. ya no pensaba en ellos. Miró hacia las pocas personas que pasaban lentamente junto a las casas, escuchó cómo crujía la arena bajo los zapatos de los que transitaban por los caminos en forma de S y se alegró con los perros que salían a dar una vuelta. De vez en cuando piaba todavía algún pájaro. El aire era suave, impregnado de humedad, y se oía una que otra vez el ladrido de un perro. Nacer de una madre, nacer de un cuerpo, ser este mismo cuerpo, en el que se distienden las costillas al respirar y cuyos dedos se pueden apoyar en la balaustrada de hierro, fundiéndose lo vivo con lo muerto, eterno intercambio entre lo animado y lo inanimado que se dan cobijo mutuo en infinita transparencia: sí, nacer, y después salir de paseo por el mundo y por sus dulces calles sin soltarse de la mano de la madre, en la que descansa, protegida, la mano del niño. Esta felicidad, la más natural del ser humano, se le hizo patente allí en el balcón, apoyado en la pared de la casa contemplando el césped oscuro y los árboles en sombras. Pero sabía que había rosales en el jardín de atrás e hileras de casas entre unas vidas y otras, entre uno y otro crecimiento, líneas de piedra y de madera, obras muertas surgidas de la mano del hombre, pero patria al fin. A. no ignoraba que podía entrar cuando quisiera y que ella le esperaría paciente en la habitación, con la misma perseverancia que una madre espera a su hijo.

Entró y ocupó su antiguo sitio frente a la baronesa, en la estancia ya casi a oscuras. Ella le sonrió, se inclinó hacia delante y dijo:

—Se está bien ahí fuera, ¿verdad?

—Una tarde maravillosa e inolvidable. Pero creo que lloverá otra vez.

—Hildegard (era la primera vez que la llamaba por su nombre) ha salido a dar un paseo... —Y, como si él fuera un miembro de la familia al que hay que informar exactamente sobre el estado de las relaciones en casa, continuó—: A mí, naturalmente, me retiene aquí prisionera.

Él no se sorprendió en absoluto ni dudó de sus palabras, pero quiso darles un tono festivo:

—¡Vaya, baronesa, conque prisionera!

—En efecto —contestó seria—, así es. Ya se cerciorará en cuanto viva aquí. Soy realmente una prisionera.

A. hizo un gesto de asentimiento, pues cada cual retiene a alguien prisionero, y todos creemos ser el único cautivo. También su espacio vital había sufrido una delimitación, reducido a los límites de esa plaza triangular y de esa casa, sin que pudiera decir quién lo había delimitado ni quién le retenía prisionero.

La baronesa prosiguió:

—Dejo que ambas hagan su voluntad... y digo «ambas» porque Zerline, mi vieja criada, a quien usted ya ha visto, hace causa común con Hildegard..., sí, dejo que disfruten haciendo cuanto quieren, porque yo ya he tenido mi parte en la vida y renunciar me resulta fácil ahora.

—Ahora tiene usted otras alegrías, baronesa —dijo A.

Pero ella continuó:

—Zerline era ya criada en casa de mi madre y siempre ha estado con nosotros, ¿comprende? Es una vieja solterona.

¿A quién puede dedicar su amor la vieja criada? ¿A los muebles que toca todos los días? ¿Al suelo que limpia una y otra vez desde hace cuarenta años y del que conoce hasta las más leves rendijas? Duerme sola y si alguna vez, cuando estaba todavía en su pueblo natal, había charlado con un muchacho bajo un portal, era cosa ya olvidada, aunque nada se olvida en la intemporalidad del Yo. Nada se olvida ni se perdona.

—Zerline la quiere a usted, baronesa.

—No me lo perdonan —contestó la baronesa—, ni ella ni la pequeña me lo perdonan... —Y abrió las manos como para mostrar las caricias que habían dado y recibido—. Me costó mucho conseguir que Zerline viniera a mi casa, no podía soportar a la niña.

La ciudad se extiende bajo la bóveda celeste, de una transparencia fina como un soplo, una ciudad cobijada en un paisaje condensado, atravesado por calles y raíles. Y la casa se refugia en el césped de la plaza y en el verdor del jardín, logrando así su unidad con las casas vecinas. Entre las paredes muertas e inmóviles de la mansión se establecen lazos que unen a los seres humanos y cae inmutable la palabra de la boca al oído, aliento que flota en la morada etérea donde habita el arco iris.

—Las primeras estrellas —dijo A. señalando hacia la ventana.

El cielo había perdido la suave dureza del fulgor de la seda y se ensombrecía pasando del verde a un violeta mate; el cielo respiraba, pues se acercaba el momento de su plenitud, se acercaba la noche.

—Hildegard estará pronto aquí —dijo la baronesa levantándose—, vamos a encender la luz.

Se tambaleaba un poco. Las piernas, que seguramente habían adelgazado con el tiempo, soportaban el viejo cuerpo en el que había morado su hija, y la mano, antaño cariñosa, se agarraba fuertemente al puño del bastón. La habitación estaba a oscuras, sólo había claridad en las tres aberturas de las ventanas, pero esto no daba luz, y la puerta que conducía a los dormitorios estaba cerrada. Como el exterior había adquirido de nuevo todo su poder y era tanto de esperar como de temer que la noche cambiara todas las relaciones, se hacía necesario reunir lo que había quedado fuera e incluirlo dentro de la insolubilidad de lo presente, antes de que este se desgarrara. A., temiendo que el resplandor de la luz acarreara la destrucción, se apresuró a preguntar:

—¿Me permite traer mi equipaje de la estación?

La baronesa titubeó un momento.

—Hildegard está a punto de llegar... Por favor, encienda la luz, el interruptor está junto a la puerta. —Parecía no querer que la sorprendieran con él en la oscuridad—. Y llame también, por favor, al timbre para que venga la criada.

Obedeció. La luz, una bombilla con pantalla estilo Biedermeier, era muy potente, y los rincones, antes en sombra, quedaban ahora tan iluminados como el resto del mobiliario, lo cual daba a la habitación un aspecto severo desprovisto de intimidad, y uno caía en la cuenta de que allí habitaba un espíritu masculino, inflexible, nada aficionado a lo íntimo, al que continuaban sirviendo las mujeres que quedaron en la casa. A. sintió sobre él la mirada de unos ojos inquisidores, desde luego invisibles, pues tanto la baronesa como Zerline, que acababa de entrar a cerrar las ventanas, parecían estar pensando en un pasado remoto. Pero en este segundo de silencio y tensión imperceptibles cual suave aliento, se oyó la puerta de entrada.

—Es Hildegard —dijo la baronesa.

—No quisiera estorbar su conversación —dijo A. con la intención de alejarse.

—Por favor, quédese —contestó la baronesa—, y discúlpenos sólo un momento.

Salió de la estancia. Zerline echó las cortinas cuidando de que quedaran bien los pliegues. Parecía contrariada y desanimada, y cada vez que él buscaba su mirada dirigía la vista hacia otra parte. Antes de dejarle solo cogió un periódico de la mesa de trabajo de la baronesa y se lo dio a A. Después encendió la lámpara de pie que estaba cerca del tresillo junto a la chimenea, apagó la luz central y lo dispuso todo de modo que A. se sentara en el amplio sillón, como el señor de la casa cuando lee el periódico.

No leyó. El periódico, último saludo de la muchacha del quiosco, significaba el mundo exterior, pero la habitación se había reducido al espacio iluminado por la lámpara de pie. A.

se había sentado inclinado hacia delante, y el periódico, que sostenía con la mano lacia, colgaba entre sus rodillas. El Yo de la cabeza inclinada miraba hacia el tronco que se dividía en dos piernas, que estaba simplemente iluminado, pero que no pertenecía al Yo. El Yo tenía en torno a sí a la oscuridad del mundo exterior, pero estaba solo.

Sobre la cómoda sonaba el tictac de un reloj. Aunque se soltaran amarras con el mundo exterior, el hilo del tiempo continuaría en la intemporalidad del Yo, un trenzado infinito, hecho por uno mismo con infinitos filamentos, red de la que no se puede escapar; el corte serviría sólo para hacer desaparecer el hilo del tiempo, de forma que todo el Ser volvería a la intemporalidad dentro de la anchura infinita, del tamaño insondable del espacio.

Dieron las ocho.

A. oyó pasos. Su rapidez denotaba mal humor y, en efecto, apareció Hildegard con una expresión muy irritada.

—Así pues, ha conseguido lo que se proponía, señor A. —empezó a decir sin otro preámbulo—. Le felicito.

—La decisión última depende de usted, distinguida señorita.

—No resultó difícil hacerse con la confianza de dos viejas. Si ahora yo dijera que no, mi madre se molestaría —esto ya lo ha dicho hoy en otra ocasión, pensó A.—, por tanto lo único que puedo hacer es tratar con usted del aspecto económico.

—Lástima que no haya estado usted presente en nuestra conversación, pues juzgaría mi comportamiento de otro modo.

—Yo le pedí que renunciara a sus proyectos.

Nada denotaba la indignación que mostraban su mirada y el tono de su voz; se reprimía, pareciéndose en cierto modo a una institutriz, lo cual encajaba perfectamente con su actitud siempre mesurada y un tanto angulosa. Chocaban aquí dos destinos y la interrupción de los acontecimientos naturales carecía todavía de explicación. ¿Por qué algo le prohibió buscar otro alojamiento? ¿Por qué estaba como fascinado por ese lugar, encadenado a unos hechos que de forma ininterrumpida e inevitable se habían producido hasta llegar a ese punto? ¿No convergían todos los sucesos, como calles principales con sus prolongaciones, en un punto de su Yo, este Yo solitario, iluminado ahora por la lámpara de pie? ¿No tenían que aclararse y solucionarse todas las contradicciones en este punto? Por eso dijo a la señorita sentada, tiesa y angulosa, justo en el límite donde daba la luz:

—Usted no me conoce y, sin embargo, siente total aversión hacia mí. El que sea yo u otro no importa.

—No se trata de su persona..., todo lo más habría admitido a una dama en mi casa.

—Yo tenía la impresión de que la señora baronesa precisamente veía con agrado una protección masculina, en tanto yo me pueda considerar y ofrecer como tal.

—No necesitamos protección —contestó ella con severidad.

¿Fue la última voluntad del barón disponer con rigor que las mujeres se quedaran solas? ¿Cuidaba la hija, junto con la criada, de que se cumpliera esta última voluntad? En este caso, la interrupción de los hechos naturales se comprendería, pues la fatalidad y la inmutabilidad del destino es siempre la muerte, es lo muerto lo que se infiltra en la vida. Es la intemporalidad de la muerte, que sustituye la intemporalidad del Yo, es alma que se incrusta, rígida, en la arquitectura de la muerte; felicidad de la rigidez.

La señorita dijo lenta y rígidamente:

—He de tratar con usted del aspecto económico.

—Por lo que a eso se refiere, nos pondremos enseguida de acuerdo. Sólo quiero hacer notar que estorbaré muchísimo menos que una mujer, y siempre podrán ustedes contar con mis servicios.

—Así es como se ha conquistado usted a la vieja Zerline. A mí eso no me convence... Espero que, siendo usted extranjero, podrá pagar al menos un buen precio por la pensión.

—En Holanda dos habitaciones de este tipo costarían unos cuarenta florines al mes. Es lo que le ofrezco. Además pagaría tres meses por adelantado y en moneda holandesa, a fin de preservarla a usted de la inflación.

Por lo general no se suele solucionar nada cuando se tratan asuntos materiales, pero en este caso hubo, al menos, un cálculo:

—¿Ciento veinte florines holandeses por adelantado? —preguntó la señorita casi incrédula.

—En efecto —confirmó A.

En el severo rostro de rasgos rectilíneos, bello en su rigidez y cubierto de cabellos color caoba, se dibujó una sonrisa llena casi de avidez que le confirió un hermoso atractivo, y quedaron al descubierto unos dientes muy blancos, perfectos, que parecían a punto de morder:

—Por ciento cincuenta florines estoy dispuesta a retirar todas mis objeciones. Como puede ver, también a mí se me compra.

¿Qué había querido decir con esto?, se preguntó A. Pero accedió a los ciento cincuenta florines y estuvo de acuerdo con las demás condiciones. Cuando la baronesa entró y preguntó con alegría confiada si todo estaba arreglado, su hija tuvo que decirle que sí.

—Me alegro —dijo la baronesa—, así el señor A. puede cenar ya hoy con nosotras.

—Mientras el señor A. esté en la casa, ha dicho que deseaba comer siempre en su habitación —contestó Hildegard—. Es lo que acabamos de acordar.

—Pero hoy será nuestro huésped —reafirmó la baronesa, y volviéndose hacia Zerline, que había entrado para anunciar la cena, le dijo—: Pon un cubierto para el señor A., Zerline.

—Sí —contestó Zerline—, ya lo he puesto.

Por buena educación no mostraron sorpresa ante el comportamiento de Zerline sino que lo aceptaron como algo muy natural, tan natural y lógico como las flores que aparecieron colocadas en el aposento de A. Pero lo que antes había parecido muy lógico no lo parecía ahora en presencia de la señorita. La feliz armonía de las cosas se había detenido, pues la solución no se había encontrado todavía. Sin embargo, se manifestaba ahora otra armonía, por supuesto mucho más superficial: como estaban sentados bajo una pantalla floreada, y se reflejaba muy fuerte la luz en sus rostros debido al mantel blanco, y Zerline iba y venía con la comida sirviéndola también con guantes blancos, se puso en evidencia que los rostros de las tres mujeres se parecían entre sí. En parte por el parentesco natural, como en el caso de la baronesa y su hija, y en parte por una larga vida en común, como en el caso de Zerline. ¡Tres variaciones de un mismo rostro en personas distintas! Habrían podido existir más variaciones aún, pero aquí se trataba, en cierto modo, de tres tipos básicos, comparables a los tres colores fundamentales en cuya tríada se encierran los restantes colores del arco iris. La baronesa encarnaba el símbolo de lo maternal en esta tríada. En cambio, los rostros de Zerline y Hildegard eran rostros de mujeres sin hijos, extrañamente acordes en una típica fisonomía monjil; pueblerino y viejo el uno, fino y joven el otro, pero ambos, tanto el viejo como el joven, con esa intemporalidad característica de las monjas.

Las cortinas estaban echadas, ocultaban los árboles del exterior, el jardín trasero. La casa se erguía solitaria y sin vida. Estaban en una celda: no se sabía cómo había entrado la vida en este mundo de cosas muertas, y se sabía menos aún por qué el elemento vital, que proviene del polvo y en polvo se convierte, sólo era capaz de formar polvo y sin embargo creaba con él la vida. Pero cuanto más alejado se estaba del mundo exterior, o quizá precisamente por ello, apartado de la plaza cubierta por la bóveda celeste, apartado del mundo, del conocimiento y de cualquier posibilidad de saber, tanto más se convertía una parte en el espejo del todo. La habitación y el aire que encerraban sus paredes se convertían en una parte de la inmensidad etérea, se hacían concebibles la infinitud y sus múltiples venas en las relaciones con lo finito, y el parecido existente entre las tres mujeres se transformaba en un símbolo, en una esperanza de solución que sólo podía encontrarse aquí y no en el exterior.

Escala ascendente que une lo oscuro y lo terrestre, lo sustancial y lo hermético con la abierta luz del cielo y que, no obstante, lleva otra vez a la oscuridad de lo inconmensurable. Así, el aire baña todo lo que existe, baña de manera etérea el conglomerado de las cosas. Los ojos de A. recorrían la habitación, de atmósfera opaca, intentando reconocer los objetos que se hallaban fuera del círculo de luz. El aire se adhiere a las paredes, a los muebles. Zerline iba y venía por la habitación, entraba en el círculo de luz y se sumergía de nuevo en la oscuridad donde se encontraba el ancho aparador. El aire se infiltra en el interior de los armarios, pero baña también a los seres humanos, está en su interior, en todas las cavidades de su cuerpo, es aspirado y espirado, va de uno a otro. Elemento intermedio entre una y otra vida, que lleva en sí el alma, abrigándola y escondiéndola, es culminación y vida, atravesadas por la luz y por la transparencia de la mirada. En el centro de la pared, tras el aparador, colgaba un gran cuadro, un retrato, y A. se dio cuenta ahora de que representaba a un hombre vestido de juez.

Hildegard, que observaba fijamente y de modo poco amistoso al invitado no deseado, le dijo:

—Se sorprende de que tengamos un retrato en el comedor. Es mi padre.

—Lo hemos colocado aquí a fin de que tome parte en nuestras comidas —dijo la baronesa.

Zerline, que había escuchado con atención, encendió en silencio los dos apliques que había a ambos lados del cuadro y, mientras miraba con recogimiento los rasgos del difunto, cayó en la cuenta de que la existencia terrenal de aquel hombre siempre le había sido un estorbo; cuando se recogía ponía un rostro alegre, en espera, evidentemente, de recibir alguna alabanza, pero en cambio, el hombre del cuadro tenía los ojos iguales a los de su hija y escrutaba a los reunidos en torno a la mesa de manera poco amistosa.

Hildegard había levantado la vista hacia el cuadro. Su mirada desembocó junto con la de Zerline en los ojos del padre, como dos calles que convergen en un mismo punto. La baronesa, la más allegada a aquel hombre, miraba su plato casi con aire culpable. A., familiarizado con los hombres de leyes, reconoció la categoría del juez en las franjas de terciopelo de su traje talar:

—El barón W. era presidente de la Audiencia.

—Sí —contestó la baronesa.

Igual que el soldado ha de estar siempre preparado para la guerra, dispuesto a matar y a morir, y el general ha de estar siempre preparado a enviar hombres al campo de batalla, así también el juez ha de estar dispuesto a pronunciar una sentencia de muerte si es necesario, y las numerosas multas o castigos que impone a diario a los delincuentes comunes no son más que una preparación, un acercamiento, un reflejo, un sucedáneo de la pena capital, punto culminante de la vida de un juez. Él, que respira el mismo aire que los delincuentes entre las cuatro paredes de la sala de justicia, él, que está encuadrado en la misma atmósfera, tiene que estar dispuesto a suprimírsela y a quitarles el alma.

Con la boca que una vez se posara sobre los severos labios del juez, con la boca que había respirado su mismo aliento, con la misma boca en que la respiración formaba aún palabras, comía la baronesa los trocitos de cordero asado a pequeños bocados. Y fue esa misma boca la que habló:

—Zerline, ya puedes apagar las luces.

—La habitación resulta así más acogedora —opuso Hildegard.

Y Zerline, antes de que se dejara oír la respuesta de la baronesa, se dirigió rápidamente a la cocina sin apagar las luces.

¿Por qué actuaban así? Sin lugar a dudas estaba de acuerdo con la señorita en que el cuadro tenía que estar iluminado, quizá pretendían con ello exhortar al recién llegado a que respetara las leyes de la casa.

—Bueno, en honor a nuestro huésped, podemos dejar hoy la iluminación de los días de fiesta —dijo entonces la baronesa.

A. comentó:

—La de juez es una noble profesión.

—Sí —contestó Hildegard—, el juez está por encima de los hombres, como el clérigo. En realidad, un juez no debería casarse.

La baronesa sonrió:

—Un juez tiene que ser humano.

Hildegard miró hacia el cuadro con los labios contraídos:

—También los clérigos han de ser humanos, pero es una humanidad más pura... más rigurosa.

—Mi esposo sufrió mucho a causa del rigor. Afortunadamente no se vio nunca obligado a pronunciar una sentencia de muerte.

Hildegard parecía querer reemplazarle ahora en esa misión.

Pero entró Zerline con el postre. Como cumpliendo por compromiso la orden de la baronesa, apagó las luces que iluminaban el cuadro.

—Se acabó la iluminación de fiesta —dijo A.

—Hay que amoldarse al devenir —dijo la baronesa riendo ligeramente—, es siempre más fuerte que la voluntad humana.

Apagar las luces no sirvió, en verdad, de nada. Al contrario, pareció que el cuadro creciera en la oscuridad, como si el aire pintado hubiera penetrado aún más en la atmósfera de la habitación, como si el presidente de la audiencia, envuelto por el aire que los envolvía a todos, se hubiera adherido físicamente al triángulo formado por las tres mujeres convirtiéndose en su centro aunque perteneciera al pasado y estuviera colgado en la pared. La intemporalidad gobierna las relaciones entre un Yo y otro Yo, y el espacio se vuelve, al mismo tiempo, infinitamente pequeño e infinitamente grande.

Hildegard, muy tiesa, comía un melocotón. Nadie había besado sus labios finos, ni su aliento había hecho feliz a nadie. ¿En qué momento de la vida pierde una boca el don de comunicar felicidad? ¿En qué momento queda relegada a simple instrumento para comer, aunque el don de la palabra la siga ennobleciendo hasta el último escalón de la vejez?

La baronesa cogió el bastón que había dejado apoyado en una silla y se levantó, quizá para escapar al círculo de relaciones que se cernía en torno a ella, ya demasiado tenso y pesado. Con todo, tendió la mano a A., y en sustitución del brindis —por lo que parecía el vino era algo inasequible en aquella casa o, tal vez más probablemente, el presidente de la audiencia lo había prohibido— dijo:

—Una vez más, sea usted bienvenido a nuestra casa, señor A.

Zerline sonrió con aprobación, como si la baronesa la hubiera reemplazado en sus funciones. Lo pareció aún más al volverse la baronesa hacia su hija y, fuera con el fin de reconciliarse con ella o para establecer un lazo y una armonía entre A. y Hildegard, se inclinó y la besó en la frente. Zerline tomó parte en la ceremonia abriendo la puerta que conducía a la habitación central y encendiendo la luz.

Al circular libremente el aire entre las dos habitaciones y establecerse este repentino cambio entre sus respectivos equilibrios, no sólo disminuyó la densidad del aire en el cuadro que representaba al presidente de la audiencia, no sólo decrecieron la importancia y la situación dominante que tenía en el interior del comedor cerrado, sino que al renovarse el ambiente se deshizo un poco la tensión y nació cierta fragilidad entre las relaciones, y todo el amor y el odio existentes entre las tres mujeres —desprovistos de su centro visible y de su auténtica causa— cayeron en la indiferencia de las cosas cotidianas, en la cotidianeidad sin iluminación de fiesta. La estancia central estaba ahora muy alumbrada y la luz se reflejaba tan fuerte en los cristales de los cuadros que buena parte de la decoración era irreconocible. A A. le apetecía fumar, pero nadie le invitó a que lo hiciera. ¿También había prohibido esto el presidente de la audiencia? Estaban de pie en medio de la habitación. El retrato del presidente sólo se intuía a lo lejos, sumergido en la oscuridad. Ante tal situación, era lógico que A. dijera:

—¿Permite usted que me mude ahora y vaya por mi equipaje?

—Oh, ¿todavía no lo tiene aquí? —manifestó inquieta la baronesa—. ¿Qué vamos a hacer? —Y miró a Zerline en busca de ayuda.

—El señor A. irá ahora por su equipaje —dijo Hildegard secamente.

—Eso es —respondió A. despidiéndose a toda prisa de las mujeres.

Ya no tenía nada que esperar y sí en cambio algo que temer. Por otra parte era aconsejable ir cuanto antes a la estación, pues probablemente más tarde no habría nadie de servicio.

No encontró su sombrero en el recibidor ni tampoco en el pasillo que llevaba a la cocina y que hacía las veces de guardarropa. Se impacientó, pues mientras seguía buscando notó que entraban suaves soplos de aire procedentes del jardín a través de la ventana de la cocina y fue cuando se dio cuenta de lo mucho que le alegraba echar una ojeada al jardín desde el pasillo, poder salir luego a la calle para dirigirse a la estación, pasando quizá por el camino del parque, con el crujido de la gravilla bajo los pies, un hombre con hogar al que poder volver, envuelto en una red de sólidas relaciones y sin el yugo del envejecer, lo que tenía sentido si era la consecuencia lógica del momento en que Zerline, al abrir la puerta del comedor, había establecido de nuevo la unión entre lo hermético y limitado y el infinito. En la impaciencia de ver cómo se hacía realidad esta unidad, estaba a punto de salir sin sombrero cuando se acercó Zerline:

—¿Busca usted su sombrero, señor A.? Lo he puesto en su armario.

Esto se debía a su natural presencia aquí o quizá a una orden de Hildegard, que no toleraba sombreros masculinos en el recibidor, si bien esto último significaba que ella se había hecho a la idea de que se quedaría. Antes de darle tiempo a que fuera él a buscarlo, ya se lo había traído Zerline, encorvada y silenciosa, y poco faltó para que se lo pusiera en la cabeza.

Con el sombrero puesto, esa prolongación tan curiosa de la columna vertebral, bien asentado sobre los cabellos, descendió las escaleras. Desde la puerta mandó un saludo al jardín, del que sólo se veían las zonas iluminadas por las luces de la casa, y salió a la calle. La cruzó a toda prisa y no se volvió hasta llegar al borde del parque donde pocas horas antes había errado casi con desesperación. Observó de nuevo la casa y el balcón con pelargonios, alumbrado por las luces de la calle. Era lógico que entretanto se hubiera abierto la puerta del balcón, y vio la luz de reflejos amarillentos y la parte superior de los marcos que contenían cuadros de paisajes italianos. Vio también los detalles arquitectónicos y el techo blanco cuyo oscurecimiento encima de la chimenea tan bien conocía ya, y examinó muy atentamente las dos ventanas ciegas del comedor, sabiendo con exactitud dónde se hallaban, y en las que colgaba el retrato del presidente de la audiencia.

Por encima de las luces de la calle se extendía el oscuro cielo, doblemente oscuro a causa de aquella claridad, de forma que apenas se percibían los bordes de las nubes y las pocas estrellas que brillaban entre éstas. Un letrero luminoso lanzaba destellos, rojos y satánicos sobre los tejados, desde la entrada de la ciudad; no obstante, a través del espacio en tinieblas soplaba fresco el viento nocturno.

Según el programa establecido entró en el parque, tomó el camino en forma de S en cuyos bancos había ahora numerosas parejas de enamorados, sombras sumergidas en un aliento común, y escuchó el crujido de la gravilla bajo sus pies. En determinados lugares había faroles que hacían brotar de la oscuridad fragmentos de arbustos y de césped azul-verde; los troncos de los árboles se erguían rígidos bajo un follaje negro que ululaba impaciente y que de vez en cuando dejaba ver alguna estrella. Todo esto existía y alcanzaba su plenitud dentro del triángulo de piedra. A. llegó al quiosco. La ventana estaba cerrada por una persiana enrollable de hierro marrón, pero el reloj con soportes de hierro que coronaba la casita estaba iluminado en su interior y, con sus tres esferas relucientes, dominaba la oscura naturaleza, la gobernaba. Luz creada por el hombre, sin vida como las estrellas, sin vida como el aire y el etéreo infinito que se expande y es, al propio tiempo, lecho de la vida. Los insectos danzaban en torno al reloj y, en enjambres temblorosos, se hundían en lo inconmensurable. Allí flotaban las almas de los ojos de los muertos, del aliento de los amantes.

Allá donde se cruzaban oblicuos los dos caminos, estaba el centro del parque, el centro del círculo inscrito. A., con las manos en los bolsillos del pantalón, dio la vuelta alrededor del quiosco y, al elevar la mirada hacia el cielo, vio un reflejo más claro sobre la estación y otro sobre la ciudad misma, y descubrió al fin las ansiadas nubes que ascendían y se confundían, más oscuras, en el oscuro cielo. Pronto llovería y A., que no había cogido ni paraguas ni abrigo, sólo sombrero, se apresuró para llegar cuanto antes a la estación.

Dejó el parque, atravesó la plaza por el punto donde antes aguardaban los omnibuses de los hoteles y entró en el vestíbulo de la estación, impregnado de olor a viaje, a carbonilla, olor a comida y a cerveza que provenía del restaurante, olor a retrete y a polvo que ascendía del fresco pavimento y volvía a sumirse de nuevo en él, olor a cansancio y a rápidas despedidas.

¡Qué distinto! Aquí, en la base del triángulo, el barullo y la suciedad de la agitación, y allá fuera, en cambio, el frescor y la armonía de la plaza. Y en la cúspide de la pirámide, sobre la humanidad, se yergue aquel cuya severidad mesurada se eleva por encima del caos de los hombres y por encima de la suciedad, el guardián de la justicia. ¿No era acaso preferible sacar un billete, desistir de la unidad inalcanzable e irrealizable y regresar a la multiplicidad del mundo infinito en el que no hay relaciones y en el que se cruzan todos los caminos y todos los raíles? Este era el punto álgido de la decisión; cabía atreverse, o huir.

Las ventanillas donde expendían billetes tenían un marco de latón mate, sucio y gastado, en el que apenas se reflejaban las bombillas. Había una abierta, las demás tenían unas cortinas verdes y polvorientas. A. pasó por delante de ellas. Las carretillas de equipajes, de color marrón, despintadas en los bordes, se agrupaban en manadas. Los mozos, la gorra echada hacia la colorada nuca, los codos en los muslos y las velludas manos una sobre otra, estaban sentados en un banco con el tronco muy inclinado hacia delante. A. les preguntó si podían llevar su equipaje hasta el otro lado de la plaza. No, eso no podían hacerlo, pero le buscarían a alguien.

Por uno de los accesos al interior se veían las hileras de tejados que cubrían los mal iluminados andenes, así como el sitio donde se controlaban los billetes. Un empleado sostenía el taladro con aire aburrido.

No era necesario que los señores se molestaran en buscarle un mozo, sólo les rogaba le dijeran dónde podía encontrarlo. Tras reflexionar un instante, le dijeron que allí en la cantina había uno —e incluso dieron su nombre— tomando cerveza. El mozo de cuerda, cómodamente sentado, fumaba en pipa y bebía; no le ocultó a A. que venía en mal momento. A. se dio cuenta de que aún no había satisfecho su deseo de nicotina y encendió un cigarrillo, simplemente porque estaba en la estación, al tiempo que acompañaba a la consigna al malhumorado mozo, que iba lamentándose de la desvalorización de la moneda y de lo poco que rendía el trabajo.

La decisión había sido tomada sin que él se diera cuenta, en realidad, sin haberla reflexionado. No se percató de ello hasta salir de la estación.

El hombre marchaba a su lado con la peculiar postura del que empuja una carretilla, con las rodillas y la espalda dobladas y los brazos, arqueados, sobre los de la carretilla. Las ruedas chirriaban, el hierro producía un ruido cavernoso al deslizarse sobre el asfalto. La calle estaba ahora desierta, en silencio, y ni siquiera se oía el fragor típico de la ciudad. Parecía extinguirse el fuego del anuncio luminoso que un rato antes, como fauces infernales en las que desembocaba la plaza, iluminaba la entrada a la ciudad. La flecha señalaba hacia la paz. Era como si la calle se elevara dulcemente, si bien la elevación no resultaba tan suave para el hombre que andaba junto a él, quien por lo común no tenía que empujar una carretilla. Detrás de la verja que cercaba el parque se veían los negros arbustos a los que las luces de la calle daban un tono verde intenso y, por encima de ellos y de las masas de sombras, destacaba la parte superior de las copas de los árboles. El viento había enmudecido, el cielo no se distinguía tras la capa de nubes que lo cubría totalmente, las nubes descendían cada vez más, como queriendo unirse a la calle ascendente.

A. sintió vergüenza de pasear tan erguido sin que le preocupara la desvalorización de la moneda, en tanto que el hombre junto a él tenía que inclinarse hacia la tierra para empujar la carretilla. Pero no podía apartar la mirada de lo que estaba sucediendo por encima de su cabeza, en cierto modo muy revelador. Las copas iluminadas de los árboles, el cielo nocturno cubierto de nubes, las fachadas regulares de las casas a su izquierda, todo ello iba adquiriendo, cada vez más, un significado, y cuando llegaron a la casa, a su casa, halló la confirmación. Vio una figura clara en el balcón: era la señorita que, con las manos apoyadas en la balaustrada, se inclinaba tiesa y angulosa por encima de los pelargonios, hacia la calle, como si le esperara —aunque él sabía muy bien que no era así—. Al detenerse con el equipaje desapareció ella del balcón, y al poco apareció Zerline en la puerta de la calle para dirigir y colaborar en el traslado de las maletas.

Arriba, la puerta de la habitación central estaba abierta. Allí encontró A. a la señorita, quien dijo burlona:

—Hemos tenido que esperarle porque, con los agasajos del recibimiento, se nos olvidó entregarle la llave del piso y de la casa.

—O sea que, por de pronto, ya le he causado una molestia —dijo A.

—Ya quisiera yo que no hubiera molestias peores que esta. —No era posible saber si sus palabras encerraban deferencia o ataque—. En cuanto coloque usted el equipaje en su habitación, le entregaré las llaves.

A. pagó al mozo y regresó al cuarto de estar, cuya puerta seguía abierta, a fin de recoger las llaves.

—Al verla en el balcón pensé que disfrutaba, simplemente, de la noche.

—Puede que así fuera —respondió Hildegard.

—Le ruego me perdone y espero sinceramente que mi presencia no vuelva a ser nunca un estorbo para usted.

Hildegard esbozó un gesto que tanto podía significar desesperación, desamparo, como perdón. Después salió de nuevo al balcón dejando solo a A.

Todo estaba aún por resolver. El momento de la decisión no había llegado todavía, si bien parecía haber estado muy cerca. A. estaba a punto de alejarse en silencio, cuando vio que ella volvía la cabeza:

—¡Señor A.! —gritó.

Él se colocó a su lado en el balcón.

—Ya que está usted aquí, mejor será que cuanto antes le haga aclaraciones necesarias —habló en su tono seco normal, pero aunque lo dijo muy bajo se percibía su alteración.

—Le estoy muy agradecido —contestó A.

—Mi madre confía en usted. Dijo que venía de las colonias y que es usted un caballero. Mi madre otorga su confianza con demasiada facilidad... Esta vez también yo quiero poder confiar.

—Creo ser merecedor de su confianza.

—Bien, usted no es aquí un realquilado corriente.

—Si me permite que haga referencia a mi persona... no, en efecto, no lo soy. Fue en cierto modo una coyuntura del destino la que me trajo aquí.

—O su insistencia un tanto incomprensible —precisó—, pero no quiero hablar de esto, sino de la posición en que se halla usted debido a esta insistencia.

—Bien —respondió A.

—Resumiendo. Mi madre me quiere casar, cree que cumple así con su deber. Busca con ahínco un realquilado pero, en realidad, lo que busca es un yerno.

—Es curioso —dijo A., sin sentir, en verdad, el menor interés.

—No es nada curioso. Responde sólo a la mentalidad de su generación.

—Pero usted puede decidir por sí misma su suerte.

—No. Podría hacerlo, pero no me lo puedo permitir.

Entre el triángulo del parque, cuyo contorno no se distinguía ahora con claridad, y el triángulo formado por las casas, había surgido otro: el triángulo que dibujaban las luces que colgaban en el centro de cada una de las tres calles.

Al cabo de un rato habló A.:

—¿Debo dejar esta casa mañana mismo?

Hildegard negó con la cabeza:

—No serviría de mucho. Usted ya está aquí, y la lucha volvería a comenzar desde el principio.

—¿La lucha?

Hildegard calló. Después se dejó caer en una silla de mimbre que estaba al extremo del balcón. Puso los pies uno junto a otro, las manos muy juntas y prietas entre las rodillas. Movía ligeramente la cabeza de un lado a otro, inclinándola hacia delante. Esta actitud de abandono y debilidad, en contradicción con la que había observado hasta entonces, le dio a él valor para preguntar:

—¿Ama usted a alguien?

Ella sonrió. Era la segunda vez que sonreía aquel día. Sus labios se volvieron de nuevo más gruesos, casi sensuales, y quedaron otra vez al descubierto sus dientes, en perfecta hilera, sanos. No eran los mismos dientes de su madre, y a A. le habría gustado saber si el presidente de la audiencia también era capaz de sonreír y si tras sus delgados labios se escondían unos dientes semejantes.

La añoranza se reviste de dureza, pensó A., la debilidad se esconde en la concupiscencia, la lasitud en el rigor.

Hildegard continuaba moviendo la cabeza. Después dijo en voz baja:

—Mi madre me querría tener fuera de esta casa, por eso me quiere casar. Se justifica a sí misma pensando que es su deber.

—El mundo es hermoso —dijo A.—, usted no tiene por qué quedarse aquí.

—¿Y qué ocurriría entonces con mi madre? ¿Quién se ocuparía de ella?

—La baronesa parece tener muy buena salud. Y además, por lo que creo, está en buenas manos.

Una mujer solitaria pasaba por abajo. Por su forma de mover las piernas haciendo oscilar la falda a manera de péndulo y de volver la cabeza sobre el inclinado torso, producía una impresión asexual, casi viril.

Hildegard cruzó las delgadas piernas y dijo:

—Mi madre no tiene voluntad. Y Zerline cede fácilmente a sus deseos. Usted mismo lo ha visto.

Sentada en la parte más estrecha del balcón, miraba hacia la ciudad y fijó la vista en la entrada de la misma con tal intensidad que parecía buscar algo.

—Zerline no tiene hijos —dijo—, y no sabe a quién tratar como a un niño, si a mi madre o a mí.

Daba la impresión de pretender encontrar un niño allí donde se juntaban las dos calles que constituían los dos lados del triángulo, quizá el niño no nacido de Zerline, quizá el suyo propio. A. pensó: así no lo hallará nunca. Luego dijo:

—Pronto lloverá.

—Sí.

El aire estaba tan quieto que no se notaba la lluvia que había empezado a caer. Estaban protegidos por el alero, pero veían aumentar los puntitos negros sobre el asfalto. En la calle no había nadie. La mujer que había pasado hacía poco había doblado ya la esquina de la estación. Detrás de las casas de la parte oeste se reflejaba un relámpago de vez en cuando. A. dijo:

—Pero los deseos de su madre no pueden ser tan raros para que necesite ser vigilada.

Hildegard dudó un momento.

—Si no fuera tan frágil lo abandonaría todo... Se mezclaría con el pueblo y viajaría en tercera, sólo por ver mundo. Con frecuencia se ha lamentado de no haberlo hecho.

Era imposible que el miedo a perder a su madre la impulsara a consideraciones tan unilaterales. La solución tenía que llegar ahora. A. se apoyó otra vez con fuerza en la balaustrada de hierro, respiraba, estaba desnudo bajo su traje, se inclinó hacia fuera, hacia la lluvia cada vez más intensa. Más allá el follaje de las copas de los árboles susurraba dulcemente. Allá respiraba la tierra, la tierra respiraba detrás de la casa y el aliento de la vida ascendió y se concentró sobre el tejado de la casa donde se cobijaba lo viviente y lo humano. Flotaban en el aliento de la vida con todos sus miembros, huesos, venas, arrastrados por encima de la tierra. Nacer de una madre, penetrar donde se nos acoge y protege, huir del cobijo del hogar para regresar luego: miedo del cuerpo por no poder volver a ser niño, por afincarse en lo inanimado sin protección, sin cobijo; miedo de todas las mujeres, desnudas bajo sus trajes.

Toda la debilidad y el abandono habían desaparecido de Hildegard y, con los labios otra vez contraídos mirando fijamente el límite de la calle, dijo:

—Mi padre instituyó la paz aquí. Mi obligación es procurar que se mantenga.

A. se pasó la mano por sus rubias patillas al estilo Biedermeier y contestó:

—Misión difícil y maravillosa la que usted se ha impuesto.

En la estación se oía el silbido de una locomotora; el ruido de un tren se mezclaba al de la lluvia y a la sonora vida del follaje con sus múltiples venas. A. levantó también la mirada hacia la entrada de la ciudad, como si esperara que de allí viniera la voz que había de dar la última respuesta a las voces de la lejanía. ¿Será la voz del niño o la voz del tribunal? ¿Aparecerá allí la mirada del niño o la del padre? Ambas a la vez, pues el trueno que resonaba ahora suave en el cielo, envolviendo la ciudad, absorbía tan dulcemente el ruido del tren, sonaba tan al unísono con el murmullo de los árboles, que lo ya ocurrido formaba una unidad con el devenir, unidad inserta en un eco inaudible, sumergida en la intemporalidad y en una eternidad que es a la vez la sonrisa de la vida y de la muerte.

IV. BALADA DEL APICULTOR

Se había especializado en instrumentos de dibujo. Todos los tiralíneas salidos de sus expertas manos eran obras de arte que relucían, con su acero plateado, sobre el terciopelo azul del estuche. Eran útiles perfectos en el trazo, una línea suave, elástica y segura al mismo tiempo, perfectos en su exactitud, ya que conservaban la tinta china hasta la última gota sin peligro de que manchara. Allí donde se cultivara el dibujo técnico como arte, eran conocidos él y sus productos. Y tenía una clientela fija entre los dos mil estudiantes de la gran escuela técnica ducal en cuyas cercanías había instalado su tienda y su taller. Sus ingresos parecían seguros y los ahorros, cada vez mayores, parecían prometerle una vejez tranquila y sin problemas. Claro que faltaba todavía mucho tiempo para que llegase.

En aquel entonces su mujer aún vivía —¡oh, recuerdo que ya nunca le abandonaría!—, y mientras vivió subía todos los días después del trabajo al pueblo donde ella había heredado una pequeña casita de su padre, un constructor rural. Dedicaba las noches y también los domingos a las abejas, que eran la alegría y la distracción de ambos. Se sentían felices juntos y a menudo cantaban a dúo mientras trabajaban. Su felicidad fue completa mientras esperaban un niño. Pero entonces entró en juego la fatalidad. Tras un embarazo fácil, el niño nació muerto y la muerte se llevó también a la joven madre. Tras ese duro golpe no quiso volver a ver la casa ni las abejas; vendió sus bienes y se trasladó a la ciudad. No era capaz de imaginar que aquella felicidad pudiera repetirse y permaneció viudo, endurecido por el pasado y el presente. Sin embargo, a pesar de haberla escogido por propia voluntad, con los años la soledad se le fue haciendo pesada. Un día se encaminó al hospicio del estado donde se recogían niños abandonados y adoptó una niña recién nacida. Fiel a la felicidad pasada y en memoria de las abejas, que habían constituido parte de esa felicidad, bautizó a la pequeña con el nombre de Melitta y le enseñó a llamarle abuelo, pues su barba había encanecido. Por amor a la niña, empezó a cantar de nuevo. ¿Lo habría hecho también en honor a un hijo? Casi seguro que no. Este era uno de los motivos que le indujeron a decidirse por una niña, renunciando al deseo de tener un sucesor varón. Por otra parte, ¿quién podía asegurarle que este iba a tener realmente aptitudes para los instrumentos de dibujo?

Todo esto eran consideraciones superfluas, tanto más cuanto pronto se vio que empezaba una nueva época —la funesta guerra de Alemania contra la Entente estaba todavía muy lejos—, una época enemiga de la artesanía, de los objetos de calidad, una época que no precisaba ya de instrumentos de dibujo hechos a mano. Se vendían en cualquier papelería, estaban fabricados sin amor. Los tiralíneas carecían de elasticidad, eran duros y rompían el papel, los compases estaban desequilibrados y ni la mano más experta podía hacerles trazar pertinentes arcos de circunferencia; eran piezas cuyas partes resultaban a veces demasiado pesadas y otras demasiado ligeras, unidas por tornillos a veces demasiado gruesos y otras demasiado delgados. ¿Quién podía trabajar así?

Vendió el taller y la tienda. Los útiles de dibujo que se usaban ahora no eran más baratos que sus artículos, habría podido mantener los precios sin ningún esfuerzo, pero eso ya no le daba ninguna alegría. La nueva generación no sabía distinguir entre una pluma y otra, no era capaz de esgrafiar debidamente una superficie ni se molestaba en intentarlo, sino que se conformaba con una mezcla de acuarelas baratas para emborronar el papel, como un pintor de paredes. Pretender fabricar objetos de alta calidad era, por tanto, rebajarse. Casi era mejor ejercer de peón en cualquier parte. Y de hecho es lo que hizo. A pesar de su edad trabajó de mecánico, justo al empezar la guerra, en una gran fábrica de máquinas de precisión. Al principio lo hizo para cumplir un deber para con la patria, pero luego se convirtió en una amarga necesidad, pues, sin recurrir al desvergonzado y cada vez más caro mercado negro, que de día en día se hacía más al descubierto, resultaba difícil alimentar a un niño como es debido —Melitta tenía nueve años al estallar la guerra—. Pero la chiquilla era su alegría, era una alegría alimentarla, y el trabajo también lo era ya que, con su figura de atleta, a pesar del pelo blanco, lo realizaba sin dificultad y recibía el correspondiente pago. Sus ahorros, tras una considerable disminución —el marco conservó su nombre pero perdió valor—, volvieron a subir notablemente. Quería retirarse en cuanto se firmara la paz.

Naturalmente no fue así. El encarecimiento se mantuvo después de la guerra, y aumentó hasta llegar poco a poco a la inflación. Los supuestos ahorros desaparecieron. El viejo se quedó, pues, en la fábrica y habría seguido si no lo hubieran despedido por la edad. Los jóvenes, temiendo otros recortes, reclamaron y exigieron sus derechos. Afortunadamente Melitta había sobrepasado la edad escolar y podía por tanto contribuir a los ingresos. Empezó de aprendiza en una lavandería. Suponía un alivio. Él dispuso así de tiempo libre para buscar otra forma de ganarse la vida. Mientras estuvo casado, se mantenía en contacto con la escuela de apicultura estatal, en la capital de distrito más cercana. Siguiendo un impulso repentino se dirigió allí y como el antiguo director, a quien conocía, aún ocupaba su cargo, consiguió el puesto de instructor ambulante. Aunque estaba mal pagado, siempre cabía la posibilidad de obtener extras que provenían de los campesinos. Le dio ocasión de atravesar los campos a lo ancho y a lo largo, y le gustó.

La inflación le parecía ahora un regalo de Dios. El apego al dinero, la búsqueda de seguridad en la vida, que hacían al hombre mezquino y de espíritu inseguro, se le aparecían más y más como la imagen de lo antinatural.

Aunque su amor hacia las abejas era el mismo de antes y admiraba aún la refinada y exacta precisión de su sistema de organización técnico y social, aunque contribuía a la marcha de ese engranaje con el antiguo sentimiento de alegría y la experta mano del apicultor que procura no asustar a los animalitos, se mezclaba sin embargo con este amor una especie de compasión despectiva hacia la abeja, símbolo de la previsión burguesa, del ésfuerzo burgués por alcanzar una seguridad, del espíritu de ahorro y disciplina burgueses. Le parecía que lo antinatural irrumpía en lo natural, como sucedía con la cautividad de los animales domésticos. Algo semejante sentía ante los campesinos con quienes trataba, cuyo codicioso afán de posesión le daba asco, a pesar de que valoraba en mucho la vida del campo. A veces pensaba que sólo el artesano —y él se sentía aún uno de ellos— está libre de codicia, que sólo el artesano, y no el campesino atado a la tierra y menos aún el ciudadano entregado al comercio o el obrero desterrado a la fábrica, puede elevarse a un comportamiento natural desprovisto de ligámenes. Sólo él continúa en cierto modo la obra de Dios al crear algo nuevo con sus manos para poderlo admirar al sexto día, por tanto sólo el artesano es realmente capaz de comprender la naturaleza de Dios y de alabarle.

A menudo pensaba que Dios había enviado la inflación para exterminar el comercio y las fábricas, para hacerlos desaparecer de la superficie de la tierra, de forma que un mundo libre del afán de dinero, un mundo compuesto de artesanos y campesinos libres de codicia se identificaría de una vez por todas con la voluntad del Creador. Naturalmente, no creía que fuera posible, pero le encantaba imaginárselo.

De este modo, al hacerse mayor, no es que se volviera más creyente ni que frecuentara más la iglesia, pero sí se entregó más a Dios. Y sus ojos se abrieron cada día más a la contemplación de la creación. Cantaba cuando iba por los campos. Ya no entonaba las canciones populares de su mujer, ni melodías conocidas ni canciones de moda o fragmentos de jazz que ahora tarareaban incluso las muchachas campesinas. Sólo el ciego canta canciones aprendidas. Pero el que ve —aunque a veces de tanto ver se vuelva ciego, y si es así con mayor razón— canta la visibilidad, canta la visión siempre renovada de la vida, canta lo nuevo y por tanto se canta a sí mismo. Sólo el que ve de verdad canta de verdad. Y lo que resuena en el canto del caminante, desde el zumbido de las abejas o de los moscardones hasta el suave arrullo de la alondra, nunca es una imitación de sonidos, sino un enjambre de abejas contemplado, la altura de la alondra divisada y más aún: lo invisible en lo visible transformado en sonido.

En lo invisible el hombre alcanza a ver por última vez: se le ha concedido que contemple lo que vive en lo no viviente, lo viviente en la supuesta materia muerta, una forma palpable de ver. Un atisbo manifiesto guía la mano del artesano cuando da forma al material, de modo que su vida se haga visible al ojo humano. Así es como el artesano imita a Dios, y más claramente le imita el artista, porque él percibe más allá de la vida activa que se esconde en lo inanimado, y esa percepción abarca —en una progresión casi imperceptible— todo su ser, toda su persona.

Por eso la canción, la música, pueden ir más allá, pueden y deben recoger lo que es ya ostensible, lo que ha sido hecho visible y lo preformado, y despojarlo de las últimas manchas de lo muerto para darle sonidos de vida más intensa. El canto se hace visión y sobrepasa lo audible.

¡Oh, ojo del hombre, vida en sí mismo, fruto de la creación, vida en plena madurez! En el ojo se aleja al máximo el ser creado del polvo inanimado, aunque tienda este a la vida. En el ojo está la vida, lo más cerca posible del acto creador al cual debe su existencia; el sexto día se juzgó a sí misma perfecta y señalada con el don de la creación para enjuiciar lo que había sido hecho. El ojo fue llamado para dictar sentencia sobre todo lo que el hombre conoce, piedra de toque para decidir sobre su propio acto creador, fuera este el número o el arte. En el ojo se aúna todo lo humano del hombre, quien encuentra en él su esencia y su descanso, ya que el hombre se ha convertido en creador gracias a la capacidad de conocimiento de su ojo. ¡Santidad del ojo y no obstante simple eco de la santidad! Pues el acto creador del hombre se produce como un eco y comunica la vida percibida sólo mediante imágenes. Y el hombre, que se reconoce en el ojo, juzga bueno lo que ha realizado y a sí mismo. Se atribuye una inmediatez que no posee, se vuelve orgulloso en el ojo y regresa a lo muerto, pierde el don de percibir la vida, y sus actos se convierten en una simple manipulación de la materia muerta, en una falsa imitación, en maldad vacía.

La imitación falsa de Dios, con su vacío y su maldad, es el peligro del artista, un peligro que no corre el artesano, cuya percepción de la vida se limita a lo que surge de sus manos, y casi podría decirse que el artista, al convertirse más y más en creador, tiene que volver al terreno más humilde del artesano a fin de lograr sus obras más importantes.

Todo esto experimentó, atleta que recorría el paisaje cantando y alegrándose con el viento. Antes, mucho antes, entraba a menudo en una iglesia cuando el sonido del órgano salía por la puerta y entonaba con todas sus fuerzas si le gustaban los cánticos; si no, callaba. También contemplaba las imágenes y los retablos y si le gustaba alguno, obra de algún maestro, permanecía largo rato ante él; a los que consideraba de poca categoría no les dedicaba la mínima atención. Y habría actuado igual de haber asistido a conciertos, a sesiones de teatro o visitado museos. Del mismo modo que reconocía si un tiralíneas estaba bien fabricado o simplemente hecho para camelar al comprador, también sabía distinguir a primera vista lo bueno y auténtico y rechazar sin titubeos las baratijas. Al campesino, aunque sea capaz de producir arte, le falta esa capacidad infalible de discriminación, e incluso muestra especial predilección por lo dulzón y lo cursi. Y el comerciante de la ciudad necesita del técnico para que, con mayor o menor éxito, le aporte su opinión crítica. El especialista, en cambio, posee el instinto natural del artesano, en su mentalidad y en el trabajo de sus manos, y es prácticamente el único que encuentra aplicación inmediata de la obra de arte viva y halla en ella un goce sin reflexionar de antemano.

También él lo había experimentado así, pero ya no lo sentía. Cada vez se sentía más ajeno a todo ello. Ningún concierto de órgano le resultaba atractivo ni le hacía entrar en una iglesia, incluso evitaba ver o escuchar, pues había perdido la capacidad de ver eco en el arte, rechazaba su poder de mediación: ya no necesitaba intermediario. Eliminó de su vida todo lo que la había empobrecido a fin de hacerse rico. Cada día se acercaba más a la inmediatez de la vida y al conocimiento de la muerte, que no se alcanza más que en lo inmediato.

Por eso cantaba. Cantaba únicamente a solas, nunca para o ante otros: los demás habrían escuchado el canto de la vida como algo mediato y falto de realidad última, mientras que él oía en lo más profundo de su ser el acompañamiento del canto de la muerte, el secreto que le era vedado revelar. Si hubiera sabido ponerle notas quizá lo habría hecho en su juventud, no ahora. Siempre había vivido en la artesanía y —sin apenas darse cuenta— en el umbral del arte. Ahora los había superado a ambos, y era consciente de ello.

También había superado el orgullo de la artesanía y la presunción del arte. Se había sentido muy orgulloso de sus tiralíneas, de sus compases de alta precisión, de sus transportadores y de sus reglas de cálculo. Su nuevo ser, su nuevo conocimiento estaban muy lejos de eso, eran únicamente naturales. Se había convertido en un instructor ambulante que enseñaba apicultura a las gentes, la construcción y el cuidado de las colmenas, el uso de panales naturales y artificiales, el transporte de colonias, la instalación de las reinas, la renovación de un enjambre perdido, la influencia de las plantas o flores sobre determinadas especies, la calidad de la miel, y también cómo evitar, o por lo menos limitar, la desaparición de una colmena mediante cultivos adecuados. Iba de hacienda en hacienda enseñándoles todo eso a los campesinos con los que a veces compartía mesa. Se sentaba con ellos bajo los tilos y les contaba historias y anécdotas de las abejas: de divisiones y combates entre las colonias, de la defensa del colmenar, del vuelo nupcial y la muerte del zángano, del lenguaje secreto que emplean las abejas para ordenar al enjambre que busque un lugar donde alimentarse, de forma que en un vuelo mínimo se llegue hasta él. Les hablaba también del espíritu de sacrificio de las abejas, de cómo están siempre dispuestas a morir.

Los niños le llamaban abuelo, el abuelo de las abejas. Para que lo vieran, hacía que una abeja se paseara por el dorso de su mano, no le picaba nunca. Era su profesión, su trabajo cotidiano, era él mismo, sin pretender ser nada más. Pero para los niños, que se arremolinaban a su alrededor y salían a su encuentro en cuanto aparecía en el pueblo con sus herramientas y sus escasos bienes colgados al hombro, era algo más que un simple mago de las abejas. Se sorprendían de que las abejas no le causaran daño, pero sabían también que nada podía hacerle ningún mal. Era invulnerable a las abejas, invulnerable al mundo y quizá también a la muerte. Los niños lo presentían, lo sabían. Incluso los mayores empezaron a intuirlo, aunque después que los niños y desde luego por influencia de estos. Si el anciano, que no quería tener conflictos ni con el médico ni con el veterinario, no se hubiera negado, le habrían requerido para cualquier pieza de ganado o para curar a los enfermos. Probablemente los habría curado, ya que la fuerza de la enfermedad proviene del vasto poder de la muerte, y rompe esa fuerza aquel que con la energía de su canto ha obtenido la confianza de la muerte y se ha convertido en su amistoso vecino, de manera que su sombra, la sombra que le ha infligido la muerte, va desde el reino de la muerte hasta el país de los hombres, los niños y el ganado. Le veían como venido de ahí al lado, como un fragmento de los bosques, de los ríos, de las colinas, como un componente de la misma naturaleza, una parte de la muerte, unido con la naturaleza que cura y con la muerte que sana. Pronto dejaron de preguntarle por su origen; tenían miedo de preguntárselo porque temían la enorme lejanía que le rodeaba, y él también la temía. Decía dónde había dormido la víspera o la antevíspera, hablaba del pueblo vecino; era de allí de donde venía.

Sin embargo, no podía disimular su lejanía. Se hacía más patente en el sentimiento de inquietud que le invadía cuando pensaba en el regreso. Cada vez eran más largas sus ausencias y más cortos los descansos en la casa que se le había hecho extraña. Tenía miedo, quizá, al desasosiego de Melitta. La amaba como a su propia hija, pero no era carne de su carne. Además se estaba convirtiendo en una mujer. También es posible que temiera que la particularidad de su forma de vida pudiera desviar hacia sí la de un ser todavía joven e inseguro, tenía que evitar tal peligro. Cuando, tras una corta estancia, se disponía a ponerse de nuevo en camino y ella le decía que no se fuera tan pronto, contestaba riendo:

—Un viejo buey y una joven ternerilla no pueden estar bien juntos.

Y antes de que ella tuviera tiempo de contestar, recibía dos sonoros besos en las mejillas y salía él por la puerta.

Más adelante, ni siquiera permitió tales despedidas, sino que simplemente desaparecía y enviaba después un saludo por correo.

En cuanto se encontraba en las afueras respiraba hondo: ya no pertenecía a la ciudad, a ningún hogar, a ningún techo. Cuando hacía mal tiempo era inevitable tener que cobijarse en uno u otro pueblo o en casa de algún campesino. Pero si podía dormía a mitad de camino, al aire libre, bajo el encañizado que formaban la vida y la muerte y que penetraba en su sueño. Cuando, en la oscuridad de la noche o al alba, de nuevo abría su alma al maravilloso despertar, elevaba la mirada hacia el flotante firmamento y acercaba el oído a la tierra. Entonces se transformaba en aliento, convertido él mismo en totalidad grávida, la grávida totalidad que, en reposo, llena el mundo y a su vez es llenada por este: las piedras bajo su cuerpo y sus huesos formaban una unidad con el frío reflejo de las estrellas; se ajustaban a la potencia de vida que posee la materia muerta, mientras que la multiplicidad de vida que le rodeaba y sentía en su propia persona, en su carne viviente, en su corazón viviente, en su pálpito ininterrumpido, mostraba una disposición hacia lo inanimado. Este infinito y tenso intercambio entre los dos polos de lo vivo y de lo inanimado se reveló, al fin, como lo inmediato, como el momento más íntimo del todo, como la inmediata santidad de lo que perdura y surge del cambio infinito de vida y muerte, como la santidad de la lejanía inmediata que se lleva consigo a los hombres en la medida en que estos se le someten sin reservas. Él, en efecto, se había sometido, y su despertar era el conocimiento de la santa lejanía en que se hallaba.

Había sido un artesano y ahora era un instructor ambulante. Pero cuando cruzaba cantando los campos, atleta de barba y melena blancas, la lejanía le cubría con un manto de santidad y era invulnerable a las abejas, a la vida y a la muerte.

prácticamente nada. Y en cambio no se sentía dichoso por ello, le parecía estar cumpliendo un penoso y pesado deber.

Alguien había bajado las persianas para evitar que entrara el sol de la mañana. Ahora, a pesar de que había oscurecido, le daba demasiada pereza levantarlas. No importaba, la habitación estaría más fresca a oscuras y por la noche abrirían las ventanas. Su ociosidad se le aparecía como un bien. Por otra parte, no era un auténtico indolente, sino que le costaba tomar una decisión. No quería estorbar al destino, no, el destino tenía que decidir por él y él se sometía, aunque por supuesto no sin cierta atención, cierta astucia, que era tanto más necesaria cuanto que esta manera de decidir se había convertido en un curioso sistema de gobernarse: le avisaba de peligros de los que debía huir, y la huida le reportaba siempre dinero.

Su delirante miedo al examen final de bachillerato, su horror a los examinadores, que no dejan escapatoria y en cuyas manos el destino ha puesto el poder de inspirar terror, ya que averiguan los más recónditos secretos del examinado, dejándole vacío de conocimientos y como si no hubiera estudiado nada; este miedo a los exámenes le hizo huir a África quince años atrás. Había llegado a la costa del Congo sin un céntimo —su padre, enojado ante la conducta del hijo, sólo le había pagado el viaje—, temeroso de tener que tomar una decisión pero feliz, porque en lo imprevisto no hay examinadores, además de confiado en el destino. Su fe en el destino adquirió la forma de una vegetación vigilante y, fuera por esa vigilancia o por la vegetación, no le faltó nunca dinero a partir de aquel momento. De aprendiz de jardinero, de camarero o de oficinista, empleos que al principio había desempeñado uno tras otro, cumplía siempre con sus obligaciones mientras nadie le preguntara por sus conocimientos o facultades. Si le preguntaban al respecto, dejaba inmediatamente el puesto, aunque siempre con un poco más de dinero en el bolsillo ya que, como suele suceder en las colonias, cada vez tenía más oportunidades de realizar negocios secundarios, que llegaron a convertirse en su actividad principal. Esto lo llevó hasta la ciudad de El Cabo, hasta Kimberley, hasta una sociedad de diamantes en cuyo socio se convirtió. El destino le llevaba de acá para allá, su afán de evitarse experiencias desagradables, de eludir hablar y responder. No podía acordarse de haber actuado por voluntad propia; había conseguido las cosas con su fe en el destino, una falta de decisión semejante a la indolencia. Una voz interior le decía «digestión de vida indolente, digestión de destino indolente», teniéndole contento y satisfecho hasta el momento actual: que el domingo desapareciera y se hundiera, que las persianas permanecieran bajadas, todo para bien. Entonces —tal vez tras una tímida llamada— se abrió la puerta ligeramente y apareció la anciana cabeza de mujer tendida hacia delante como la de un pájaro, la sirvienta Zerline:

—¿Duerme usted?

—No, no; pase, pase.

—Está durmiendo.

—¿Quién?

La pregunta era absurda, puesto que sólo podía tratarse de la vieja baronesa.

En el arrugado rostro de Zerline se dibujó una expresión un tanto pícara, que parecía albergar sospechas:

—Ella... allí... duerme profundamente. —Y prosiguió de inmediato, en parte para demostrar que habría tranquilidad aquella tarde y en parte como anunciando un primer punto del programa—: Hildegard ha salido... la bastarda.

—¿Qué?

Había entrado del todo en la habitación y se mantenía a una distancia respetuosa, pero se apoyaba con la mano en el borde de la cómoda debido al reuma que le afectaba a las rodillas:

—Se la hizo otro —desveló—, Hildegard es bastarda.

Si bien le habría gustado seguir escuchando, no podía permitírselo:

—Oiga, Zerline, yo soy aquí un realquilado y esas historias no son de mi incumbencia, ni siquiera puedo escucharlas.

Ella le miró meneando la cabeza:

—Pero usted piensa en ello. ¿En qué piensa usted?

Su mirada inquisidora le llenó de inquietud. ¿Acaso no llevaba el pantalón bien abrochado? Se sentía desagradablemente acorralado y le habría gustado contestarle que pensaba en cuestiones de dinero. Pero ¿qué le hacía creer que él tenía que contestar a sus preguntas y seguir su conversación? No contestó.

Ella notó su embarazo pero no cedió:

—Será de su incumbencia cuando ella venga a acostarse con usted.

—Vamos a ver, Zerline, ¿qué le ocurre?

Sin alterarse, la mujer continuó:

—Ella siempre lo rehúye. Si tuviera un auténtico amante con quien ir a la cama no habría nada que objetar, pues sería una auténtica mujer; pero lleva una máscara sin igual. Representa el papel de una auténtica mujer que se encuentra en secreto con su amante y lo disimula con mentiras torpes porque no sabe hacerlo de otro modo. O sea, que también representa el papel de torpe y toma el libro de rezos en apariencia para ir a la iglesia, precisamente porque todos saben a qué horas son los oficios religiosos y todos verán la evidencia. Son mentiras aparentes las que dice y, sin embargo, mentiras dobles tras las que se esconde lo más asqueroso. No quiero saber qué hace con el libro de rezos allí adonde va, pero lo sabré… Acabaré averiguándolo todo.

Esperó un momento y, dado que A. había cerrado los ojos a modo de protesta, se acercó dos pasos más, sin apartar una mano del borde de la cómoda y manteniendo la otra un tanto rígida a lo largo del cuerpo:

—Lo averiguaré todo. También descubrí cómo la vie… la señora baronesa se hizo hacer un hijo entonces… y bien rápido que lo descubrí. En aquella época yo no era ni tan joven ni tan tonta, si bien hace mucho tiempo, más de treinta años. Yo estaba entonces en casa de la esposa del general, la madre de la baronesa, una mujer temerosa de Dios. Era una casa bien. Yo era la sirvienta de más categoría; teníamos también cocinera y una ayudante de cocina. Y mientras vivió Su Excelencia el general, estuvo en la casa su asistente, que ayudaba en los trabajos más pesados e incluso a servir la mesa. Pero Su Excelencia murió. Y un día claro de febrero, lo recuerdo como si fuera ayer, en que la nieve empañaba los cristales, me llamó la mujer del general y me dijo: «Zerline, tú sabes que hemos de recortar los gastos, pero yo no quiero perderte del todo, ¿no querrías ir a casa de mi hija? Ella espera un niño, y yo preferiría que estuvieras tú allí y no una muchacha extraña».

»Eso me dijo, y yo obedecí aunque con gran pesar. No era ya tan joven, y Dios sabe que habría preferido tener hijos propios a los que dedicarme. Pero cuando una chica se pone a servir debe prescindir de tales pensamientos, una muchacha de servicio ha de renunciar a eso, un hijo es para ella un accidente que debe evitar. Y era una lástima, pues yo habría podido tener una docena de hijos.

»Cuando entré en casa de Su Excelencia tenía la sangre joven... —Esbozó un movimiento de coquetería que quería quizá denotar júbilo, pero que, en cambio, resultó goyesco—. Me habría tenido que ver usted: era robusta y de carne prieta, mis senos eran tan tersos que todos querían poner la mano en ellos. Incluso el señor barón, que entonces no era aún presidente de la Audiencia sino un simple consejero jurídico, cayó en la tentación.

»¿Cree usted que no debía haberlo hecho, ya que no es propio de un recién casado? ¡Qué va! Era de los que están por encima del deseo y que, a causa de su alma, no deberían codiciar a ninguna mujer. Probablemente tampoco la deseó nunca.

Luego, señalando con el pulgar la puerta que tenía tras de sí, añadió:

—Ella tampoco se preocupaba de proporcionarle ningún placer. Yo sí habría podido dárselo, pero no quise, a pesar de que era muy guapo; le habría herido en el alma. Preferí dedicar mis atenciones a los asistentes de Su Excelencia y encontré placer en ello casi siempre, cosa que no estaba bien. Nunca en una cama de verdad. Siempre a toda prisa, con la habitación a oscuras y los vestidos puestos; en el salón, cuando los señores iban al teatro. Así son las cosas para la muchacha que viene a servir a la ciudad. Ellos tenían a alguna chica en el pueblo, pero no las perjudicaba en nada el que ellos encontraran mayor placer en mí o el que yo fuera más bonita, pues el que aguarda tiene siempre más derechos. ¡Qué tiempos! Los años en que florece la juventud —se notaba que era una cita— pasaron pronto. Más de doce años estuve en casa de Su Excelencia y fue ella —señaló de nuevo con el pulgar hacia atrás— quien quedó en estado, no yo. Aunque yo era mucho más hermosa, ella ganó la partida. Y yo acepté mi empleo junto a ella y su hija bastarda.

Hizo una pausa a fin de aspirar profundamente. Y sin prestar demasiada atención a su interlocutor, que se había levantado, prosiguió:

—Cuando el bebé, Hildegard, vino al mundo, el barón tenía ya cincuenta años y era presidente de la Audiencia. Quizá no le pareció bien que yo me trasladara a su casa, pues seguro que igual que yo no había olvidado que me había acariciado los senos. Estas cosas carecen de tiempo, perduran. Por supuesto que, por hermosa que yo fuera, no se volvió a fijar en mí. Se había convertido en aquello a que estaba destinado, es decir, en un hombre que no desea a ninguna mujer. Y, aunque no hubiera podido, hay muchos que, precisamente porque no pueden, lo desean más aún. Esos son los más desagradables. Él, en cambio, si no podía era porque no quería. Por eso era cada vez más guapo. Si Hildegard fuera suya, sería una hermosa mujer.

Al llegar a este punto, A. se vio obligado a contradecirla:

—Y es hermosa. Además, cuando vi por primera vez el retrato del presidente en el comedor, noté enseguida una semejanza entre ambos.

Zerline dejó escapar una risita de conejo:

—Yo, sólo yo hice que se le pareciera. Puse a la niña ante el retrato una y otra vez. Yo le enseñé a mirar igual que él. Todo depende de la forma de mirar.

Aquello era, cuando menos, sorprendente. A. dijo, pensativo:

—Junto con la mirada debió también de adoptar su alma.

—Esto es, exactamente, lo que yo quería. Pero es una mujer; además, tiene la sangre del otro.

—¿Y quién era el otro? —preguntó casi sin querer, fue algo más fuerte que la simple curiosidad.

—¿El otro? —Zerline rió—. El otro venía de vez en cuando a tomar el té con la esposa de Su Excelencia. Al principio no me di cuenta de que la baronesa venía también sin su marido. En cambio sí me di cuenta de que el otro, el señor De Juna, era muy guapo. Llevaba una barba terminada en punta de color castaño herrumbroso, sus rizos eran del mismo color, su cutis parecía espuma de mar bronceada por el sol y movía el talle como un bailarín. Seguro que ella sentía envidia. Sabía buscárselos. Pero si se le observaba bien, se descubría, tras la hermosa barba puntiaguda y tras sus bellos labios, el rostro del villano, el rostro de la impotencia y del eterno deseo, la fea concupiscencia tras la que se esconde la debilidad. Un tipo así se obtiene fácilmente. De haberlo querido, también yo lo habría tenido. —Aplastó con los dedos una pulga imaginaria—. Y desde el primer día, como si nada. La esposa de Su Excelencia dijo que él estaba siempre de viaje, en servicios diplomáticos, un diplomático le llaman a eso. Así es. La cosa fue que se instaló en el antiguo pabellón de caza allá en el bosque. —Su brazo señaló un indefinido punto lejano—. Pero no por la caza sino por las mujeres que siempre tenía consigo. Claro que la gente comentaba más de lo que sabía, él despertaba curiosidad con sus idas y venidas y con sus numerosas mujeres. También yo sentía curiosidad. Por la mujer del guardabosque, a quien había confiado la casa, no podía averiguarse nada. Se mantenía callada como una tumba. Me habría sorprendido que la hubiera dejado precisamente a ella, era muy aprovechable. Así es como él vivía y la chiquilla se le parecía mucho al principio. Pero ¿cómo le iban a presentar a la niña? Yo estaba muy intrigada. Mas ella se las arregló muy bien. El bebé tenía que visitar a su abuela al cumplir dos meses. Y así fue. Fuimos en coche a casa de la esposa de Su Excelencia. Se puso a la niña dormida en el cuarto de huéspedes y a mí ni diez potros me habrían podido sacar de la habitación, pues sabía que él aparecería como por casualidad. También sabía que ella se traicionaría. No tuve que esperar mucho. Me entró risa al ver cuán puntualmente le trajo ella hasta allí y aún me hube de tragar más la risa cuando él, el papá, se inclinó sobre la cama, y ella, sin poder contener la emoción, le cogió la mano. Era una emoción sincera, pero al mismo tiempo falsa. Él era más astuto. Notó que yo les observaba y al salir, como si con ello hubiera podido desembarazarse de su paternidad, me dirigió una mirada en la que me decía que era yo y no ella la mujer que él necesitaba. Y yo, que no soy tonta, le hice notar que había comprendido.

La sonrisa de entonces, la que ella dio por respuesta, reaparecía ahora en su rostro como por arte de magia, brillaba como un eco de sí misma, viejo y arrugado, era un reflejo de su marchitez, algo eterno y perdurable, una respuesta que no se lleva el tiempo:

—Se lo hice notar, y yo misma me di cuenta de cómo penetraba en él, haciéndole perder la serenidad, de modo que no recobraría la calma hasta haberse acostado conmigo. Yo estaba de acuerdo. También a mí me atraía, si bien ni él ni yo nos lo habíamos propuesto de antemano. El hombre no vale nada. Y no sólo la infeliz muchacha de servicio que viene del campo tiene ese poco valor, no, nadie vale nada. Únicamente el santo tiene sabiduría y fuerza y no necesita venderse. Pero también el deseo, por bajo que sea su precio, necesita fuerza, y los peores son aquellos que, al ser incapaces de sentirlo, al ser débiles, se empeñan en negar que el deseo es barato. Ellos quisieran que el precio del deseo no fuera tan bajo, y ellos valen menos aún. Son los hipócritas, los que mienten por refinamiento, por cobardía o por debilidad; todos aquellos que intentan apagar el deseo mediante el aturdimiento interior porque no lo encuentran suficientemente refinado para su espíritu, y con más frecuencia porque no saben nada de él ni creen que con el alboroto podrán atraerlo y conservarlo. Esperan conseguir el deseo mediante fraude y, al mismo tiempo, apagarlo. ¿Y la baronesa? Ni una palabra durante el día, pero apuesto a que por la noche su agitación interior era incesante. Naturalmente hay que decir en su favor que nunca había sido una auténtica mujer, y que nunca habría aprendido a serlo con el barón debido a su severidad. Era, por tanto, lógico que cayera con el otro, con el concupiscente. Ella hizo el bebé con él durante el último viaje que realizaron juntos a un balneario; la fecha coincidía. ¿Por qué no siguió ella luego con él? ¿Por qué no se fue también al pabellón de caza? El deseo de ella era demasiado pequeño y el miedo, en cambio, demasiado grande. Era demasiado débil para hacerlo y demasiado embustera. Igual se le habría podido proponer que cohabitara con él en una plaza pública. A pesar de todo, yo la habría querido ayudar, en parte por el premio a mi propio deseo, pero era casi imposible. Por fin, una vez en que el presidente se marchó a Berlín, fui derecha al asunto: «Baronesa», le dije, «debería usted invitar a alguien de vez en cuando». Ella me contestó, haciéndose la tonta: «¿A quién?». Entonces yo le dije, como quien no quiere la cosa: «Pues, por ejemplo, al señor De Juna». Me miró desconfiada y contestó: «¡Ah, no!, a ese no». Por mí se puede quedar todo como está, pensé. No obstante, mi comentario hizo mella y al cabo de dos días le invitó a cenar. Entonces teníamos aún la hermosa villa. Los salones y el comedor estaban en la planta baja, no había la acumulación de muebles que hay aquí, donde una tropieza a cada momento y nunca termina de limpiar, sobre todo con la ayuda, completamente nula, de Hildegard. Era, pues, un comedor como Dios manda. La baronesa se sentó con él allí, muy separados uno de otro. Yo les serví. No respondí a sus miradas y pedí pronto permiso para retirarme. También mi habitación era allí mucho más bonita que la de aquí. Más tarde bajé furtivamente para ver cómo iban las cosas y todo seguía igual: estaban sentados uno junto a otro, en silencio, sólo que en el salón. Había aburrimiento en los lánguidos ojos de él, y ni siquiera intentó acariciarla o cogerle la mano cuando ella se levantó para servirle otra taza de café. A este también lo ha dejado escapar, pensé para mis adentros; mover las piernas sólo por amor y nunca por deseo es malo. Todo estaba perdido. En el fondo me daban pena, en especial él, ya que ahora estaban atados a causa de la niña. Claro que, más en el fondo, estaba contenta, y por eso le esperé en el jardín tras los arbustos, de modo que en cuanto salió de la casa, sin decir una palabra, sin mediar ni un segundo, nos besamos. Me aferré a su boca con toda la fuerza de mis labios y mis dientes y mi lengua, con tanta violencia que creí desmayarme. Sin embargo, resistí. No comprendo por qué no me tumbé de inmediato con él sobre el césped, y menos aún por qué no le dejé subir a mi habitación cuando me lo pidió con voz ronca, sino que le contesté: «En el pabellón de caza».

»Cuando vi el terror en sus ojos, el miedo irracional de la bestia, comprendí que tenía allí a una mujer y que yo pedía lo imposible. También comprendí que mi resistencia se debía a ese imposible, y que yo quería romperlo, y que me había atraído más la curiosidad terca e inflexible por el pabellón de caza que el propio deseo, y que esa curiosidad era en sí deseo, con toda su amargura y miseria.

La excitación vivida le duraba todavía y la obligó a sentarse. Apoyó los codos en la mesa y, con la cara entre los puños, guardó silencio un rato. Al reanudar su relato lo hizo con voz distinta. Era un murmullo, una salmodia susurrante, parecía que era otro quien hablaba:

—El hombre no vale nada y su memoria está llena de lagunas que nunca podrá volver a llenar. Hay que hacer muchas cosas que luego se olvidan, a fin de que lo hecho sirva de soporte a lo poco que después se recuerda. Todos olvidamos el trabajo cotidiano. En mi caso, los muchos muebles a los que había que sacar el polvo día tras día, los platos que había que lavar. Claro que me sentaba a comer, como lo hace cualquiera, pero igual que para todos era un simple saber que no se graba en la memoria, como un suceso sin ambiente y sin relación con lo bueno ni con lo malo. Incluso el placer de que disfrutaba se convirtió en un espacio sin ambiente, y aunque me quedara el agradecimiento hacia lo vital, se esfumaron los nombres y los rasgos de aquellos que me inspiraron deseo e incluso amor; desaparecieron poco a poco dentro de una gratitud de cristal sin contenido alguno. Capas vacías, copas vacías. Y a pesar de todo, de no existir ese vacío ni lo olvidado, no habría podido crecer lo inolvidable. Lo olvidado arrastra con sus manos vacías lo inolvidable, y nosotros somos arrastrados por lo inolvidable. Alimentamos el tiempo con lo olvidado, alimentamos la muerte, pero la muerte nos regala lo inolvidable y en el instante en que recibimos ese regalo nos encontramos aún aquí, en el lugar donde estamos, y al mismo tiempo nos encontramos también allí, donde el mundo se precipita en la oscuridad. Pues lo inolvidable es una parte del devenir, es un fragmento de la intemporalidad que se nos regala de antemano, de la intemporalidad que nos lleva, que hace que nuestra caída en lo oscuro sea suave, como si flotásemos. Y todo lo que ocurrió entre el señor De Juna y yo fue un regalo intemporal, suave, oscuro, de la muerte, que algún día me ayudará a subir hasta el más allá con suavidad, llevada por la plenitud del recuerdo. No, no tenía nada que ver con el amor, y menos aún con la agitación interior. Son muchas las cosas que se nos hacen inolvidables, que nos arrastran y acompañan, sin que por ello sean amor o se tengan que convertir en amor. Lo inolvidable es un instante de la madurez; llega precedido y llevado por instantes infinitos, de anteriores similitudes. Es el instante en que notamos que somos formados al tiempo que formamos algo. Y es peligroso confundir eso con el amor.

Así lo escuchó A., sin llegar a plantearse que Zerline hubiera hablado de tal modo. Mucha gente de edad habla a veces como salmodiando, y es frecuente que fantaseen, en especial una tarde de domingo, en verano, con las persianas echadas. A. quería cerciorarse y esperó a ver si comenzaba de nuevo el semicanto, pero Zerline reanudó su discurso con su voz normal de mujer vieja:

—Claro que él habría podido vencer mi resistencia entre los arbustos aquella noche. De haberlo hecho, yo le habría olvidado luego como a otros: pero no lo hizo. Los débiles son a veces calculadores, pero tanto da que se marchara por debilidad como por cálculo: el caso es que me puso furiosa. Al irse me dejó esperándole con rabia, y fue un milagro que me dominara y no le escribiera rogándole que viniera a mi habitación. Un milagro acertadísimo, pues antes de que transcurriera una semana recibí carta suya. ¡Qué risa! Escribió la dirección en un sobre comercial y con letra de imprenta, a fin de que la baronesa no viera que mantenía correspondencia conmigo. Dentro ponía que la tarde siguiente me esperaba al final del tranvía para dar un paseo en su coche de caza.

»Si bien la baronesa tenía abajo otra carta suya, que estaría leyendo, fue un triunfo para mí y una derrota para ella. En la carta dirigida a mí no hablaba del pabellón de caza ni de la mujer que tenía allí. Sin embargo, acudí a la cita, pero antes de subirme a su lado, se lo espeté en pleno rostro. No me contestó y, como eso fuera casi una confesión, le besé y le pedí: "Vámonos a donde sea, aunque por desgracia no al pabellón de caza". "La próxima vez iremos al pabellón", contestó.

»Entonces le pregunté si eso era una promesa, y me dijo que sí. "¿Vas a deshacerte realmente de ella?" Y de nuevo respondió sí. Para cerciorarme del todo le pregunté si se hacía la manicura. Muy sorprendido dijo: “Sí, ¿por qué?”. Entonces me quité los guantes y puse mis manos enrojecidas sobre la hermosa manta de viaje que teníamos en las rodillas: “Manos de lavandera”. Él contempló mis manos sin demostrar si le afectaba o no: “Un hombre necesita siempre una mano fuerte que le limpie de culpa”.

»A continuación tomó mis manos y las besó, pero cerca de la muñeca y no donde estaban rojas. En este gesto adiviné cuán hondo le había llegado este detalle, así que sólo pude decir: “¡Vámonos!”. De hablar más, me habría echado a llorar. Pasamos por un estrecho sendero entre los campos de cultivo, y yo contemplaba el paisaje y la estrecha cinta de hierba entre los surcos donde nuestros caballos dejaban las huellas de sus nuevas herraduras; aquí y allá había residuos de estiércol fresco. En mi pueblo también era así. Lo único que no me gustaba es que hubiera enganchado caballos negros. El caballo morcillo no es un caballo de tiro que el campesino use para arar, sino que arrastra al hombre con él hacia las tinieblas. En cuanto se lo dije se echó a reír: “Tú eres mi campo y mis tinieblas”.

»Esas palabras me hicieron tanto bien que me apretujé contra él. Todavía hoy, aunque soy vieja, siento el calor del deseo que me invadió, el deseo de tener un niño que él debiera haberme hecho; no uno, varios. No me diga que lo amé. Quise poseerlo, pero no amarlo. Era un hombre extraño, sombrío e impío. Y ni siquiera allí, en el borde fresco del bosque, cuando ya se notaba la noche todavía incierta entre los troncos, cedí a mi deseo. Él detuvo el carruaje, pero yo no me apeé. Para hacerle daño a él y también a mí le dije que no me podía entretener porque su hija me esperaba: “¡Qué idiotez!”, gritó. Pero como no era ninguna idiotez, seguí torturándole: “Si tú me das hijos, ya no la necesitaré más”.

»Me miró fijamente, con desamparo, otra vez con el terror en los ojos, pero en esta ocasión porque se dio cuenta de que se había obligado a una tercera mujer con nuevas pretensiones, si bien una criada no puede permitírselas. Y para colocar en un mismo plano a la criada y al señor De Juna, y porque su deseo libraba una lucha terrible con su miedo, le besé con toda mi pasión, como si fuera una despedida. Sin replicar, dócilmente, me condujo de nuevo al tranvía y, aunque habíamos acordado que en su próxima carta me citaría en el pabellón de caza, yo no le creí, si bien ardía en deseos de ir.

Evidentemente había llegado el momento de hacer otra pausa. Se pasó la lengua por los labios cansados y resecos y prosiguió:

—Y como yo no esperaba su carta, me molestó doblemente que la baronesa, para quien el pabellón de caza era motivo de miedo y no de atracción, recibiera cartas suyas. Quise hacerme con ellas por rabia y por celos. Claro que eran cartas dirigidas a la lista de correos, pero yo podía encontrar el número cifrado en un sobre. Registré, pues, diariamente, la papelera de la baronesa y por fin lo encontré. Actuaban con miedo pero no con prudencia. Ni siquiera era necesaria una atorización para retirar la correspondencia. Y a fin de que se notara aún más habían cambiado Elvira, que era el nombre de la baronesa, simplemente por Ilvere. Eso era, en resumen, la manera que tenían de cifrarlo. A partir de entonces, cada vez que salía a comprar o a pasear a la niña en el cochecito, recogía las cartas en la ventanilla, las abría al vapor con sumo cuidado y, tras haberlas leído, las echaba de nuevo al buzón con otro sello. Robé un par. Pero, dadas las inmundicias que contenían, no se le podía llamar robo. ¡Qué porquerías y qué agitación del alma! Aparte de la «reina de las hadas» en que se había convertido «la reina Elvira», se hablaba de santidad, de maternidad casta, del bebé de las hadas y del querubín. Y mientras, el querubín, el bebé de las hadas, berreaba junto a mí para que le pusiera pañales secos. Lo más indignante, sin embargo, era el coro de lamentaciones acerca de la mujer del pabellón de caza. Me lo grabé bien en la memoria, me reservé lo peor. La tal mujer era «una lapa de la que no se podía despegar», una «carga del destino», «que no quería despejar el campo», «que se aprovecha de mi debilidad», y amenazaba él con «hallar un medio para exterminar de raíz el mal». Sí, eso decía en su carta, y finalmente deseaba que «tú, mi amor, puedas hacer lo mismo con tu tiránico esposo». Claro que todo tenía su intención; sólo con gran agitación del alma podía él cumplir con su deber hacia una persona como la baronesa y mantenerse al mismo tiempo apartado físicamente. Y que él deseara mandar al peor de los infiernos a la del pabellón de caza, sobre todo desde que por su culpa no se había podido entender conmigo, lo creí muy bien. Sin embargo, me repugnaban esos sucios manejos de «lávame la piel sin mojarme». Sí, yo, una chica de pueblo sin instrucción sentí vergüenza en lo más profundo del alma al ver que un señor educado era tan falso, y me avergoncé todavía más por tratarse del hombre que mis sentidos reclamaban a voces. Casi me alegraba de no ser suficientemente elegante para recibir tales cartas llenas de embustes. Pero un día llegó una carta, un par de líneas tan sólo, en las que me preguntaba cuándo podría acudir al pabellón de caza. Dios sabe la alegría que sentí. Había mantenido su palabra. Y eso tenía para mí suma importancia, precisamente después de haber leído aquellas semanas tantas porquerías escritas por él. Para mí era muy importante poderle respetar y no decepcionarme de nuevo, así que reprimí mi impaciencia y aguardé aún tres días, pues quería ver la próxima carta a la baronesa. Si le hubiera dicho que se había desembarazado de la mujer del pabellón de caza por su causa, yo no le habría querido volver a ver nunca más. Temblaba cuando recogí la carta en la ventanilla; por poco se me cae dentro del agua hirviendo cuando la abrí, y realmente no decía nada acerca de la mujer que se había sacado de encima... Casi no me lo creía. Hasta que por fin me convencí y fui corriendo a pedirle a la señora baronesa que me concediera permiso para irme a casa de vacaciones. Le pedí cuatro semanas y me dio tres.

De repente volvió del pasado a la realidad y, dándose cuenta de dónde estaba, empezó a alisar con la mano frenéticamente una supuesta arruga del tapete de debajo del jarro de flores, arruga que habría tenido que aparecer como por arte de magia a fin de dar un sentido a su comportamiento. Pero la ensoñación del pasado no la había abandonado del todo:

—Me ha llevado a través de los años, y los años pasan, me gustaría desembarazarme del recuerdo pero me resulta imposible.

A. quiso decir algo, pero ella se lo impidió con un gesto divertido:

—¿Quiero realmente olvidarlo...? No me creerás si te digo que la baronesa me daba pena. Empecé a sentirla ya entonces, cuando pegaba el oído a la puerta del dormitorio y no se oía ni el más leve chasquido, y aunque me alegraba que el barón, en su severidad, no deseara otra cosa, ella quedó en deuda con el otro y consigo misma. Lo triste, penoso e incongruente del caso me producía lástima. Cuando se me hicieron patentes las mentiras de sus escritos, me dolió que él precisamente se las dijera, y aún me dio más pena porque ella no sabía nada y porque las respuestas de ella, que me habría gustado leer, como es lógico, tenían que contener mentiras aún más desagradables. ¿No era yo mucho más rica que ella?

Miró a A. con aire de triunfo, y este comprendió que le estaba contando la victoria más grande de su vida. Y comprendió también que las cartas del señor De Juna no estaban tan llenas de mentiras como creía la vieja Zerline. Pues lo demoníaco del deseo que lo había poseído contiene por una parte la que es su mejor prenda, una pesada seriedad, en la que el deseo llega a su plenitud, una infalible honestidad. Y por otra contiene este sentimiento de culpabilidad en el oscurecimiento del Yo, común a todos los demonios. Y el que cae en el deseo siente temor, con justificada razón, ante las mentiras de la mujer que no participa de ese deseo, e incluso cuando la falta de madurez se vierte en maternidad tiene algo de superficial que escapa a la comprensión del hombre; es algo mágico, élfico, a lo que el hombre terrenal debe someterse. Todos los hombres tienen conocimiento de ello, no sólo el concupiscente, y de ahí que A. comprendiera y aprobara el comportamiento del señor De Juna. No ponía en duda la versión de Zerline, y sin embargo, también para él, un hálito de reina de las hadas rodeaba la figura de la baronesa. Pero eso carecía de importancia, el informe de la victoria continuaba:

—Él mantuvo su palabra, y yo me consideraba rica a pesar de que me fui con una simple maletita de criada. Habría podido salir por la mañana, pero quería llegar de noche. Él estaba de nuevo en la estación final del tranvía con sus caballos negros. Ambos estábamos serios. La riqueza da seriedad. A mí me ponía seria el sentirme rica y deseaba que a él le ocurriera lo mismo. Claro que nadie sabe qué es lo que pone serio a una persona. Yo desconfiaba y, al subir a su lado, le dije que disponía sólo de diez días de permiso. Si todo va bien, me dije, siempre podré prolongarlo los diez días restantes y, si la Providencia se apiada de mí, alargarlo hasta la eternidad, toda la vida. Él estaba tan callado y tan serio que hube de empezar por tragarme mi decepción al ver que diez días no le parecían poco. «Da un rodeo», le pedí. Nos metimos en el bosque con los caballos al paso y subimos hasta la colina. Era un camino de esos que hacen los taladores, más sombrío a medida que avanzábamos, y ni él se acercó a mí ni yo a él. En la parte alta de la colina brillaba la última luz de la tarde, todavía se podían coger campanillas en las que se reflejaran los últimos destellos de la luz diurna. Luego sólo hubo claridad en el cielo y enseguida aparecieron las primeras estrellas. También se sumergieron en la oscuridad los montones de leña apilada al borde del bosque, sólo se percibía su penetrante olor, como retenido por el canto de los grillos. Todo lo que nos rodeaba, el canto de los grillos, las campanillas, las estrellas, se sostenía mutuamente sin rozarse. Nos detuvimos y se me grabó en la memoria todo lo que nos rodeaba y nunca se me olvidará, porque me ha guiado siempre y lo continúa haciendo. Y cuanto nos rodeaba se sumó a nuestro deseo. El suyo se unió al mío y el mío al suyo, pero nuestras manos no se encontraron. Entonces le dije: «Vamos a casa».

»La oscuridad crecía mientras bajábamos. Los negros caballos movían sus cascos con cuidado y cada vez que tropezaban con una piedra saltaba una chispa. El freno iba tenso, las ruedas chirriaban, de vez en cuando crujía una piedrecilla al ser aplastada, alguna que otra rama me rozaba el rostro con sus húmedas hojas. No lo he olvidado. Él desfrenó. Estábamos en terreno llano, ante la casa. No brillaba ni una luz en ella, con su oscuridad parecía sostenerse en las tinieblas, pero en mí brillaba la pesada luz de la riqueza. Me ayudó a bajar y llevó caballos y carruaje al establo. De no haber oído el ruido de los cascos sobre el pavimento de la cuadra habría creído que ya no regresaba, tan densa era la oscuridad. Pero volvió. No encendimos luz en la casa. Ni dijimos tampoco una sola palabra, embargados por una gran seriedad.

Su voz se volvía ronca por la emoción, pero inmediatamente se oyó de nuevo el bisbiseo de su salmodia:

—Era el mejor de los amantes, no podía compararlo con ningún otro. Buscaba satisfacer mi deseo como aquel que busca cuidadoso su camino. Su cuerpo hervía de impaciencia, pero no se dejaba vencer ni dejaba que yo sucumbiera, sino que esperaba hasta llevarme al abismo en que el ser humano presiente que va a dar el último salto. Yo estaba desnuda, pero él me desnudó más aún, como si se pudiera despojar de sus vestidos a la desnudez, pues el pudor es como un vestido. Me desprendió con tal cuidado de mis últimos restos de pudor que la soledad, escondida en lo más recóndito, pudo convertirse en una presencia de dos. Actuaba conmigo con la atención de un médico, como un maestro. Me enseñó a manifestar mis deseos y también a dar órdenes, porque el deseo tiene distintas facetas cada una de las cuales posee derechos propios. Era mi médico, mi maestro y mi sirviente. En realidad, su deseo se basaba en el mío; si yo gritaba de deseo y de placer, le servía para espolear su deseo de nuevo. En su debilidad era fuerte y poderoso. Todo nos impelía cada vez más a formar un solo ser. Y como un solo y único ser estuvimos todos aquellos días y aquellas noches al borde del abismo. Pero yo sabía que aquello no estaba bien. Porque la mujer debe satisfacer el deseo del hombre y no a la inversa. Los muchachos de antes, que simplemente me echaban al suelo sin preocuparse de mí sino sólo de ellos mismos, sí andaban en lo cierto. Incluso sus palabras de amantes eran más auténticas. Él necesitaba mis ansias rudas y brutales para la autenticidad de su amor, este se hacía más auténtico cuanto más rudas eran mis palabras. Aprendí por qué las mujeres se aferraban tanto a él y no querían dejarle, pero supe también que yo no era como ellas y que me tenía que separar de él por más que mi deseo me retuviera. Fui muy lista —corroboró para sí y hacia su interlocutor sin esperar el asentimiento de este.

El relato la empujaba a seguir:

—No logré ver a la mujer del guarda forestal. Pero cuando quiero tengo el sueño ligero. Venía a hacer la limpieza a las cinco de la mañana y me dejaba las provisiones necesarias para el día sobre la mesa de la cocina. Lo que me molestaba es que entrara en la casa cuando nosotros estábamos de paseo. Su ayuda me extrañaba, ya que yo arreglaba personalmente el dormitorio. ¿De qué forma la ponía él al corriente? Todo había salido demasiado bien. Varias visitas de mujeres habían preparado el terreno y en una situación así cualquier mujer debe de convertirse en espía. Para mí no era difícil. La casa y los muebles eran viejos; las cerraduras, tanto del armario como del escritorio, se podían abrir con facilidad. Además, el hombre que se agota y no tiene cuidado de sí mismo cae rendido en un sueño profundo. Y yo, ahora, no le tenía ninguna consideración. Pero no me gustaba dejarle. Mientras dormía, su rostro perdía la expresión concupiscente que le caracterizaba. Era hermoso entonces, sin mácula. Y a menudo me senté al borde de la cama y lo contemplaba largamente antes de empezar mis averiguaciones. Me resultaba triste y enervante. La mujerzuela, como prueba de que era su domicilio permanente, había dejado sus trajes en el armario, y estaba segura de que todo el rencor que él le guardaba no le impediría, o quizá incluso lo estimularía, a doblegarse a ella en cuanto ella quisiera. Y si bien antes sentía curiosidad por las cartas de la baronesa, ahora me producían asco. Estaban en un cajón mezcladas con las cartas de otras mujeres, y como de todos modos él no las iba a echar en falta, me llevé lo que cayó en mis manos. Te voy a leer una.

Sacó las gafas y un par de cartas arrugadas del bolsillo del delantal, y se dirigió a la ventana:

—Presta atención. Para que veas cómo llena la gente sus vidas vacuas, los huecos de su hastío con un vacío aturdimiento interior completamente inútil. Fíjate bien cuán pobre es la baronesa. Fíjate bien en su pobre y vacua maldad. Fíjate muy bien:

> Mi dulce y querido amado:
>
> Nuestras relaciones son cada día más ricas aunque tú estés lejos. Estás continuamente presente en nuestra hija y ella es para mí la garantía de nuestra eterna vida en común que, tarde o temprano, ha de empezar, como dices en tu carta. El cielo está a favor de los amantes y él te ayudará a desembarazarte de esta horrible mujer que ha clavado sus garras en ti de modo tan doloroso. ¡Ojalá tuviera yo la misma liberación! Mi esposo es, en el fondo, un hombre muy noble, mas nunca ha comprendido mi corazón herido. Mi conversación con él será dolorosa, pero tendré fuerzas para hablarle. Tu amor hacia mí y el que siento yo por ti, que siempre me acompaña, me da esa confianza en el futuro. Con esa confianza beso tus maravillosos y bienamados ojos.
>
> Tu hada buena,
>
> Elvira

—¿Te has enterado bien? Esa pava sin sesos ha soltado tales necedades putrefactas montones de veces, y él lo ha soportado, probablemente resistiéndose y con rabia, pero lo ha soportado. ¿Por qué? Pues porque él era uno de esos que por una parte valoran demasiado a la mujer, pero por otra la desprecian, de forma que consideran un deber servirla con su cuerpo mientras que en su alma no la tienen en cuenta en absoluto. Son hombres que no pueden amar, sólo servir, y en todas las mujeres que encuentran sirven a aquella que no existe y a la que amarían si existiera. En definitiva, el espíritu maligno les esclaviza. Como yo me consideraba demasiado débil para salvarle del infierno que tal cosa significa, y sabía que debía huir, el odio dejó paso a la ternura y volví a él para estrecharle entre mis brazos, sin que mi consideración hacia él obedeciera a ternura o a odio, antes bien para que el agotamiento hiciera más fácil nuestra cercana despedida. No obstante, transcurridos diez días, le pregunté si me quedaba o no, pues podía combinármelo. Apenas lo oyó apareció en su rostro la misma expresión de terror que aquella vez en el jardín. Tartamudeó: «Mejor más adelante, dentro de unas semanas, cuando regrese de mi viaje». Mentía, y le grité con rabia: «No me volverás a ver aquí si no desaparecen los trajes femeninos de esta casa».

»Y entonces fue un hombre por primera vez, aunque por cobardía. Se echó sobre mí y sin ocuparse de mi placer me poseyó con tal pasión y fuerza que le besé igual que anteriormente en el jardín. Desde luego no sirvió de nada. El odio estaba ahí. Y por la noche regresamos en silencio al tranvía con mi maleta de criada en la parte posterior del carruaje.

¿Había terminado la historia? Más bien parecía recomenzar, ya que la voz de Zerline era más clara y enérgica:

—Es posible que el odio sólo estuviera en mí. Es posible que mi amenaza de no regresar nunca le paralizara brazos y piernas, porque él sabía que no era aturdimiento interior. Es posible que realmente se quisiera desprender de la persona que al día siguiente regresaría junto a sus vestidos y que seguramente había preparado alimentos para mí. Abreviando, pocas semanas después estaba toda la ciudad conmocionada porque la amante del señor De Juna había muerto de repente en el pabellón de caza. Cosas así ocurren con frecuencia, pero enseguida corrió el rumor de que él la había envenenado. Desde luego no fui yo quien hizo circular tal rumor. Estaba contenta de permanecer al margen del juego y de no haber tenido que mencionar las cartas ni las numerosas botellas y frascos que él tenía allí y que tan poca confianza me inspiraban. Pero cuando se rumorea algo siempre hay quien inventa, y el bulo corre de boca en boca con facilidad. Yo no me abstuve, como es natural, de comentarle a la baronesa las noticias que se divulgaban como un reguero de pólvora. Se puso blanca como la nieve y sólo balbució: «No es posible». Yo me encogí de hombros y le contesté: «Todo es posible».

»Algo punzante y salvaje se despertó en mí al pensar que Hildegard podía llevar en sus venas la sangre de un asesino. Mientras, la gente hablaba más y más del asunto, y se decía que el señor De Juna iba a ser juzgado. En efecto, le detuvieron pocos días después. Cuanto más cavilaba yo sobre el asunto, más convencida estaba de que la había matado, y hoy estoy aún más segura que entonces. Como él lo hizo por mí y yo, a pesar de mi odio, no quería que le cortaran la cabeza, me alegré mucho cuando empezó a comentarse que la acusación no tenía suficiente fuerza para condenarle. Se supo que la persona en cuestión, una actriz muniquesa, era una morfinómana empedernida que vivía gracias a inyecciones y soporíferos. Un cuerpo en esas condiciones tiene poca resistencia, y una dosis exagerada de somnífero podía ser una casualidad, o bien un suicidio. El asesinato era difícil de probar. Las cartas sí habrían podido perjudicarle, pero yo las había robado. ¡Qué suerte para él y la baronesa! Durante un tiempo me sentí muy orgullosa de mi acción, hasta que de pronto me di cuenta de que él no me necesitaba, pues probablemente habría quemado toda su correspondencia antes de que le detuvieran. Además, la desaparición de las cartas más peligrosas le estaría torturando. Vi tan claramente el terror en sus ojos que me sentí también aterrorizada. Entonces hice lo que debí haber hecho en un principio: llevé las cartas a sus dos defensores, uno de los cuales había venido ex profeso de Berlín, a fin de que le libraran de su tortura e inquietud. Me ofrecieron mucho dinero, pero lo rechacé. Había empezado a soñar: imaginé que cuando saliera libre se casaría conmigo por gratitud. ¡Qué golpe para su orgullo! ¡Y no digamos para el de la baronesa que, además, se vería obligada a felicitar a su criada! Por eso me quedé con las cartas más comprometedoras. Nadie, y menos aún el propio señor De Juna, habría podido verificar si estaban todas. Lo que yo había entregado era más que suficiente para calmar su angustiosa tortura. Yo, en cambio, empleé las otras para mis sueños de boda. Al que quiere casarse le conviene tener algún medio convincente en la mano; incluso en el matrimonio me podían ser útiles.

—Fue muy hermoso que salvara usted al señor De Juna —exclamó A. de pronto—, pero no debería usted ser tan dura con la baronesa.

A Zerline no le gustaban las interrupciones:

—Lo más importante viene ahora —replicó.

Tenía razón, pues su relato iba aún más allá, se convertía en lamento, acusación, acusación contra sí misma:

—Mis sueños de boda estaban mal, pero me abandoné a ellos a fin de desviarme de algo peor para lo cual necesitaba las cartas. Estaba perdida sin saberlo. ¿Quién me había arrastrado a tal perdición? ¿Juna, al que llevaba en mi sangre y a quien, sin embargo, no amé? ¿La baronesa con su hija bastarda? ¿El presidente, porque yo no había podido soportar verle así, ya que en su carácter sagrado se volvió ciego, sordo e ignorante? Sólo yo podía ponerle en antecedentes, y como se rumoreaba que él iba a ocuparse en persona del caso Juna, estuve completamente perdida. ¿Iba a declarar inocente con sus propios labios a quien se había introducido en secreto en su casa para dejar en ella un bastardo? No podía soportarlo, no podía soportar lo que sabía. Era como una complicidad y tras ella algo peor: la vileza. Y yo no quería pregonar a gritos lo que yo sabía ni mi complicidad, sino esa vileza, a fin de hallarme de nuevo a mí misma y escapar a la perdición. Tuve que adentrarme más en la vileza para llegar a ser yo de forma completa, con toda mi vileza al descubierto. No obstante, fue inexplicable. Fue como una orden: até todas las cartas que tenía, tanto las de él como las de la baronesa, en las que había amenazas de asesinato, y se las envié sin remite al presidente usando letra de imprenta en la dirección. Tenía que hacerlo, lo veía muy claramente. En realidad, pensé enviar las cartas al abogado del Estado, para que el presidente, por la vergüenza que recaería sobre la baronesa, tuviera que dimitir de su cargo, en tanto que a Juna le cortasen la cabeza. Y quizá deseé que el presidente, en su desesperación, matara a la baronesa, a la bastarda y acabara con su propia vida. Y como yo quería hacerme totalmente responsable de mi complicidad, del robo de las cartas en el pabellón de caza y en el dormitorio de la baronesa, me habría parecido justo que también me matara a mí. Habría sido auténtica justicia, ya que la mujer fue asesinada en el pabellón por mi causa y no por culpa de la baronesa, y quería admirar al presidente por su sentido de la justicia. Espantosa prueba la que imponía al presidente y que él debía soportar por la justicia, a fin de que yo creyera doblemente en su grandeza y en su virtud. Yo estaba dispuesta a pagar con mi vida y sin embargo se trataba de vileza, una vileza que aún hoy no comprendo.

Respiró con dificultad. Verdaderamente eso era lo más importante. Reconocía la gran culpa de su vida y para confesarla había contado toda la historia, más que para proclamar su victoria sobre la baronesa, aunque esto latía también en el fondo de su relato. Y al hacerlo pareció sosegarse. Desde el momento en que leyó la carta se había quedado de pie junto a la ventana con un motivo justificado, según se demostraría enseguida. Se caló las gafas en la nariz con muy poca maña, sacó otro papel del bolsillo y, con un profundísimo suspiro, habló con renovadas fuerzas y seguridad en la voz:

—Una vez enviado el paquete de cartas al presidente, esperé, temí, deseé que ocurriera algo espantoso. Los días pasaron sin que sucediera nada. Ni siquiera me interrogó, a pesar de que el remitente anónimo difícilmente podía ser otra persona que yo. Mi decepción fue enorme al ver que también el presidente se mostraba cobarde y que le importaba mucho más su cargo y su situación que la justicia, y que estaba incluso dispuesto a tolerar en su propia casa al hijo de un asesino. Pero era un ser superior y me dio una buena lección. Él, que normalmente hablaba poco, empezó de pronto en la mesa, en los momentos en que yo esperaba para servir y tenía por tanto que escuchar, a comentar crímenes y sanciones. No me perdía ni una palabra y después corría a escribirlo todo. Te lo voy a leer para que tú también lo sepas. ¡Presta, pues, mucha atención!

Nuestros tribunales son una institución importante pero peligrosa, ya que el juez se deja llevar con facilidad por motivos sentimentales. Y cuando le toca al jurado ocuparse de casos graves, sobre todo de acusaciones de asesinato, el sentimiento de venganza, que en definitiva acompaña siempre a una sentencia de muerte, puede inmiscuirse subrepticiamente y triunfar. Llegados a este punto, no se piensa, en general, que el error judicial puede ser también un asesinato, ni se sopesa el horror de la pena capital, sino que con frecuencia se prescinde de escrúpulos, y eso hace que en ocasiones el veredicto resulte favorable a los testimonios, a los que consume el afán de venganza. El juez debe procurar doblemente que tal cosa no ocurra cuando maneja las pruebas. Incluso lo que ha escrito o firmado el acusado está sujeto a error de interpretación. Si, por ejemplo, dice en un escrito que quiere *deshacerse* o *prescindir* de alguien, no significa necesariamente que pretenda asesinarle. Sólo la sed de venganza deducirá aquí una intención homicida, sed de venganza que exige el hacha del verdugo y que se sacia con la sangre de la víctima.

—Eso es lo que dijo, y yo lo comprendí perfectamente, tanto que me temblaban las manos y por poco dejo caer la fuente del asado. Era mucho más santo, mucho más elevado de lo que yo, tonta de mí, había imaginado. Adivinó que yo quería incitarle a vengarse, a adoptar la venganza del verdugo, y se negó. Lo sabía todo. ¿Lo había comprendido también la baronesa, o estaba demasiado hueca para captarlo? Sólo con que recordara a medias las cartas que había recibido, debían llamarle la atención expresiones como «deshacerse» o «prescindir de». El presidente la miraba también, bondadoso, y no me habría sorprendido que se echara de rodillas ante él. Pero no se inmutó. Únicamente sus labios palidecieron un poco: «¡Oh, la guillotina! ¡Qué terrible es la pena de muerte!», dijo. Y eso fue todo. El presidente no apartó los ojos del plato mientras yo servía el postre. Así de hueca estaba ella. Lo que ocurrió después ya no me sorprendió. Poco antes de Navidad se celebró el juicio. Para los defensores fue un juego de niños, ya que el presidente les ayudó y, además, frenó al fiscal. No se sacó a relucir ninguna carta. Los miembros del jurado le declararon inocente casi por unanimidad: once votos a favor y uno en contra. Habría podido ser el mío. No obstante, me alegré de que quedara en libertad el tal señor De Juna, y aún me alegró más que se fuera enseguida sin darme las gracias ni despedirse. Salió del país, creo que quería instalarse en España.

Era el final del relato. Zerline suspiro:

—Esa es, pues, la historia del señor De Juna y mía. Nunca la olvidaré. Escapó de la guillotina y de mí, eso último fue para él una mayor suerte que lo primero. Si hubiera sido noble y se hubiera casado conmigo, yo le habría hecho padecer el infierno sobre la tierra y, de estar vivo aún, se vería unido a una vieja. Mírame bien.

Pero antes de que A. pudiera dar su opinión, recomenzó con su salmodia:

—Se armó mucho jaleo después del juicio. Los periódicos atacaron al presidente, en especial los rojos, que le acusaron de clasista en la administración de justicia. Era casi normal que cada vez se encerrara más en su soledad. Apenas salía de su estudio y pronto tuve que hacerle incluso la cama allí. Un año más tarde presentó la dimisión por razones de salud. En realidad esperaba la muerte. No había cumplido los sesenta cuando murió. Según los médicos, le falló el corazón. A ella, en cambio, se le permitió seguir viviendo junto con la bastarda. Es a causa de esa injusticia por lo que he educado así a Hildegard. Ha tenido que convertirse en una auténtica hija del presidente; por dignidad ante él y para que su casa no continuara alojando a la hija bastarda de un asesino. No la he podido liberar de la sangre asesina que corre por sus venas, pero en cambio ha aprendido a mostrarse digna de su condición de hija de presidente. De haber sido ella católica, la habría llevado a un convento, pero me tuve que limitar a mostrarle la casta virtud del fallecido, haciendo que imitara su ejemplo. Cuanto más la hacía parecerse a su padre, más expiaba ella su culpa y la de su madre, aunque la de esta última nunca se acabará de expiar. Cuanto más penetraba en el espíritu de su padre, más crecía en ella el afán de venganza, la sed de venganza que él no quiso saciar por santa severidad hacia sí mismo. Ella se sometió a la imitación a que yo la obligaba, pero la santidad no se la enseñó nadie y se vio obligada a traspasar, sin santidad, su sumisión a otra persona, de manera que forzó a su madre a expiar su culpa mediante una venganza silenciosa e hipócrita. Unas cosas se funden con otras y van más allá de sí mismas, y eso es lo que yo quería: educarla para la expiación. Evidentemente la sangre de asesino lascivo que lleva en las venas se rebela y no quiere expiar, pero no le sirve de nada.

—¡Por todos los santos del cielo! —gritó A.—. ¿Qué ha de expiar ella? ¿Cuál es su culpa? No se la puede hacer responsable de los actos de sus padres, y menos aún considerar un crimen el amor de la baronesa hacia el señor De Juna.

Una mirada de reproche le atravesó, quizá más por haberla interrumpido que por lo que dijo, aunque sus palabras, evidentemente, también la hirieron:

—¿Acaso vas a sucumbir a la concupiscencia que de ella emana? Te voy a dar un consejo: escoge una muchacha como debe ser, que se encuentre a gusto contigo y tú con ella. Unas manos bastas son mejor que un aturdimiento interior con una manicura perfecta. ¿Sabes por qué no quería ella que alquilaras la habitación? Nunca antes se había hecho. Noche tras noche ha estado tras esta puerta... —Y señaló la puerta de la habitación, que quedaba a su espalda—. Y noche tras noche la ha paralizado una orden del padre, del que no es su padre, y no se ha atrevido a cruzar el umbral. Si no me crees, hoy esparciré, como he hecho otras veces, harina en la otra habitación para que veas por la mañana la huella de sus pasos inseguros. Esa es la tortura por su falta, no te mezcles en ello, pues junto con nuestra vileza, nuestra responsabilidad es mayor que nosotros mismos, y cuanto más profundamente se sumerge el hombre en su vileza para encontrarse a sí mismo, tanta mayor responsabilidad ha de asumir por crímenes que no ha cometido. Eso nos afecta a todos, tanto a ti, como a mí, como a Hildegard, que ha de expiar las faltas de sus padres naturales. Pero a la baronesa, prisionera de las dos, le gustaría escapar a esa sumisión y pide a todos los huéspedes que la ayuden. Llenas de aturdimiento interior están las dos, madre e hija, y para que ese ruido interior se grabe en sus oídos lo he convertido en ruido infernal. Esta casa es un infierno, a pesar de su elegante tranquilidad. Un santo y un demonio, el presidente y el señor De Juna, que también debe de haber muerto, son dos sombras amenazadoras que se ciernen sobre ellas y las destrozan, incluso puede que también a mí. Después del señor De Juna tuve otros amantes, precisamente para no guardarle fidelidad, pero no me ha ayudado en absoluto, tanto menos cuanto que pronto advertí que debía buscarlos cada vez más jóvenes. Hasta el punto de que eran al fin muchachos a los que mecía sobre mi pecho para hacerles perder el miedo a las mujeres y enseñarles el placer, el descanso de los hombres. Cuando me di cuenta lo dejé correr. ¿Sólo por eso? No. Debí dejarlo mucho antes. Y, de no existir la baronesa, probablemente no habría ni empezado con el señor De Juna. La imagen del presidente se había grabado en mí de modo imborrable y crecía, crecía... ¿Quién, sino yo, era su viuda? Hace más de cuarenta años que acarició mis pechos y yo le he amado toda mi vida, le he amado con toda mi alma.

Este era el final lógico de la historia. A. se sorprendió un poco por no haberlo previsto. Zerline, en cambio, demasiado agotada debido a su edad, permaneció un rato mirando al vacío hasta que, con la cortesía y el tono de voz normales en una criada, dijo:

—Con mi charla le he privado a usted de su siesta, señor A. Confío en que volverá a dormirse.

Cojeando un poco y con la espalda curvada, abandonó la habitación, cerrando con sumo cuidado la puerta tras de sí, como si dentro hubiera alguien ya dormido.

A. se dejó caer de nuevo en el sofá. Tenía razón Zerline, debía dormir un poco. Además, no era muy tarde. Los relojes de torres y campanarios acababan de dar las cuatro. Así reemprendería las adormiladas cavilaciones que la entrada de Zerline había interrumpido. Le volvían a la mente las cuestiones monetarias, con gran enfado suyo. Y tuvo que rememorar de nuevo sus comienzos allá en la ciudad de El Cabo y las diferentes circunstancias en que el dinero, sin poner casi nada de su parte, le había llevado de continente en continente y de Bolsa en Bolsa. Si consideraba Sudamérica como un continente, eran seis en quince años; o sea, dos años y medio por continente. Y todo por pura casualidad. De niño había deseado en vano el triangular «Cabo de Buena Esperanza» para su colección de sellos, y desde entonces había sentido cierta nostalgia hacia África del Sur. Los sellos habrían sido una buena inversión de capital, pero se le pasó la ilusión de coleccionarlos. ¿Qué quería en realidad? ¿Un hogar? ¿Una esposa? ¿Hijos? Propiamente, los niños sólo encantan a las abuelas. Son un estorbo, no permiten llevar una vida cómoda. Por lo que se refiere a los asuntos amorosos, son incomprensibles. Lo que había hecho la baronesa era sencillamente estúpido. Si él la hubiera conocido entonces —claro que apenas si había nacido—, se la habría llevado a la ciudad de El Cabo, salvándola de aquel tipo y de sus feos manejos. Desde luego a las mujeres no les gusta ir allá abajo y de ahí que su escasez haya provocado tantos dramas en las minas de diamantes. El señor De Juna no habría podido coleccionar mujeres allá. ¡Qué vida tan incómoda llevó! Si, por lo menos, le hubieran dado un hijo al juez..., pero se le habría escapado para irse al África a pesar de que esto no sirve de nada, pues la viuda se queda en casa, prisionera. ¿Era merecedor de envidia el presidente? Uno tendría que ser hijo de sí mismo. Cuando su padre murió, ¿no había querido llevarse a su madre a la ciudad de El Cabo para construirle una casa allá? De haberlo hecho, seguro que ella viviría aún. Por lo menos, tendría nietos. Es necesario hacer colecciones de sellos para los niños y conseguir el triángulo de «Cabo de Buena Esperanza». No importa que este domingo desaparezca en el vacío, es un buen propósito para la vida futura.

Así es como se había de planear la vida. A. lo sabía con toda seguridad. Lo que no sabía es que se había dormido pensándolo.

conoce, que se ve arrojado al tiempo y la zozobra que no le abandonan. Un sentimiento histórico de tal índole hizo que la librería expusiera en el escaparate un grabado en cobre que representaba esa calle comercial con su antiguo aspecto: una calle ancha, tranquila, con hileras de casas cuyos tejados aparecían uno junto a otro en una unidad largo tiempo atrás desaparecida. Cuando el observador se acuerda del grabado y piensa en la calzada de entonces, sin aceras ni asfalto, las roderas entrecruzadas de los carruajes, atraviesa el asfalto nuevo y cruza las vías del tranvía impelido por el deseo de entrar en aquella casa antigua, arrastrado por la esperanza de poder respirar en su interior, como se respira cuando se llega a una calle de pueblo habiendo dejado atrás el laberinto cerrado de la ciudad. De estar acostumbrado a prestar atención a sus deseos más íntimos, se habría dado cuenta de una especie de nostalgia en la profundidad de su corazón, añoranza que era quizá sólo un vago deseo de aspirar de nuevo el penetrante olor del heno, del estiércol y la bosta para el adobo, el deseo de que en la casa quedara algún resto de heno o alguna dorada mazorca de maíz puesta a secar en el desván como en las casas de campo. La misma mendiga que estaba sentada junto al umbral parecía una vieja campesina descansando en el banco de la puerta al terminar el trabajo. No se atrevió a darle limosna por vergüenza, y poco faltó para que la saludara con el sombrero al atravesar el oscuro portal, excesivamente estrecho debido a que habían aprovechado la mitad con fines comerciales.

Las paredes de la entrada estaban también llenas de letreros, así como la escalera en cuyo principio se leía: «1.er piso» en letras borrosas y casi sin pintura. La calle comercial continuaba aquí, en camino ininterrumpido, hasta el interior de la casa, y seguramente llegaba hasta el primer piso dejando en cada escalón un reclamo. Una maniobra engañosa, pensó involuntariamente el visitante, una trampa, y como no estaba dispuesto a dejarse engañar, no concedió ni una mirada a la entrada sino que se internó en el patio. Estaba oscuro, con las cuatro paredes que lo cerraban más bien parecía un pozo. Por las ventanas salía el repiqueteo de las máquinas de escribir. No, no era eso lo que buscaba. Hizo ademán de retroceder, pero le retuvo el silencioso taller de reparaciones de máquinas de escribir. Que el patrón efectuara su pausado trabajo rodeado de aprendices, que colgara un letrero con una máquina de escribir pintada, igual que colgara otrora el zapatero un zapato o el sastre unas tijeras, que a su lado estuviera con la puerta abierta un tranquilo y oscuro taller de encuadernación, todo eso aumentaba la distancia real que les separaba de la calle comercial, una distancia muy corta, quizá sólo unos milímetros, pero lo suficiente para que le atrayera el letrero que decía «Al segundo piso», colgado junto a una segunda salida para coches situada en la parte posterior del patio. Superó la repugnancia que le inspiraban los repiqueteos de las máquinas de escribir y atravesó rápido el patio, pues aún más sugerente que el letrero era que la salida se dividía en dos partes, una oscura y con aspecto de sótano, y otra dorada y soleada, de modo que sin duda había un segundo patio al que llegaban los rayos del sol. Temiendo equivocarse, penetró impaciente en la parte soleada, decidido de antemano a no usar la escalera que llevaba al segundo piso y convencido de que encontraría simplemente las puertas de las oficinas que daban a la parte posterior, siempre cerradas y atrancadas. No habría notado la puerta de cristales que separaba la entrada de la escalera a no ser por el movimiento vibratorio que la sacudía. Era una puerta encristalada corriente, protegida por un enrejado de hierro marrón; el cristal vibraba un poco debido a que la puerta bailaba, poco pero continuamente. También temblaba la sombra que cubría la puerta y que se proyectaba entre la parte oscura y la soleada de la salida de coches. Parecía un reloj de sol que no funcionara, que se oponía al sentido del orden y por tanto parecía presagiar que el conjunto ordenado de piedra y la rigidez de hierro se derrumbarían en silencio, tan en silencio como lo estaba el nuevo patio cálido y soleado a cuyo borde se encontraba él.

El repiqueteo de las máquinas de escribir enmudeció, reduciéndose a un lejano murmuro perdido en el silencio del aire. Era curioso que el sol pudiera entrar libremente hasta aquí. Se debía a que el lado más largo del gran patio no estaba limitado por la sección de ningún edificio sino por una tapia bastante alta, que también proyectaba, como es lógico, su sombra muy nítida y delgada, se podría decir que incluso mitigada, ya que no caía sobre el suelo sino sobre una franja sin pavimentar que corría a lo largo de la tapia y formaba como una hendidura en el revestimiento de piedra.

Quizá alguna vez habían intentado plantar frutos enanos, mas sin éxito, debido a la sombra, o tal vez sólo habían sembrado césped y colocado algunos bancos para descansar. No se apreciaban huellas de una ni otra cosa, solo la tierra gris con gravilla archipisada, pequeños montículos de arena penosamente acumulados, como abandonados por los niños en sus juegos, y excrementos de perro. En teoría resultaba muy comprensible ya que los perros, para hacer sus necesidades buscan el suelo natural y huyen del asfalto, como si así pudieran suplir el vacío que les provoca la nostalgia del campo y la libertad de antaño. Pero era inquietante que en un edificio comercial hubiera niños y perros. Al mismo tiempo surgía la esperanza, leve pero en consonancia con la suya propia, de que la ciudad se abriera de nuevo hacia el campo. Aceptó gustoso, como un buen augurio, el hecho de haber ido allí al mediodía, pues las calles del pueblo están a esa hora tan silenciosas y solitarias bajo el calor del sol como lo estaba ese patio, y las familias, si no están en los campos, se reúnen alrededor de la mesa mientras los perros se ponen al lado esperando que les caiga algo, cazando moscas medio adormilados; los sarnosos, que abundan, duermen enroscados en su pelaje arrugado y palpitante.

No precisamente porque considerara indigno pisar la zona sombreada con gravilla a lo largo de la tapia, sino porque, al menos eso creía, tenía intención de mirar por encima de ella, se pegó al muro ardiente del lado opuesto; no tenía ninguna abertura en la planta baja, pues habían cubierto con ladrillos las puertas y las ventanas. Probablemente detrás había un almacén que pertenecía quizá al taller de encuadernación del otro patio. Se quedó inmóvil un momento, estiró el cuello y se puso incluso de puntillas para ver algo de lo que había detrás de la tapia. Poco pudo averiguar. Casi era increíble que existiera un espacio libre tan grande a la espalda de los edificios comerciales, pero así debía de ser, puesto que a lo lejos se percibían construcciones de las que sólo se veían los pisos superiores y los tejados. Sin embargo, en medio del espacio libre y aireado, se elevaba la chimenea roja de una fábrica, como una herida sangrante que hendía la superficie azul-blanca. Si se escuchaba atentamente, se oía funcionar una máquina de vapor. Probablemente las grandes casas comerciales habían instalado en el centro de los antiguos jardines sus centrales de calefacción y de energía eléctrica. Sentía un poco de envidia de los maquinistas, sentados ahora al mediodía ante las salas de máquinas, sacando un cigarrillo y poniéndoselo en la boca con manos que olían a aceite y dejando que las máquinas, que apenas precisaban ser controladas, continuaran funcionando.

Cruzó el patio mientras pensaba todo esto. No había portal sino otra puerta encristalada parecida a la que llevaba al segundo piso, y en cuanto la franqueó, dejó de existir la salida de coches; tan sólo un corredor bastante estrecho que —como si el arquitecto hubiera querido acentuar la reducción progresiva de las proporciones— terminaba en una puerta de cristales aún más insignificante, una puerta particular, casi sin enrejado de hierro.

Había que decidirse. A la derecha estaba la escalera que conducía arriba y, a título de prueba, para ver si era resistente, puso el pie en el primer escalón. Pero no podía apartar la mirada de la pequeña puerta, ahora a su izquierda; casi parecía que de ella había de salir la tentación que le haría decidirse. Un muro blanco, fuertemente iluminado por el sol, relumbraba tras los sucios cristales. ¿Acaso había aún otro patio, y luego otro y otro, toda una ciudad de patios? De pronto lo horizontal le repugnó, presentándosele como una trama de todas las angustias juntas, semejante a un laberinto. Era necesario tomar, de una vez por todas, una decisión y subir. Dio la espalda a la puerta y dijo: «Quiero dejarla a mi izquierda». Al decir eso, y repetirlo, se alegró de que una expresión corriente adquiriera un significado tan claro y distinto. Es la misma alegría que se siente al encontrar algo útil entre un cúmulo de trastos viejos.

Dejó la puerta a su izquierda y pisó el segundo escalón. Pero no se podía apartar tan fácilmente del patio y, quizá porque siempre había sido un poco indulgente para consigo mismo, cedió también esta vez. Volvió la cabeza e incluso se inclinó para mirar mejor a través de los cristales. En esa postura comprobó que, en efecto, había allí un pequeño patio. En realidad no era un patio sino un jardincito, la mitad del cual recibía la sombra de algo que no se distinguía pero que probablemente era una plancha de madera. Un jardín en el que había una casita de madera engrisecida por el sol y la intemperie, del mismo color que los montones de estiércol apilados junto a la pared, frente a los que crecían plantas verdes y fucsias. Junto a las fucsias había una verja de madera clavada en el suelo, de listones delgados en la parte inferior y más anchos en la parte alta, a fin de que las fucsias se apoyaran en ellos. Si el oído no le engañaba, había avispas revoloteando alrededor de la glorieta. ¿No habría confundido ese zumbido con lo que creyó un repiqueteo de máquinas de escribir? Se agolpaban tras la puerta privada como guardianas destinadas a evitar que entrara nadie en el jardín. ¿O es que el repiqueteo que se eleva por encima del laberinto de la ciudad se parece al zumbido de los insectos sobre los montones de estiércol? Tableteo de guardián leproso que asusta al caminante, al que obliga a dar un rodeo. Por eso dirigirse hacia arriba fue como un engaño por sorpresa, como un triunfo sobre los guardianes. Al pensar todo eso, aceleró el paso, subió por la escalera, miró en cada piso el largo pasillo que se extendía a ambos lados del rellano y en el que se alineaban las puertas de color marrón claro y las ventanas con verjitas de las cocinas. Escuchó para comprobar si se oía algo detrás de las puertas. Pero no, quizá un leve ruido provocado por ratones o tal vez ratas. El silencio se explicaba por ser la hora de la siesta, a la que se abandonaban personas y animales, arrullados por el zumbido de las avispas y las moscas. Tal vez era pensar demasiado. Más lógico era creer que esas habitaciones habían sido degradadas a cuartos adicionales de las grandes oficinas, poco usados, sólo alquilados a causa de su baratura en vistas a futuras ampliaciones del negocio y en los cuales de vez en cuando entraba algún criado. Pero no coincidía con el gran charco de agua, formado ante la canalización, que brillaba sobre las rotas baldosas amarillas del segundo piso, cuyo grifo goteaba. Seguro que existía una explicación natural y era ridículo imaginar un crimen en tal escenario. Le entró sed; se dirigió al grifo para emular al escalador que llega a un manantial y se inclina a beber, tal vez en el hueco de la mano. Pero se dio cuenta de que el grifo no se podía abrir sin una llave especial; el aviso de «No malgasten el agua» le hizo comprender por qué. Se tuvo que agachar y mantener una mano debajo del grifo, en espera de las gotas que caían. Al poner también la otra mano y notar la agradable humedad, le pareció que disfrutaba de un placer injusto, como si lo robara, a pesar de que no había sido él quien, en contra de lo que pedía el letrero, había cerrado el grifo con tan poco cuidado.

También le pareció injusto permanecer tanto rato allí, haciendo observaciones ociosas con la espalda contra el muro. Observó, por ejemplo, que las puertas no temblaban como las de los pisos superiores de los grandes edificios de la ciudad debido al intenso y trepidante tráfico. Se acordó de que la puerta encristalada, sobre la que se leía «Al segundo piso», oscilaba de continuo y daba golpes, mientras que estas estaban como clavadas al muro y no estorbaba ver refuerzos de madera entre las vigas. Esa seguridad de la tierra le infundió nuevos ánimos y, si bien le habría gustado echar un vistazo por la ventana del pasillo, no cayó en la tentación y continuó subiendo. Estaría ya en el cuarto piso cuando oyó una puerta. Se asustó más por la altura de la casa, que parecía no terminar nunca, que por la presencia de seres humanos.

Como prefería salir al encuentro de los acontecimientos a ser atrapado en un error o a ser visto escuchando, empezó a subir con toda rapidez la gastada escalera de dos en dos y de tres en tres peldaños, de forma que llegó arriba sin aliento y se topó de manos a boca con una mujer que cruzaba el pasillo para ir a vaciar un cubo de agua al retrete.

El pasillo del último piso tenía mucha luz, tanta que resultaba hiriente. Las ventanas estaban abiertas de par en par y el aire, que se infiltraba con el sol, era suave y a la par vivo, semejante al del mediodía en un mar en calma. Encuadraba en este marco el que la mujer llevara sólo falda y blusa, las piernas sin medias y zuecos en los pies. Un marinero limpiando la cubierta, pensó, cuando ella se le quedó mirando con el cubo en la mano.

—¿A quién busca usted? Mi abuelo no está en casa.

Los cabellos rubios le caían sobre la espalda en una coleta. Se le veía el vello de las axilas, más abundante de lo que es usual entre las rubias.

Él contestó:

—No sabía que hubiera inquilinos.

—Sí, vivimos aquí.

Él miró el vello de sus axilas y las piernas desnudas bajo la falda.

—Viven ustedes muy bien.

—No está mal —contestó ella, y añadió a guisa de aclaración—: Yo soy lavandera.

Como él pareció no comprender, prosiguió:

—El lavadero está en el desván.

Esto era en parte como una liberación, y así lo interpretó él, puesto que dijo:

—Han aprovechado esta casa hasta sus últimas posibilidades.

—No sabría decírselo, porque nunca me ocupo de los demás.

—Y hace usted muy bien. Pero tiene que ser muy pesado subir la ropa hasta aquí.

Ella sonrió:

—¡Oh, no! Tenemos una instalación muy ingeniosa. —Y señaló un rústico pero fuerte torno, que parecía un cabrestante, atado fuertemente a un bastidor de madera—. Es una instalación que usaron ya los anteriores inquilinos, mis maestros en cuestiones de lavandería. Con eso subimos y bajamos los paquetes de ropa por la ventana.

—Con ese procedimiento, ¿no se deterioran las ventanas de los pisos inferiores?

—En absoluto. Colgamos una cuerda fina en el envoltorio de la ropa y el hombre que está abajo la mantiene tensa con la mano. Así podemos subir y bajar nuestros fardos, incluso cuando hay fuerte tormenta, sin peligro alguno.

—Muy práctico.

—Sí, muy práctico, y nos ahorra muchos viajes. Casi nunca vamos a la ciudad.

Dijo «a la ciudad» como si viviera en el campo, y la casa estaba, en cambio, en la calle comercial de más tráfico de la ciudad. Pero a él le pareció bien que lo dijera y le hizo sentir seguro, como experimenta quien se acerca a una meta, y que tenía relación en cierto modo con el vello de sus sobacos, semejantes al heno. Se volvió hacia el torno y la ventana que se utilizaba para el transporte, a fin de no turbarla con su mirada. Se divisaba un vasto panorama; por lo visto, de esta parte la casa era mucho más alta. La fachada era baja e insignificante, pero el edificio iba adquiriendo altura a medida que se prolongaba con todos sus patios. Dado que estos tenían una profundidad considerable y dada la longitud del solar, el edificio, si bien de forma escalonada, alcanzaba una altura fuera de lo común. Tenía la suave majestuosidad de la loma de una montaña. De ahí que se sintieran esa seguridad y esa tranquilidad al llegar a la cima. Él dijo:

—Me gustaría subir al desván y ver los lavaderos.

—No creo que pueda, porque hemos lavado hoy y está todo lleno de vapor.

—¿No se puede ir tampoco a la otra parte del desván?

—Tampoco. El trozo que nos corresponde está lleno de cuerdas donde colgamos la ropa. Dejamos abiertas las ventanas del tejado y la corriente de aire la seca. Si tuviéramos azotea como en las casas modernas, según dice mi abuelo, podríamos tender la ropa al sol en días como hoy, para que se blanqueara.

—Evidentemente, pero el humo de la chimenea de la fábrica impregnaría la ropa de hollín y su trabajo resultaría inútil.

Ella le miró sorprendida:

—¿Qué chimenea?

—Pues... —respondió mientras intentaba señalar con el brazo el lugar, pero se encontró con que ni desde la ventana frente a la que estaban ni desde las otras a las que se asomó corriendo podía verse la gran plaza con la sala de máquinas en el centro. Se sintió, en parte, decepcionado, pues había calculado que desde esa altura podría verse la plaza. Del lado de acá la escalera impedía la vista y más allá una parte del edificio. No era de extrañar que la muchacha desconociera la existencia de la chimenea—. Parece que usted va realmente muy poco a la ciudad —al decirlo se dio cuenta de que había empleado las mismas palabras que ella—, si no tendría que haber visto la chimenea.

—Rara vez. El teatro y diversiones parecidas las conozco sólo de oídas.

Lo dijo con tan poca pena que no se atrevió a invitarla al

teatro un día, lo que se le ocurrió mientras ella hablaba. No obstante, preguntó:

—¿Y en qué emplea usted su tiempo libre?

—Mi abuelo está casi siempre de viaje. Pero cuando está aquí el tiempo pasa volando. Charlamos y, a veces, cantamos a dúo, pues él tiene una voz maravillosa. Lo que más nos gusta y más a menudo hacemos es ir al campo, al bosque, a un pueblo.

Al decirlo se rió con alegría, contagiándole.

—A eso le llamo yo vivir de forma ejemplar. Pero ¿qué hace usted en sus horas solitarias?

—No hay horas solitarias para mí. A lo sumo, estoy sola alguna vez. Y trabajo no me falta nunca. Pero si por alguna razón estoy sin hacer nada, o simplemente tengo pereza, miro por la ventana.

—Pues vale la pena —contestó él mirando otra vez el panorama, que no dejaba de atraerle y que se extendía hasta lo lejos a pesar de estar cortado a un lado por la caja de la escalera.

Lo que contemplaba le era conocido. Sin embargo no se encontraba a sí mismo dentro del cuadro, porque sólo reconocía la imagen familiar de la ciudad en la parte más lejana, en las montañas que reverdecían bajo el dorado mediodía, en los campos que se extendían a un lado, claros y brillantes, en los pueblos de sus laderas cuyo silencio parecía oírse desde aquí. Cuanto más de cerca miraba la ciudad, menos familiar le resultaba lo que veía. De no ser por las líneas negras de las vías del tren —que aparecían y desaparecían según las subidas y bajadas del terreno— que se acercaban a la ciudad describiendo un gran arco y convirtiéndose en un laberinto de raíles al llegar a la estación, habría creído hallarse en un lugar extraño, o pensado que la ciudad no existía, que la habían reducido de tal modo que sólo existía como insinuación de sí misma.

—Por la tarde y por la noche —dijo ella a guisa de excusa y, al mismo tiempo, de reproche—, se ven las montañas nevadas si el tiempo es claro, pero al mediodía...

Él se impacientó, porque ella le echaba en cara no haber venido a la hora adecuada y, como además acababan de entrar dos avispas por la ventana, le cortó la palabra:

—Bien, otra vez será. —Miró el cubo, junto a ella todavía, y dijo—: Ya la he entretenido demasiado.

Ella se dio cuenta de que él deseaba continuar la conversación.

—Me llamo Melitta.

—Un nombre muy bonito. Significa «abejita» y le queda a usted que ni pintado. —Y, aunque no fuera muy propio de un señor con un tieso sombrero gris el mostrar tal confianza, se presentó—: Yo me llamo Andreas.

Ella se secó la mano en la falda antes de tendérsela:

—Mucho gusto.

—¿Me permite que la ayude? —dijo, cogiendo el cubo.

—¡Oh, ni hablar! Es mi trabajo.

Y sonriendo sin desconfianza levantó el asa y agitó un poco el cubo de acá para allá, de forma que cayeron unas gotas de la sucia agua jabonosa sobre las baldosas amarillas. Lo llevó con rapidez al retrete y echó el agua con la puerta abierta, o sea que se oyó perfectamente cómo caía y se sumergía más y más en la oscura profundidad.

Andreas se dirigió a una ventana por la que creía se tenía que ver el jardincito con las avispas, y le pareció lógico que hubiera en el alféizar una maceta con tierra de hacía años y en la que, como una repetición de lo que esperaba ver abajo, había todavía unas ramitas secas. Pero la situación del jardín no era tan fácil de determinar como imaginaba. La caja de la escalera indicaba claramente el lugar, pero tenía toda clase de construcciones adosadas en la parte baja y vio un laberinto de tejados, cubiertos unos con tejas, otros con horrible cartón negro y otros incluso con ripias. Aunque lamentó no encontrar lo que buscaba, le tranquilizó que los muros no fueran rectilíneos, por lo que si alguien tiraba por descuido una maceta no caería en línea recta como el agua que se echa a un pozo, pudiendo herir a alguien, sino que chocaría con los tejados desmenuzándose antes de llegar abajo. Mientras contemplaba las manchas largas y negras que la lluvia había dejado en el muro, dijo:

—Este tallo es de una de las fucsias de su jardín, ¿verdad?

Ella puso otra vez cara de sorpresa y aunque la pregunta se leía en sus ojos añadió, como si no pudiera pronunciar debidamente el nombre con que él acababa de presentarse:

—¿De qué jardín, señor Andreas?

No habría tenido que decir su nombre, pensó, pero como ya no tenía remedio, respondió:

—Del jardín que hay junto a la escalera.

Ella reflexionó profundamente, incluso entornó un poco los ojos, su despejada frente se arrugó un tanto. Después hizo un gesto de despreocupación:

—¡Ah! Es un jardín nuevo.

Eso era suficiente aclaración, pero a él le dio pena:

—Pensé que sería un lugar de descanso para usted... en las tardes de verano.

—No —contestó un poco seca—. Es un jardín nuevo.

Él no podía evitar que fuera una respuesta definitiva. Se limitó a preguntar:

—¿Y ese trocito de fucsia?

Ella le contestó con amabilidad:

—Nos sirve de reloj de sol. Cuando la sombra de esa ramita alcanza el punto que mi abuelo ha marcado en el suelo con un trazo rojo, es mediodía. Y ahí las señales para las demás horas. Es muy ingenioso. —Y con un poco de coquetería añadió—: ¿No le parece, señor Andreas?

Entonces se dio cuenta de que el cubo había dejado un cerco en el suelo, fue corriendo a la cocina y volvió con una bayeta gris, se arrodilló y secó las manchas. Él pensó de nuevo, no lo pudo evitar, en los marineros limpiando la cubierta. Claro que sólo momentáneamente, ya que la muchacha estaba a cuatro patas como un animal que va a dar de mamar a sus cachorros; sus senos quedaron al descubierto, entre ellos colgaba una delgada cadena con un medallón que contenía la fotografía de un anciano. Su delicada y suave piel, con las palpitantes venas azules, tenía aquella blancura dorada propia de las mujeres rubias. Aunque ella no se diera cuenta, él fingió fijarse en las señales del suelo y no en ella:

—Si leo bien, es ya más de la una. Mis ocupaciones me reclaman.

La muchacha se levantó con toda rapidez y pareció un tanto turbada:

—¿Se quiere ir ya? Le habría tenido que invitar a tomar algo, o quizá quería usted descansar... Seguro que a mi abuelo no le gustará que le haya dejado marchar así.

Él se lo agradeció. Sólo un poco de agua le pedía, eso sí, y le señaló el grifo que no se podía utilizar sin llave especial y la advertencia de economizar agua.

—El agua de los pisos altos no vale nada, sale caliente.

Eso fue otra decepción, pero el aire la atenuó. Penetraba ahora con más fuerza por todas las ventanas del corredor, se fundía con el espacio que llegaba hasta las montañas y arrastraba con él el aliento de los hombres, después regresaba y la sed ya no existía, como si hubiera llegado demasiado pronto, como si no hubiera derecho a tener sed. Cuando ella volvió con la llave del grifo y un vaso con asa, y dejó correr el agua para que se refrescara, Andreas la detuvo señalando el letrero y sólo bebió un sorbo para no herirla. Al querer despedirse titubeó un poco, quizá porque el peso de las decepciones era demasiado grande o quizá porque todavía esperaba algo. Habría querido formular de nuevo su petición de subir más arriba, pero como tal cosa habría significado que no creía lo que ella le había contestado, se limitó a decir:

—No me gusta volver a pasar por el mismo camino por donde vine.

Ella pensó unos segundos:

—No podrá evitar ir hasta el primer piso o, si lo prefiere,

el entresuelo, señor Andreas. Pero una vez allí intente llamar a la puerta que está justo frente a la escalera. Me parece que es la puerta número nueve. Si le abren, irá usted a parar a la tienda de pieles del señor Zellhofer y desde allí saldrá fácilmente a la calle. Yo lo sé porque el abuelo suele comprar ahí la piel para nuestros zapatos, y ha comentado a menudo lo cómodo que resulta ahorrarse el aburrido paso por la calleja.

—Le estoy muy agradecido, Melitta.

Pronunciar su nombre fue su modo de darle las gracias, al mismo tiempo que una huida, pues ya tenía los pies en el primer escalón. Sin volverse apenas para volverse a despedir, y como si le persiguieran, bajó a saltos la escalera, aunque dándose cuenta de que había numerosos dibujos obscenos en la vieja pared; parecían pintados por un niño. Eso apresuró aún más su carrera. Empezaba a oscurecer y tenía que ir a la oficina.

Con las prisas por poco se salta el primer piso. Al darse cuenta, se tuvo que agarrar a la barandilla para poderse parar y mirar las puertas. En efecto, la puerta de enfrente tenía el número nueve. Llamó. Tuvo que hacerlo varias veces hasta que oyó pasos. Evidentemente era un criado el que sacó la cabeza y preguntó:

—¿Por que no usa usted la entrada normal? ¿Es usted de la casa?

—Sí —mintió Andreas, pero no era propiamente una mentira ya—, solemos comprarle a usted la piel para nuestros zapatos.

El hombre abrió entonces y le hizo pasar. Ahora podía ver la distribución de la vivienda de Melitta, pues los pisos de la casa, como es frecuente, estaban construidos igual. La primera habitación donde entró correspondía a la cocina, luego a otra que daba al corredor, igual que la primera. Girando a la derecha se llegaba a dos habitaciones muy anchas y largas, cuyas ventanas daban quizá a otro patio o a la calle, no se sabía porque todas estaban cerradas. Estaba oscuro y había un fuerte y desagradable olor a cuero; era por tanto difícil imaginarse las mismas habitaciones en casa de Melitta, ventiladas y con luz; el recuerdo de ellas se borraba, porque aquí colgaban por todas partes pieles y cueros secos. Las bombillas, que daban en todos los cuartos una luz amarillenta y opaca, bombillas viejas y malas que habrían tenido que cambiarse tiempo atrás, quedaban medio cubiertas por la abundancia de género. Llegaron a un estrecho pasillo en cuya pared una mano inexperta había escrito «Apaguen la luz», y luego a otra habitación también llena de pieles colgadas.

—Estamos en una de las construcciones adyacentes, ¿no? —preguntó Andreas.

El criado se encogió de hombros como si no hubiera comprendido. Llevaba una chaqueta de tela marrón y un delantal verde con peto. Apagó la luz y le condujo a una especie de escalera de incendios por la que descendieron con sumo cuidado. Pero no llegaron a los departamentos de ventas sino a otro almacén, quizá al de las ventanas tapiadas, pues según se podía apreciar en la oscuridad era bastante profundo, o al menos la próxima bombilla parecía estar a considerable distancia. El frescor de la noche y el penetrante y fuerte olor de los curtidos debían de impedir que se instalaran aquí las avispas. Tranquilidad de la noche tras la angustia del día.

Andreas estaba cansado y le habría gustado sentarse en una de las máquinas de patas torcidas destinadas al tratamiento de las pieles. Pero como su guía no le prestaba la menor atención sino que avanzaba sin volver la cabeza, apagando sucesivamente los interruptores de las columnas, habría corrido el riesgo de quedarse a oscuras en el almacén entre los ratones si hubiera cedido a la necesidad de descansar, y quién sabe si habría sabido salir, ya que el simple hecho de tener que buscar a tientas los interruptores habría planteado serias dificultades a un desconocedor del lugar. Así que sólo se sentó un instante en una de las máquinas. En realidad lo hizo porque nunca se había sentado en algo igual, y porque no quería dejar tras de sí nada desconocido. Luego se apresuró para alcanzar a su guía.

Este abrió una puerta de hierro y por fin el recorrido, inverosímilmente largo, tanto que no se comprendía cómo el criado pudo abrirle en tan poco tiempo, tocó a su fin: pasaron por delante de un separador de cristal tras el que repicaba una máquina de escribir y llegaron al departamento de ventas del señor Zellhofer.

Entonces se hizo patente que el criado no era tal sino un dependiente, porque su mutismo y seriedad se transformaron en una sonrisa profesional al tiempo que preguntaba en tono muy amable:

—¿En qué puedo servir al señor? ¿Pala de calidad superior? Acabamos de recibir precisamente una remesa.

Andreas estaba bien provisto de zapatos. Además los solía comprar hechos, por tanto no habría sabido qué hacer con la pala. Pero no podía decepcionar a un hombre que le había acompañado durante tanto rato, no se podía marchar sin comprar.

—Tenemos también una piel de guarnicionero estupenda. Pronto la habremos vendido toda.

Andreas habría querido decirle que acababa de ver el almacén y que, desde luego, una liquidación de existencias era imposible. Pero como el otro marcó tal diferencia entre su papel de guía y el de vendedor, a Andreas le pareció impropio mezclar lo pasado con lo presente y buscó con afán en su mente un tipo de piel que le pudiera ser útil. No quería nada de pieles sin curtir o de cueros color marrón, prefería una piel clara.

—Quisiera una piel fina para hacer zapatos con un prendedor o un bolso para una chica joven.

El vendedor le advirtió:

—Lamentará no haberse llevado piel de guarnicionero, señor, pronto no quedará en el almacén... el tiempo no aguarda... pasa volando. Pero lo que usted quiera, señor.

Le trajo lo pedido.

Las pieles estaban ya sobre el tosco mostrador con su brillo opaco y su color blanco azulado o gris claro. Andreas podía acariciar las superficies lisas o granulosas. El vendedor dijo:

—Observe usted la ductilidad.

Tomó uno de los bordes y lo estrujó ante los ojos de Andreas. La piel admitió la manipulación sin el más leve crujido, y el vendedor, que conocía bien esta cualidad de la piel, repitió la operación junto al oído de Andreas.

Después alisó la parte estrujada con un hierro plano que cogió de un pesado cajón del mostrador y dijo:

—Fíjese, ni una arruga ni un desperfecto. Es un género que no decepciona. Pruebe usted mismo.

Con la insistencia propia de algunos vendedores, tomó el índice de Andreas pasándolo por el sitio que había alisado. No, no había decepción; era una sensación suave como la que se siente al beber agua fresca cuando se tiene mucha sed. Sin embargo, sí era una decepción que nunca se presentara lo esperado en la forma deseada, sino transformado y culminado de un modo extraño.

—Vendemos las pieles finas a docenas —dijo el vendedor.

—Yo necesito máxime una... y aún.

—Esto siempre es útil —dijo el dependiente con voz autoritaria—. Pieles así no las volverá a encontrar usted nunca.

Pero Andreas no quiso ceder. Él había demostrado su buena voluntad; si el otro se extralimitaba, ya no era asunto suyo. Con ademán de rechazo se volvió para marcharse.

El fino sentido de los vendedores ante las reacciones de los clientes le hizo suplicar:

—Llévese un cuarto de docena. Se las pondré al precio de la docena por ser usted de la casa.

—El tiempo pasa —dijo Andreas—, ha perdido usted la noción del tiempo bajo estas bóvedas oscuras. No me puede retener más, me llevaré una piel y se acabó.

—Bien, bien, una pieza sólo, sólo una —repitió el vendedor encogiéndose de hombros como si fuera algo inaudito—. Pero se perderá usted el descuento.

Y cogió la primera piel dispuesto a envolverla.

—Esa no —dijo al vendedor—. Renunciaré con gusto al descuento, pero quiero escoger yo mismo la piel.

Cogió todo el paquete del mostrador y lo llevó junto a la ventana tapiada. Allí escogió una piel al azar. Era de color gris lechoso tirando a azul. Al ir a pagar se le ocurrió que, dada la inflación, podía haber comprado un par de docenas, todo el almacén. ¿Por qué no lo había hecho? ¿Por qué dejó escapar la oportunidad? No lo sabía, sólo sabía que no quería pieles sin curtir, y se dirigió a la puerta, que el vendedor le abrió diciendo:

—Esperamos que nos honre pronto con una nueva visita.

El sol del mediodía le hirió los ojos. No podía orientarse bien. Sólo cuando pasó un tranvía se dio cuenta, por el letrero, de que se encontraba en la calle W. Le sorprendió que la casa de la que acababa de salir se prolongara hasta aquel barrio, en realidad bastante alejado. Pero no podía retrasarse más en llegar a la oficina. Corrió tras el tranvía y aún lo pudo alcanzar en la parada antes de que arrancase.

VII. LOS CUATRO DISCURSOS DE ZACHARIAS, CATEDRÁTICO DE INSTITUTO

Después de que el profesor de matemáticas Zacharias, condecorado con la Cruz de Hierro de segunda categoría, abandonara el aburrimiento rico en sucesos de la Primera Guerra Mundial para reintegrarse a la vida cotidiana, más pobre en incidencias pero familiar; y una vez que el káiser hubo huido a Holanda, el gobierno socialdemócrata subió al poder dispuesto a conservar intacta la estructura vital de la Alemania imperial, tanto en lo bueno como en lo malo. Este proceder tenía sentido en parte por tradición, siempre viva y activa, pero lo tenía mayor por el amor pequeñoburgués hacia lo fosilizado, un amor que sentía vergüenza de sí mismo y en compensación necesitaba un pretexto en el que ampararse; en este caso, el celo maquiavélico frente al poder del vencedor, y sobre todo la repugnancia ante la barbarie rusa: un asco horrorizado ante los asesinatos bolcheviques, quienes con técnicas maquinales y sin heroísmos contradecían las esperanzas románticas de la revolución. Y no se les sabía oponer sino una actitud humanitaria hipertrofiada y apolítica, sin pensar que lo hipertrofiado se vuelve vacío y se convierte, en consecuencia, en su extremo opuesto, lo que transforma la humanidad hipertrofiada en una barbarie vacía e igualmente hipertrofiada que puede ser peor aún que la de los rusos. Claro que no se podía prever tal evolución en aquellos primeros años de la posguerra.

Zacharias, que acostumbraba amoldar sus puntos de vista a los de aquellos que estaban en el poder y que poseía por tanto una auténtica confianza democrática en la sabiduría de la mayoría popular, se afilió al partido socialdemócrata, por lo que fue nombrado catedrático, pese a ser aún joven. Él se veía ya director del instituto. Cuando lo fuera, pensaba aplicar un reglamento severo, prescindir de los profesores con otras ideas políticas, preservar la escuela de las dañinas formas modernas de pensar y educar a los jóvenes bajo una disciplina férrea para convertirlos en bizarros demócratas. Con sus propios hijos, una chiquilla de nueve años, un muchacho de ocho y otro de cinco —fruto este del último permiso militar—, y gracias a la ayuda de su esposa, había podido aplicar con éxito tales principios educativos. Los niños obedecían a la primera palabra. En casa todos, él como guía y espejo de los demás, llevaban zapatillas de fieltro a fin de no estropear el suelo de linóleo bien encerado. Contemplaban con respeto los retratos que adornaban la pared sobre el aparador de madera tallada. En el centro figuraba, pintado al óleo, el triunvirato Guillermo II, Hindenburg y Ludendorff, a ambos lados ampliaciones fotográficas de los líderes socialdemócratas Bebel y Scheidemann.

En aquella época se iniciaron una serie de protestas en contra de la teoría de la relatividad einsteniana, la cual, al menos según los nacionalistas, ya se había tolerado durante demasiado tiempo sin discusión. Zacharias sabía perfectamente que Einstein tenía muchos adeptos en el partido socialdemócrata, en especial entre los jefes, y que estos, en caso de votación, sin duda se declararían unánimemente a favor de dicha teoría. Pero él se sentía casi un rebelde porque pese a ello asistía, no sin cierto orgullo profesional, a las reuniones de protesta alegando que como matemático y pedagogo tenía el derecho y el deber de asistir. En realidad, la teoría de Einstein le dejaba bastante frío. La entendía con dificultad, y además no entraba dentro del plan de estudios del instituto. Eso era precisamente lo que se tenía que evitar, fuera la teoría exacta o no. ¿Cómo podía ejercerse bien la profesión si uno debía enseñar a cada momento nuevas materias? ¿No suponía eso dar pie al alumno a que planteara preguntas inquietantes y embarazosas? ¿No tenía el profesor pleno y fundado derecho a controlar sus propios conocimientos? ¿De qué servían entonces los exámenes de capacitación profesional para la enseñanza? Nadie pondrá en duda que son el pilar que marca el fin de los estudios y el principio del ejercicio de dar clases. Es por tanto inadmisible importunar al profesor con nuevas teorías, sobre todo siendo tan discutibles como la de Einstein. En estos términos se manifestó en las reuniones, y si bien sus discursos, que por parecer demasiado moderados a algunos fanáticos le acarrearon a veces el calificativo de «vasallo de los judíos», su crítica a la malsana investigación en el terreno científico obtuvo muy buena acogida: «¡Somos partidarios del progreso, pero no estamos dispuestos a doblegarnos a las modas!».

En la discusión que siguió, muy viva y turbulenta debido a que los adeptos de Einstein exigieron análisis y fundamentaciones objetivas, se levantó de nuevo y preguntó airado si su exposición no había sido acaso objetiva.

Sin embargo, el resultado no le satisfizo. La gente se dio cuenta de que su actitud ante la teoría de la relatividad era un tanto ambigua por ser miembro del partido socialdemócrata y, al término de la reunión, ninguno de los dos grupos le hizo el más mínimo caso. Se levantó y comprobó que el número de participantes en la reunión, que salían ahora en tropel, no había llenado la sala. Se arrepintió de haber acudido. La disciplina del partido es la disciplina del partido, aunque uno tuviera justificadas objeciones en contra de ese Einstein. Ni siquiera habían podido llenar una pequeña sala destinada a música de cámara. Frente a las seis ventanas, que de noche cubrían cortinas de damasco, había seis repisas con los bustos de los héroes de la música: Mozart, Haydn, Beethoven, Schubert, Brahms y Wagner, este último con un bonete ladeado, y todos con la mirada muerta fija en lo todavía más muerto. Zacharias, que no había asistido nunca a un auténtico concierto, pensó en el animado público que se agolpaba aquí durante la temporada musical y que —por pertenecer a un mundo despreocupado y alegre— le habría dedicado como mucho una sonrisa, a él, invitado casual, hombre ajeno a su círculo. Por todo ello, pensaba pasar cuentas a sus hijos en casa, ellos no le sonreirían, severo examinador. La idea le ponía contento: por un lado se nos niegan alegrías pero se nos conceden por otro. Injusticia distributiva.

Su buen humor aumentó al entrar en el guardarropía, poco usado en verano, y ver a un hombre que iba encendiendo una cerilla tras otra buscando algo afanosamente detrás de los mostradores. Se quedó de pie, observándole con cierta complacencia.

—Me rindo —dijo el hombre, que se había dado cuenta de su presencia.

—¿Ha perdido algo?

—Dejé aquí mi sombrero. Alguien se lo habrá puesto por equivocación.

—Por equivocación, no —respondió Zacharias.

Bajaron juntos las escaleras. Zacharias se sacó el sombrero, lo limpió con la manga y sopló sobre él:

—¿Era un sombrero bueno? —preguntó, no precisamente por compasión.

—Todavía estaba bastante nuevo —respondió el otro, un hombre joven con la cabeza descubierta—. Me pasa muchas veces. Tengo mala suerte con los sombreros.

—¿Mala suerte? Tiene usted que aprender a ocuparse de sus cosas.

—Nunca aprenderé.

Estaban bajo las luces de la calle. Zacharias observó con atención a quien tan fácil, casi se podría decir atolondradamente, aceptaba la pérdida de un sombrero nuevo. Gastaba unas patillas delgadas, cortas, como las de la época Biedermeier, y parecía pertenecer a la buena sociedad, probablemente era de los que acostumbraban asistir a los conciertos que allí se daban. Nada de eso le gustó:

—¿Es usted físico?

El joven meneó la cabeza negativamente.

—¿Matemático?

El mismo gesto de negación, como si se tratara de una exigencia.

—¿Antisemita?

—Que yo sepa… no. Nunca lo he intentado.

—Eso no se intenta —corrigió Zacharias—, el antisemitismo es una convicción.

El joven levantó la vista —pues su interlocutor era más alto que él— y le miró con el rabillo del ojo. Le preguntó sonriente:

—¿Tiene usted la intención de investigar mis convicciones?

Zacharias se rió con fuerza sin ningún motivo:

—No es más que una costumbre profesional, por otra parte muy loable… Soy profesor de instituto y tengo fama de ser muy duro en los exámenes.

Por el rostro de su interlocutor cruzó una mezcla casi imperceptible de réplica temerosa y protesta consciente, en la que no faltaba un atisbo de humor:

—Conmigo no tendrá usted suerte, pues le diré en confianza que no me gusta que me examinen.

—A nadie le gusta, a nadie. —El temor a los exámenes acrecentó la risa de Zacharias—. Verdaderamente a nadie. A pesar de eso, o precisamente por eso quizá, me siento obligado a preguntarle qué razón le ha impelido a asistir a la reunión en contra de Einstein.

El joven pareció divertirse:

—Quizá logrará que se lo diga en compañía de un vasito de vino, claro que más cosas no… Tengo una sed de mil demonios. Me acompaña, ¿no? —Y sin preguntar tomó la iniciativa.

Había cerca una taberna destinada en parte a libaciones pacíficas y en parte a parejas de enamorados, pues el local, estrecho y largo, tenía a ambos lados una serie de compartimientos reducidos cuya entrada, para conseguir un aislamiento del mundo exterior, estaba protegida por unas cortinas de estilo oriental. Sin embargo, no era de lo más adecuado para el amor, ya que en cada departamento había, aparte de la mesa, un par de banquillos duros y alargados. Zacharias y su acompañante tomaron asiento en uno de esos compartimientos, una especie de cabina para borrachos. El joven se comportó como un auténtico anfitrión; encargó una buena marca de borgoña.

Les presentaron la botella como Dios manda, llena de polvo y en su funda de paja, y la descorcharon siguiendo el mismo ritual, vertiendo con unción el noble líquido en las copas. Con la actitud del buen conocedor, que se entretiene reservándose la sed y disfrutando del placer anticipado de la libación, contempló el joven el líquido con la copa a la altura de los ojos. Zacharias tomó la suya con rapidez y se la llevó a los labios con un «¡salud!».

—¡Salud! —contestó el joven dando un primer sorbo.

Zacharias degustó el vino:

—Muy fino. En Francia bebíamos uno parecido, porque se lo quitábamos a los franceses.

—Así que... estuvo usted en Francia.

—¡A sus órdenes! Sí, de ahí me traje el grado de teniente y la Cruz de Hierro... por la herida de la pierna, que me hace cojear un poco y sentir los cambios de tiempo. Y usted, ¿estuvo en Francia o en Rusia?

—Ni lo uno ni lo otro. Estuve en África.

—¡Ah! Lettow-Vorbeck.

—No, soy holandés.

—¡Oh, neutral! A los belgas no les fue muy bien en la susodicha neutralidad; un hombre debe saber de qué lado está.

—Así es. Y como castigo tenemos ahora a su káiser.

Realmente no era digno de un alemán permitirse ese tipo de chistes sobre la neutralidad:

—De un lado o de otro. Muchos están a favor de Einstein, muchos en contra, pero no es posible ser neutral. ¿Por qué vino usted a la reunión?

—Usted está en contra. Por lo menos, es la impresión que saqué de sus intervenciones.

¿Por qué ante una pregunta tan clara y llana no podía contestar de la misma forma? Zacharias estuvo a punto de responderle con merecida reprimenda, pero como estaba ávido de alabanzas se controló en espera de recibir un aplauso:

—Expuse mis opiniones con suficiente claridad y espero que se adhiera usted a ellas.

—En absoluto.

Con el gesto que le era habitual en la escuela ante una falta grave, se sacó las gafas y miró a su interlocutor con el guiño propio del miope:

—¿Quiere usted repetir lo que ha dicho?

—No estoy de acuerdo con usted, porque no se pueden ocultar a los alumnos los últimos avances de la ciencia. Eso es todo. ¡Brindo por la relatividad! Es imposible ignorarla, viva pues. ¡Brindo por ella!

—¿Acaso he hablado yo de ignorarla? —contestó con dureza y severidad—. No ha prestado usted suficiente atención. ¿No he recalcado lo suficiente que estoy en contra de la moda pero no del progreso? Puedo afirmar con valentía que soy un hombre partidario del progreso. Soy miembro del partido socialdemócrata, y este se ha pronunciado decididamente a favor de la teoría de la relatividad. Pero en la mentalidad en desarrollo del alumno no puede sembrarse la confusión bajo la capa del progreso. ¿Ha comprendido usted ahora?

—Totalmente. Desde el punto de vista político está usted a favor de Einstein, pero desde el científico, en contra. Y en general le gusta a usted muy poco Einstein.

«Un alumno muy terco», pensó Zacharias, y con dulzura maliciosa preguntó:

—¿Es costumbre en su círculo combatir las bendiciones del progreso?

—No sé a qué círculo se refiere usted, querido amigo, pero por lo que a mí respecta, no me gusta cavilar demasiado sobre el progreso.

—Eso es pereza mental.

—¡Ha dado usted en el clavo! Yo acepto lo que me reserva la suerte, incluso el progreso y sus bendiciones. Y, como no puedo rebelarme contra ella, trato de alegrarme. Nadie puede detener el progreso. Por eso debemos defenderlo.

Zacharias lo miró con desconfianza:

—Oiga usted, hasta hoy me he percatado siempre de cuándo pretendían ponerme en ridículo.

—¿Porque creo en la suerte? ¿Porque acepto sin rechistar los inevitables beneficios del progreso y estoy dispuesto incluso a defenderlo?

—No diga usted tonterías —dijo Zacharias brusco.

Se había bebido demasiado aprisa el fuerte vino y se encontraba en ese estado en que el hombre, por efecto del alcohol, busca pelea.

—¡Ah! —contestó tristemente el joven—. Nunca conseguimos decir tonterías.

—Eso es otra tontería. Parece que no calibra usted las tonterías que está diciendo. —Y como el reprendido no le replicase continuó—: ¿O cree usted razonable bautizar la teoría de la relatividad como un mal inevitable?

—Un beneficio inevitable.

—Le ruego que se deje ya de tanta charlatanería. ¿Qué significa esto?

El joven le contestó cortés:

—Los beneficios del conocimiento que progresa se obtienen mediante sufrimiento.

—Esas son palabras vacías. Tiene usted que aprender a expresarse con más precisión.

—Cuando bebo no puedo ser preciso.

—Menos mal que lo reconoce —dijo Zacharias con aire de triunfo.

Pero no le duró la victoria, porque el otro añadió enseguida:

—La precisión trae siempre consigo la desgracia.

—Eso pasa ya de castaño oscuro. Prefiero interrumpir aquí la conversación...

—Un momento —dijo el joven al darse cuenta de que la botella estaba vacía. Llamó a la camarera y pidió otra. Luego se dirigió de nuevo a Zacharias—: ¿Decía usted?

—Aclare usted lo que ha dicho con un ejemplo concreto.

—¿Que haya encargado otra botella? Eso es sin duda concreto.

—¡Por todos los santos del cielo! Me refiero a esa puerilidad de que la precisión trae la desgracia.

—¡Ah! Los alemanes son el pueblo más preciso de Europa y con su precisión han atraído la desgracia sobre sí mismos y sobre Europa.

—¡Ya estamos! —Y el afán de pelea, hasta entonces reprimido, salió a la superficie—. Ya apareció la animadversión de los neutrales contra Alemania. Les parece que trae la desgracia porque amenaza su afán mercantilista y su sed de dinero. ¿Es usted incapaz de entenderlo?

—¡Oh, sí! Por otra parte, no veo qué debo entender.

—Ya estoy harto —le espetó Zacharias en pleno rostro—, pero antes de irme, ha de saber todo lo que usted y sus neutrales tienen que aprender aún.

Tomó un buen trago, y con una mirada despreciativa posada en el joven comenzó:

—Para empezar como corresponde, con un ejemplo concreto, le reprocho, en calidad de profesor y pedagogo, y también de amigo benevolente, su repugnante hipocresía. Usted, porque tiene la cartera llena y se acompaña de buen vino, cree poder tomarme el pelo y lo niega con evasivas vanas y cobardes. Esa es la actitud orgullosa y moralmente farisea que desde siempre se nos reprocha a los alemanes, cuando en realidad toda Europa la adopta frente a nosotros. Pero les hemos demostrado quiénes somos. Yo he bebido exactamente el mismo vino en Laon que en Soissons y lo he pagado de mi bolsillo. —Se rió un poco—. Por supuesto con francos de ocupación. Los franceses no aceptaban gustosos el dinero de ocupación, y menos aún a nosotros. Pero como no nos querían regalar el vino tuvieron que aceptar de buen o mal grado el dinero, como a nosotros. Naturalmente ellos tampoco nos gustaban, aunque a veces sin saber por qué les tuviéramos simpatía. No podíamos permitirles que se rebelaran contra nosotros. Eran demasiado pequeños, demasiado negros y demasiado parlanchines para ello. No se nos vence con mera charlatanería... le ruego tome nota. Y desde que los americanos, con su idiotez, se han precipitado en su ayuda y ellos han tomado el papel de vencedores, nos resultan doblemente insoportables. No toleramos la hipocresía y ellos presumen de ser lo que no son. Con los judíos ocurrió lo mismo. Les habríamos tenido simpatía si no se hubieran pavoneado por ahí, con sus cabellos rubios y su elevada estatura, figurándose ser Dios sabe qué. Tampoco nos gusta que, con su presunción, se dediquen a dar nueva forma a nuestra imagen del mundo físico y que nos aturrullen con resultados precipitados, inciertos y por tanto presuntuosos. Es nuestra imagen del mundo, y si la queremos cambiar lo haremos nosotros mismos, mejor y con más consistencia, sin tanto revuelo. Esta es nuestra precisión: la precisión de la ciencia alemana. Nosotros lo haremos y, no se preocupe, no necesitaremos su ayuda.

»Al alumno no le compete enseñar al maestro, y si en su delirio de grandeza, falsedad y orgullo lo hace, debe pagar las consecuencias. Somos un pueblo de maestros, de maestros del mundo, y no es de extrañar que los demás, pésimos alumnos, consideren nuestra severidad como una injusticia y se rebelen contra ella. A veces no vemos las cosas claras, y nos parece también injusto y malo lo que hacemos, nos embargan las dudas, y nos asustamos de nuestra inflexibilidad. Pero no podemos evitarlo. Tenemos que atravesar la injusticia para alcanzar la justicia, la justicia en el mundo. Es necesario que nos sumerjamos en el mal para alcanzar el mismo grado de perfección que los demás; ante nuestra sorpresa, la injusticia se ha transformado en nuestras manos en justicia. Pues nosotros somos el pueblo del infinito y por ello el pueblo de la muerte, mientras que los otros se han quedado en lo finito, prisioneros de lo mesurable, del espíritu mercantilista, del afán de lucro, porque sólo quieren conocer la vida y no la muerte; y si bien parecen poder superarse a sí mismos, son incapaces sin embargo de franquear los límites de lo finito. Para salvarlos, hemos de castigarlos imponiéndoles el infinito, portador de la muerte. Una lección dura en verdad, dura y enérgica. Una lección difícil de aprender y de seguir pero aún más difícil de enseñar, pues a nosotros, los maestros, se nos ha conferido no sólo la dignidad del juez, sino también la indignidad del verdugo. En el infinito se equipara todo, dignidad e indignidad, la santidad y la necesidad de santidad, la buena y la mala voluntad, y esta es la maldición del don que se nos ha otorgado, la doble misión en que inquietamos a los otros y a nosotros mismos. Todas las balas que nos vemos obligados a disparar alcanzan nuestro corazón, y los castigos que tenemos que infligir son también nuestros propios castigos. La misión de enseñar al mundo es la maldición del don que se nos ha otorgado, y sin embargo la hemos aceptado en honor a la verdad que se halla en el infinito y por tanto también en nosotros mismos: los alemanes hemos cargado esta misión y no la hemos rechazado porque sabemos que somos los únicos que no conocemos la hipocresía.

Se levantó. Con mano insegura vació el resto de la botella en las dos copas, bebió de un trago todo el contenido de la suya y dijo:

—Me voy.

—¿Por qué? —preguntó el joven.

—Tendría usted que saberlo por lo que acabo de decir.

—No. Yo no he terminado de beber.

Ese gesto le pareció a Zacharias mucho más revelador que su propio discurso. Reflexionó profundamente sobre si debía volverse a sentar o no. Por fin se decidió:

—No importa, me voy de todos modos.

—¿Adónde? —preguntó el joven con interés.

Esas palabras dieron pie al profesor Zacharias para pronunciar su trascendente y segundo discurso:

—Leo en su cara lascivas suposiciones. Usted cree que saldré al encuentro de esas personas del sexo femenino que no me atrevo a calificar de prostitutas. No, no lo haré. Y en modo alguno me detiene el temor de encontrarme en el camino a algún alumno de los cursos superiores que, por espíritu de venganza hacia un examinador severo, pudiera arruinar para siempre mi carrera y mi vida privada. Y digo «en modo alguno» porque, arrastrado por las tinieblas, he superado ese temor muchas veces. Y hoy casi sería más sensato superarlo de nuevo. Si en efecto, como deseo, me encamino a mi casa, a mi fiel esposa Philippine, mi ligera borrachera puede ser la causa de que llegue un cuarto niño, gasto inasumible. Este temor es mayor que el de encontrarme a un alumno de un curso superior. No es sólo el gasto lo que me asusta, ni la inflación en que nos hallamos, quizá aún fácil de superar. No es mi intención pretender despreciar la inestabilidad financiera, pero es que en este caso se trata de una inestabilidad más profunda, la del infinito en que vivimos los alemanes, de forma que cada apareamiento nos precipita en las tinieblas de lo infinito. Digo adrede «apareamiento» y no amor. Los otros pueblos siguen hablando del amor, nosotros ya no. Precisamente porque nosotros, mi buena esposa y yo, hemos formado parte del infinito con nuestro abrazo o, dicho con mayor claridad, porque mi saber se elevó hasta las más lejanas estrellas, de modo que nuestros besos parecían flotar en la inmensidad del todo; por eso me atrevo a sacar la conclusión de que ni ella existía para mí ni yo para ella sino que desaparecimos el uno para el otro, encerrados en nosotros mismos, inmersos en algo mucho mayor que nuestro propio ser, mayor que el amor, infinitamente mayor que el ser humano alrededor del cual gira el amor y sin el cual este no puede existir. ¿Conocía ella mi rostro y yo el suyo? No. Ni siquiera, me permito afirmarlo, tenían nuestros cuerpos conocimiento el uno del otro. La consunción es oscuridad, oscuridad infinita. El hombre, sobre todo el que expira en lo infinito, busca con afán lo infinito y la oscuridad, que despoja su alma de espíritu y su cuerpo de carne. Está dispuesto no sólo a convencerse de que el anhelo de oscuridad es amor, sino que lo está incluso, me dicta la experiencia, a tomarse en serio la desespiritualización y la desencarnación, a suicidarse para corroborar la infinitud de su amor; pero en realidad lo que confirma es sólo la desesperación que ese amor le inspira. Se mata para que la falsedad con que ha simulado amor no se revele o, si prefiere usted una expresión más paradójica, se mata para que las tinieblas no hagan salir a la luz la falsedad, para huir de la vergüenza que, supongo, deja en él la falsedad. También nosotros, mi Philippine y yo, nos hemos avergonzado de todo lo que nos sucedió entonces. Nunca más lo hemos vuelto a mencionar, y menos aún porque el fruto de nuestra extasiada consunción, nuestra hija mayor, a quien llamamos Guillermina en honor al rey, vive con el espíritu un tanto apagado, se diría, considerándolo con un poco de mala fe, que tiende a la estupidez. Y si no estuviera ligeramente bebido —acentuó con toda intención el «ligeramente»—, tampoco me acordaría de todo eso sin vergüenza ni lo diría tan abiertamente, sino que me dirigiría en silencio a donde se encuentra mi Philippine, que me aguarda fiel y paciente, y que no se enfadará por mi ligera embriaguez, pues ha aprendido hace tiempo que tengo la obligación de acudir a reuniones políticas y científicas. Ella me recibiría como una cortesana al visitante de turno y yo la acogería como a una de tantas; así lo haríamos, simplemente porque una vez fue algo superior a nosotros y porque ahora es más pequeño, sin haber sido nunca amor. Ay, a los alemanes no nos gusta fingir; cuan-

El joven, que también estaba en pie, tomó con fuerza la diestra que se le tendía:

—¡Estupendo! ¡Por ti y por el tú!

Después de hacer chocar las copas, enlazaron sus brazos y bebieron. Luego, una vez sentados uno frente a otro, Zacharias requirió:

—¿Y tu nombre?

El joven se llevó el índice a los labios en señal de silencio:

—¡Pst! No me examines. Ya te lo dije: ni siquiera permito que me pregunten por el nombre.

Zacharias se puso otra vez triste:

—Yo, en cambio, te he dicho mi nombre... ¿Qué justicia es esa?

—Tú eres Z. y yo soy A. Como hermanos que ahora somos, tenemos todos los nombres en común, sí, todos los nombres, de la A a la Z.

Esto le gustó a Zacharias, al profesor de matemáticas que había en él, y se rió:

—Todos los nombres, de la A a la Z...

—Bien —dijo el joven levantando alegre su vaso—, por nuestros nombres, y también por el amor, que no conoce ningún nombre.

Zacharias meneó la cabeza:

—¿Amor? No, el amor no existe.

—Entonces ¿por qué brindamos?

Era una pregunta de dificultad insoslayable. Zacharias tuvo que reflexionar con sumo esfuerzo antes de dar con la respuesta exacta:

—Por la fraternidad.

—¿Existe?

—Existirá.

Así pues, chocaron sus vasos a la salud de la fraternidad. Luego el profesor empezó a comer sus salchichas, acompañando cada bocado de abundante col, que colgaba del tenedor como si este tuviera barba, y rociándolo con vino.

—Bébete el vino con el queso y no con la col. Es demasiado bueno.

—Exacto: vino y queso. Eso es lo que comíamos en Francia. Pero ahora estamos en Alemania.

—Las reglas del comer y del beber no están sujetas a las fronteras, son internacionales y con ellas empieza la fraternidad mundial.

Zacharias sonrió con satisfacción:

—Internacional no es alemán, fraternidad sí.

—Creí que eras socialdemócrata.

—Y lo soy, un leal socialdemócrata alemán.

—Entonces tienes que ser internacionalista.

—Y lo soy. Soy un internacionalista acérrimo y de pura cepa. Pero nosotros los alemanes dirigiremos lo internacional; no los rusos ni los franceses, y por no hablar de los demás. El internacionalismo democrático radica en la fraternidad y no en una superficial sociedad de naciones. Nuestra misión es demostrárselo al mundo, sobre todo a las victoriosas democracias occidentales.

—Sólo cabe preguntarse si les parecerá bien.

Zacharias hizo una mueca sarcástica:

—Los vencedores son siempre apaleados y los vencidos determinan la marcha del mundo, su configuración y la de sus democracias. Si no lo hacemos nosotros, lo harán los rusos.

—¿Como demócratas?

—Depende. Por eso nos tenemos que dar prisa. Las potencias occidentales ventilan sus asuntos a base de charlatanería; charlatanería democrática, por lo que parece. Por eso arman tanto jaleo con Einstein. Barullo inútil. En realidad sólo les interesan sus propios asuntos, y eso es lo que pretendemos cambiar.

—Es demasiado bonito para ser verdad.

¿Qué significaba eso? Zacharias mostró de inmediato su desaprobación:

—Tú no eres más que un neutral, un comerciante. Te sorprenderá ver cómo lo conseguimos, nosotros, los socialdemócratas, y con nosotros todo el pueblo alemán. Hemos pedido al general V. Seeckt que se ponga al frente de nuestra Reichswehr.

—De acuerdo —dijo A.—, vamos a dejar a un lado cualquier teoría de la relatividad para centrarnos en la fraternidad mundial. ¿Está bien así?

—Sí.

Zacharias se había terminado las salchichas y la col, había rebañado cuidadosamente el plato y se estaba cortando pedacitos de queso. Sintiéndose muy a gusto, dijo:

—Ya no estoy bebido. Podemos pedir otra botella.

—Eso haremos. Pero a fin de que se mantenga la recuperada sensación de bienestar, solicito permiso para ausentarme un momento.

—Excelente propuesta —aprobó Zacharias—, y los dos vamos a seguirla, te acompaño.

Se dirigieron, pues, al fondo de la sala, al lavabo de caballeros. Allí, de pie ante la pared del urinario, Zacharias fue elevado de golpe a una esfera superior, a la esfera que el ser humano o, dicho con más exactitud, el hombre comparte extrañamente con su fiel amigo de cuatro patas, el perro, al que está unido por el amor: los primeros ritos del hombre surgieron de la veneración del árbol y la piedra y, aún hoy, se colocan piedras angulares con caracteres rúnicos como adorno de edificios suntuosos. El hombre, todavía hoy, no puede evitar el dejar grabado su amor en caracteres rúnicos sobre los troncos de los árboles del bosque. ¿Acaso no son también el árbol y la piedra algo santo para el perro, y más aún si es una piedra angular? El acto de vaciar la vejiga para el que, a diferencia de los demás animales, es el único que necesita un árbol o una piedra angular, ¿no es el prólogo a un ritual superior, un ritual de riego íntimamente emparentado con el amor? Ambos son ritos de renovación y, si bien en el perro son todavía primitivos porque sus necesidades más altas se confunden con las profanas, se observa también en el hombre esa extraña unión, ya que el notable parentesco entre la constitución del hombre y la del perro, entre su psique y la del perro, hace que desde tiempos inmemoriales el hombre use también el árbol y la pared tanto para sus necesidades más altas como para las profanas, de forma que estas le empujan inevitablemente hacia aquellas. Lo demostraba claramente el muro en el que Zacharias tenía la mirada clavada mientras realizaba su acción corporal y profana; admiró en la pared la facultad expresiva del hombre y, como hombre que era dentro de la comunidad humana, sacó un lápiz del bolsillo de la chaqueta. Tras buscar un espacio libre entre aquellas inscripciones rúnicas más o menos imperativas, más o menos obscenas, más o menos simbólicas, dibujó un corazón en la pared, en el que colocó enlazadas las dos significativas letras A. y Z. El joven, que había seguido con atención la confección del dibujo, lo alabó.

A continuación se sentaron ante la cuarta botella. La camarera les presentó una bandeja con diferentes clases de tabaco, y Zacharias, que debido al calor asfixiante se había desabrochado la chaqueta y aflojado la corbata, se limpió detenidamente las gafas para escoger el veguero más acertado. Olió la pieza y se la hizo oler también a su acompañante para obtener su aprobación. Después, escogió otro puro de aroma y color parecidos y escondió los dos debajo de la servilleta en tanto que preguntaba socarrón:

—¿Derecha o izquierda?

—Izquierda —dijo A.

Zacharias, con aire de triunfo, replicó:

—¡Fallaste! Yo soy el de izquierdas y tú el de derechas. A mí me toca el puro de la izquierda y a ti el de la derecha.

El joven recibió, por tanto, el puro de la derecha y ambos celebraron el ocurrente chiste político.

Les entró pereza de hablar, así que siguieron sentados en silencio, ocupados en que sus puros ardieran bien y bebiendo a pequeños sorbos el noble líquido, chasqueando la lengua con voluptuosidad, como despidiéndose poco a poco a cada trago, ya que realmente tenía que ser la última botella.

Y sin ninguna provocación externa, sino probablemente por el recuerdo del fuerte olor del urinario, adherido a su olfato desde que había vuelto de allí, unido ahora a las emanaciones del tabaco, como si ambos olores tuvieran que complementarse en esa humareda excitante y nauseabunda, se levantó el profesor Zacharias para pronunciar su tercer discurso, primero en tono tranquilo y reflexivo, pero con voz cada vez más alta a medida que aumentaba su embriaguez:

—Con la fraternidad ocurre que, por una parte, se parece al amor y, por otra, no se le parece. Se parece al amor en tanto que tiende, como este, a la consecución del hombre. Pero mientras que el amor se apaga a sí mismo en la consunción a que aspira y con ello evidencia y prueba su no existencia, la existencia de la fraternidad empieza en realidad con la consunción misma, pues en el amor sólo se juega con ella y con la muerte, y en esta la extinción llega a su culminación, y sólo puede ser un juego porque el hermoso suicidio doble con que sueña el amor le quitaría la vida inevitablemente al niño recién engendrado.

»En realidad, los amantes temen la muerte y su deseo carnal es la negación de la muerte, la superación de la muerte, la superación del rechazo que produce la muerte. De veras, a ese juego con la muerte de los amantes lo llamo yo un juego irresponsable, un juego que acrecienta el deseo carnal, un juego que pretende triunfar sobre el rechazo, un triunfo que origina el deseo, un juego de consunción en la animalidad y en el todo, pues el rechazo no cabe ni en la animalidad ni en el todo. Pero la muerte no se deja engañar por ningún juego y no permite que los amantes sigan con él, sino que les arranca de su fingida consunción y les arroja de nuevo a la sobriedad, al infierno del deseo extinguido, al infierno del rechazo. Los amantes, o mejor dicho los que están dispuestos al amor, son castigados con un doble o triple tormento de rechazo, acechan el uno en el otro el olor de la muerte, el olor de la vejez que se dirige a la muerte, el olor de las bocas y su putrefacción; es el castigo del infierno que se manifiesta a través de la muerte con una fuerza doble o triple y, bajo su yugo, pierde el hombre su seguridad. La inseguridad es tan grande, tanto en este mundo como en el otro, que desengañado del juego empieza a dudar de todo y de todos, incluso del nombre de las cosas, y se ve obligado a acercarse a ellas mediante nuevas construcciones y teorías; pero finalmente renuncia repelido, muerto, no a causa del deseo sino por el odio y el rechazo de sí mismo. Esta es la no existencia del amor, su doble sueño en el juego de la muerte por amor y en la maravilla del suicidio. Es su juego de la falsa consunción.

»¡La fraternidad es otra cosa! Contrariamente a los dos seres infelices que aprovechan la diferencia de sus sexos para hallar el máximo placer y quieren elevarse soñando, la fraternidad es el sueño de la comunidad de los hombres, un sueño primitivo transformado en algo elevado y noble por su multiplicidad y que siempre alcanza la realidad porque se ha sujetado a ella. La fraternidad no quiere alejarse de la muerte y del rechazo de la muerte mediante engaño, fingiendo una consunción, sino que en honor a la auténtica consunción asume valerosa, la muerte y el rechazo.

»Que las mujeres esperen en casa el niño concebido: los hombres se llevarán la muerte y serán llevados por ella, fundidos en la multiplicidad que es el eco del infinito, el eco del todo. Pero ¿dónde se encuentra hoy en día tal fraternidad? ¡Contésteme! Espero su respuesta. ¿Es que nadie es capaz de contestar? Entonces yo mismo tendré que contestar y mostrarles la institución del ejército moderno, y lo digo fijándome en especial en el ejército alemán de hoy. Es quizá el único lugar donde hay auténtica comunidad entre los hombres y auténtica fraternidad. Sin embargo, ¿pueden ustedes imaginarse una comunidad que no dependa de una severa innovación? La condición previa es sofocar cualquier intento de insurrección, y a ello se une el extinguir también el dolor y los sentimientos de repulsión. Si el amor termina con rechazo, la fraternidad empieza con él y en él. Y la fraternidad del ejército es así. Empieza con el hedor, el hedor de los cuarteles y sus retretes, el hedor de las columnas en marcha, el hedor de los hospitales militares, el hedor de la muerte siempre presente. El deseo no perdona; la fraternidad perdona de antemano y ni el pedo más maloliente puede dañar la camaradería. El recluta es educado mediante la repulsión, obligado a superar el asco. Sin que él se dé cuenta es llevado por el camino del control de sí mismo y de la propia consunción, y pronto sabe prescindir del miedo al hedor de la putrefacción y por tanto también del miedo a la muerte. Se le prepara para el sacrificio total de sí mismo. El ejército es el instrumento de la muerte y el que entra en él es despojado de su alma en el mismo instante en que ingresa. Se despoja de su única alma pero es en cambio bendecido porque su cuerpo, inserto en la infinita hilera de los demás cuerpos, pierde el miedo al desencarnarse.

»Aquí empieza la auténtica consunción, no en aquel juego de consunción en un infinito fugaz, que es la meta del juego simulado del amor, sino que la consunción empieza en la totalidad que no descansa en el otro mundo sino en este y que, en su grandeza, se asemeja al infinito, y al igual que este está destinada a la eternidad. Todo es duradero aquí, y cuanto más severo sea el castigo que el novato recibe al principio, cuanto más profundo sea el rechazo con que haya empezado, tanto más segura será la totalidad para él, la totalidad en la que se fundirá, liberado ya del miedo y la repulsión. Recibe órdenes de esa totalidad sin discutirlas, que le garantizan la seguridad de la palabra, de las cosas y de los nombres, de forma que ya no sea necesario dudar de la realidad, despojada de teoremas inútiles y cualquier incerteza. La vida de la totalidad, vuelta hacia la muerte, se refleja como fraternidad en la vida de cada uno, en su consunción y en su felicidad. Eso es la fraternidad alemana.

Zacharias se había levantado al pronunciar las últimas frases y, como si estuviera en su cátedra, corroboraba sus palabras con ligeros golpes de nudillos sobre la mesa. Cuando terminó, pareció no acabar de entender que tenía ante sí sólo a su compañero y no a toda una clase. Le miró fijamente, sin expresión, y el otro le devolvió cohibido la mirada. Como no sabía con exactitud quién de los dos estaba sentado y quién de pie, ordenó:

—¡Siéntese!

El joven, más afectado por el vino que por el discurso, tanteó sus rodillas dobladas con suma atención, estudió la relación entre sus posaderas y la superficie de madera que debajo de ellas se encontraba y llegó a la conclusión de que era él quien estaba sentado, conclusión que de inmediato expresó en palabras:

—¿No quiere sentarse también el señor profesor?

Zacharias contestó indignado:

—¡No replique, por favor!

El otro, suficientemente sobrio para darse cuenta de que había que hacer algo, dijo:

—Un café, señor profesor, nos iría muy bien a los dos.

Zacharias, con la mente embotada y absorto en la botella de vino, murmuró al cabo de un rato:

—Un alumno no se invita a sí mismo a café en mi casa. ¡Qué insolencia! ¡Qué insolencia!

Mientras, A., sin esperar la respuesta, se dirigió tambaleándose al mostrador y pidió café. Cuando regresó, se encontró con que el profesor había estado preparando una nueva amonestación:

—Me parece que ha salido usted demasiadas veces durante la sesión. Si comete usted abusos en el retrete, será castigado.

Dijo esto de pie, muy erguido, con una mano apoyada en lo que creía ser el pupitre de su cátedra. A. se esforzó en hacer adoptar a sus piernas la posición de «firmes»:

—No cometo ningún abuso, señor profesor.

—Ya debería usted saber que no se puede salir del aula sin previa autorización.

—Perdóneme, señor profesor. No volverá a ocurrir.

Para Zacharias, aunque no para A., se trataba de un incidente grave:

—Haré constar el caso en el libro de clase.

—¿No podría, señor profesor, ser indulgente una vez más y prescindir del reglamento?

—La indulgencia es debilidad, la indulgencia es lo más opuesto a la fraternidad. El castigo se ha de cumplir.

Lo envolvió el aroma del café que acababan de servir. Con aire benevolente dijo:

—¿De dónde saca usted este café?

—Del bedel, señor profesor.

—Bien, hagámosle entonces los honores.

Ambos tomaron asiento de nuevo. Después de haber platicado un rato mientras tomaban el café, descubrieron de pronto los dos a la vez que se trataban de usted como antes, a pesar de que habían brindado por la camaradería y el tuteo. Y entre las risas que esto suscitó comentó el joven:

—Deberíamos volver a brindar por nuestra fraternidad.

—Eso es, pide otra botella.

A. creyó que era demasiado, y aclaró con largas explicaciones que no era correcto tomar vino después del café. Acordaron pues tomar kirsch para sellar esta nueva fraternidad de sangre, ya que sólo una copita de alcohol era digna de coronar una fiesta tan lograda.

Y así fue. Otra vez se levantaron, de nuevo entrelazaron los codos y bebieron el alcohol en esta posición a fin de restablecer el tuteo, y nuevamente se estrecharon con fuerza las manos. A continuación A. pagó la cuenta y el profesor dijo con voz de mando:

—¡En filas de a dos! ¡Mar… chen!

En la calle se inició otra discusión, pues se constató una vez más que A. no tenía sombrero. Zacharias quería ponerle el suyo; que el otro lo rechazara le pareció un feo desprecio y un maligno afán de contradicción:

—¿Te parece poco elegante?

—No, es pequeño.

—¡No ensanches la cabeza! —gritó, tras haber intentado con todas sus fuerzas colocar el sombrero en su sitio.

Como la cabeza no se decidió a reducirse, optó por dividirlo en dos al estilo de Salomón. Sacó su cortaplumas y pinchó en el centro de la copa dispuesto a partirlo por la mitad. A. se opuso:

—Es absurdo. Entonces ninguno de los dos tendrá nada. Si quieres partirlo, tú te quedas con la copa y yo con las alas.

Era muy sencillo. Zacharias se puso la copa, pero sufrió una decepción al ver que las alas cortadas resultaban demasiado grandes y le resbalaban a A. por encima de la nariz.

—¡Idiota! Lo has hecho adrede. Ahora te has estrechado la cabeza.

—Yo no tengo la culpa. Me había subido la sangre a la cabeza y ahora con el aire de la noche se me ha ido.

A. estaba realmente preocupado. Intentó con insistencia fijar las alas en su sitio, pero siempre se caían, le resbalaban por encima de la nariz y se le quedaban alrededor del cuello. Finalmente se resignó:

—Las usaré como cuello, tampoco están mal.

La idea le gustó a Zacharias:

—Cuando quieras saludar, te lo sacas por la cabeza. Queda bien, ¿eh?

De vez en cuando alguien se quedaba mirando divertido a la extraña pareja con tan rara indumentaria, pero eran pocos los que transitaban por la calle y en general pasaban sin prestar atención. La noche de verano daba muestras de cansancio, pero su lasitud no podía hallar reposo. Llegaban de alguna parte los primeros soplos del frescor de la mañana y se mezclaban con el aire sofocado de la noche, pero este, para defenderse, se agolpaba en torno a las luces como un gigantesco enjambre de insectos. La sobria inquietud de las blancas luces se comunicaba al mundo inanimado triunfando sobre el frescor.

Era una hora ambigua, tanto más cuanto se oía sonar de vez en cuando un martillo a ritmo silencioso, sin embriaguez, que turbaba el silencio de la noche: se aprovechaba que los tranvías no funcionaban para reparar los raíles. Rodeados por este mundo inanimado y sobrio, enlazados por el brazo, avanzaban los dos —Zacharias cojeando un poco— a paso de soldado, penetrando en la sobriedad, perdiendo poco a poco su embriaguez a cada paso.

Y cuando, en el socavón que formaba la calle con sus árboles cubiertos por la noche, se hizo más perceptible el incesante martilleo, A. dijo:

—El ruido de la gran ciudad al afilar su guadaña.

—¡Qué idiotez!

Unos minutos más tarde llegaron al sitio de donde provenía el ruido. El lugar de las reparaciones, en parte para proteger a los peatones y en parte para resguardar del viento, estaba rodeado de lonas, y en las esquinas, fijadas con estacas, se elevaba la destelleante luz de la soldadura autógena, blanca, con reflejos a veces verdes. Bajo su resplandor palidecían las luces de la calle, semejantes a silenciosos astros lunares. Había unos doce hombres trabajando allí. Los soldadores llevaban unas gafas negras grandes que parecían máscaras. Se veían obligados a hablar con pocas palabras, debido al ruido de los golpes y de la soldadura.

No había mucho que ver. Sin embargo, Zacharias se quedó inmóvil, muy interesado por el avance de la obra. Como profesor no debería haberlo hecho. Su estatura y delgadez, las gafas en la nariz, el sombrero sin alas en la cabeza, todos los rasgos del tímido y a la vez autoritario maestro de escuela despertaron, ante su asombro, un recíproco interés en los trabajadores. Empezaron a intercambiar miradas, señalándole con sus toscos dedos, y finalmente prorrumpieron en un coro de risas que se convirtió en una algarabía descontrolada, a la par que se golpeaban los muslos y se sostenían el estómago. Zacharias, con su más severo aire escolar, gritó:

—¡No les permito tales tonterías!

A. se libró de las burlas, en primer lugar por su sonrisa de complicidad un tanto forzada, y en segundo lugar porque las alas del sombrero sobre su cuello llamaban menos la atención. Sin embargo, se sintió obligado a advertir a Zacharias respecto a lo que cubría su cabeza, cuya única función parecía ser la de despertar la hilaridad. El resultado le cogió desprevenido, pues toda la ira del otro se volvió contra él:

—*Et tu Brute*, me entregas a las burlas del populacho, después de haber sacrificado yo mi hermoso sombrero por ti. *Non libet...* ¡Qué ingratitud!

El joven tenía ahora ocasión de demostrar su fidelidad, amistad y sumisión: atendiendo a la anterior indicación de Zacharias, se sacó las alas del sombrero por la cabeza y con gesto grandilocuente saludó al coro de burlones suscitando unos aplausos que también iban dirigidos al profesor.

No obstante, el escarnio deja siempre clavado su aguijón en el alma del hombre al que ha atacado, y así ocurrió con el agraviado Zacharias. Apenas se hubieron alejado un poco de las miradas de humor enemigo se detuvo de nuevo:

—Estoy indignado, profunda y vergonzosamente indignado.

—¡Por Dios! —contestó A. apaciguador—. El que trabaja duro necesita también diversión.

Tal inciso molestó mucho al profesor:

—Yo les enseñaré a divertirse, a divertirse a costa de los demás, ¡y a eso se le llama fraternidad!

—No, libertad e igualdad.

—¡Ajajá! Por ahí, por ahí sopla el viento... libertad, igualdad. Yo mejor diría imbecilidad.

Muy enojado, dio un par de pasos más. Pero la palabra clave no había caído en saco roto. Se detuvo otra vez, y el profesor Zacharias inició su cuarto discurso, en realidad un resumen testamentario de los tres anteriores, ya que le parecía importante —sobre todo tras el desagradable incidente— sacar consecuencias sociales:

—La imbecilidad no deja de ser imbecilidad. Yo, un amigo de las clases obreras, un socialdemócrata, un miembro directivo del sindicato de profesores, no vacilo en afirmarlo: la imbecilidad no deja de ser imbecilidad. Aquellos hombres, ya muy lejos de sus años juveniles, se han comportado de la manera más imbécil. Que tal irresponsable imbecilidad fuera contra mí lo considero como nota marginal. Lo importante es la alarmante irresponsabilidad. Asusta a todo aquel que observa el desarrollo de nuestro pueblo. ¿De qué modo, debemos preguntarnos, puede este pueblo ser maestro del mundo, si en su clase más representativa, la clase obrera, reina tan poco sentido de la responsabilidad? Y todavía quiero ir más lejos y preguntar si se puede considerar responsable a aquel sindicato que, en pago de haber conseguido una elevación de sueldos, exige a cambio un voto en favor del socialismo. *Panem et circenses!* Seguramente aquellos hombres de allá estarían contentos. Lo único que quieren es pan, diversión y dormir con sus mujeres. Esas son la libertad y la igualdad que les blanden ante los ojos. Pero ¿dónde queda el infinito hacia el que están obligados? ¿Dónde queda la auténtica democracia, edificada sobre la infinita grandeza de la muerte? Buscan la molicie, no el fortalecimiento; buscan la vida, la comodidad de la ceguera ante la muerte, a fin de poderse quedar en este mundo. Todo esto les ha vuelto temerosos ante la muerte, lo contrario a lo que un alemán ha de ser; fácil botín para las degeneradas democracias occidentales y sus doctrinas, que intentan superar la repulsión lo antes posible convirtiéndola en molicie en lugar de transformarla en disciplina, preparación para la muerte. ¿También nosotros hemos de estar condenados a semejante desfortalecimiento y, por tanto, al fracaso? ¡No, y mil veces no! Sólo la totalidad es en verdad libre, no el individuo. Este está para expresarse con palabras concisas, bajo las órdenes de la libertad, una libertad superior, pues solamente él puede tomar parte en la libertad del conjunto y nunca, nunca jamás, le será posible ni le estará permitido demostrar libertad propia.

»Hay que acabar con la libertad mercantilista, y a los sindicatos precisamente les compete ocuparse del trabajo educativo que haga falta. Necesitamos una libertad planeada y por eso es necesario sustituir la libertad caótica e imbécil de occidente por una libertad dirigida. Heme aquí. Me inflijo por disciplina el llevar sobre la cabeza esta copa de sombrero sin alas que les resulta ridícula. La llevo para expresar mis sentimientos fraternales y desafío las risas de Occidente.

»Nuestra igualdad será igualdad ante las órdenes, igualdad de disciplina y de autodisciplina, igualdad ordenada de acuerdo con la edad, la categoría y la misión de los ciudadanos, una pirámide bien equilibrada en cuya cúspide se requerirá al elegido, el cual será un maestro de disciplina, severo, serio y autoritario, sometido también a la autodisciplina. Será él quien garantice la fraternidad. De otro modo no sería posible. A toda fraternidad le corresponde un padre, abuelos, toda una serie de antepasados que garanticen la unidad del conjunto y el carácter inalterable y certero de las cosas.

»Nuestro camino llega al amor a través del castigo y nos lleva hasta aquel amor eternamente dispuesto para la muerte y que, por tanto, sabe superar la muerte. En este amor, más allá del rechazo de la muerte, se juntan fuera del tiempo la animalidad y el infinito. Este es el camino que la democracia alemana tendrá la obligación de seguir, poniéndose en cabeza de la autodisciplina, porque está destinada a dirigir el nuevo internacionalismo.

Mientras hablaba a lo lejos se oían truenos, y se debían a la apartada tormenta, probablemente, las corrientes de aire fresco que se filtraban en la atmósfera estática, cada vez más perceptibles. Zacharias oyó ahora el lejano retumbo y quedó como extasiado:

—La totalidad, airada, dispuesta a castigar en su infinitud; el todo maternal me da la razón... ¿oyes? ¿O tampoco has comprendido esta vez de qué se trata?

—¡Claro que lo he comprendido! Los alumnos tendrán mucho que hacer.

—Deben hacerlo y no escaparán a ello.

—Yo, en cambio, quiero escapar de la tempestad. Ven, tomaremos un fiacre. Te dejaré en casa y luego seguiré hasta la mía.

—No, yo prefiero andar. Siempre voy a pie desde la escuela hasta casa, para despejarme.

—Pero yo estoy cansado.

—Los soldados deben marchar. No seas perezoso. Cuanto mejor avances, tanto más seguro que escaparás de la tormenta.

Zacharias se puso en movimiento. Atravesaron un parque. Era un lugar de reposo con numerosas estatuas, unas de pie y otras sentadas, rodeadas todas de arbustos distribuidos artísticamente. Bajo las luces del parque el mármol parecía más blanco y el bronce más brillante que durante el día. La profesión de los personajes inmortalizados estaba indicada generalmente por los accesorios correspondientes, por ejemplo, un libro, un rollo de leyes, una espada, pinceles y paleta. Pero llegaron ante una que, en vez de esto, ostentaba mazas y pesas de gimnasta. Eran de bronce y se sujetaban a unas poderosas botas, asimismo de bronce, de las que salían dos piernas, una erguida y otra semidoblada, pertenecientes a una figura masculina de barba larga, con un sombrero de ala ancha, una pluma en la mano y cabello rizado que mecía el inmóvil viento. Cuando los dos caminantes llegaron junto a él, Zacharias ordenó:

—¡Fuera sombreros! ¡Saluden!

Era lógica esta orden, pues A., con las alas del sombrero en la mano, se acercó a descifrar la complicada inscripción en letras góticas que figuraba en la lápida de piedra:

PADRE DE LA GIMNASIA FRIEDRICH LUDWIG JAHN,
1778-1852, ENTRENADOR DE LA NACIÓN

Realmente era una obligación saludar. Zacharias rió.

—Este seguirá aquí cuando Einstein haya desaparecido de la memoria de todos.

Salieron del parque. Se oyó de nuevo un trueno y otra vez quiso el joven tomar un fiacre. El viejo le detuvo también ahora:

—Vamos, vamos, si ya estamos casi en casa.

—Precisamente por eso. Quién sabe si ya no podremos encontrar ninguno. Además, tú ya no me necesitas.

—Falso. Es precisamente ahora cuando te necesito —dijo Zacharias con travesura—. Te necesito porque las escaleras son muy pesadas para un mutilado de guerra y mi buena esposa Philippine te estará muy reconocida si me ayudas a subir.

—A esta hora tu mujer estará más que dormida.

—Falso. Precisamente me aguarda con solícita inquietud.

—Con más razón todavía. Se alegrará muy poco de que lleves una visita contigo.

—Falso. Precisamente —repitió Zacharias sin apartarse de la misma frase— tú no eres un visitante sino un protector, un invitado protector y protegido, de esos a los que los salvajes ofrecen la propia esposa por una noche. ¿Cómo podría, pues, dejarte de saludar Philippine, al menos con amabilidad?

En aquel momento se levantó un suave viento de tempestad un tanto amenazador, como si realmente quisiera ensayar un primer intento.

—¿Está en verdad tan cerca?

—Un par de pasos más, y si estalla la tempestad te quedas sencillamente en casa por esta noche.

En efecto, un par de manzanas más allá, en una de esas calles típicas de la clase media con casas de alquiler de ladrillos rojos, con una verja de hierro y un parterre ante la fachada, se encontraron ante el portal de Zacharias. Registró los bolsillos del pantalón en busca de la llave, al tiempo que dejó escapar una sonora ventosidad.

—Perdona, perdona, hermano mío, esta purificación de aires.

Encontró por fin la llave y la cerradura, y encendió la luz de la escalera.

Bien para demostrar que en efecto necesitaba ayuda, o bien porque el exceso de alcohol le fatigaba las piernas, el caso es que, conforme subía por la crujiente escalera de madera, iba cada vez más despacio, respiraba con mayor dificultad y ponía cara de sufrimiento, de modo que A. le tenía que sostener por el brazo.

La puerta del piso estaba abierta. No cabía duda de que la esposa del profesor había observado su llegada y les esperaba de pie en el umbral.

Tendría unos treinta años, pero su figura baja y rechoncha la hacía parecer un poco mayor. Su rostro, pese al exceso de grasa y a la boca fina y contraída en mohín de mal genio, no era feo. Sus cabellos, escasos y mal peinados, eran muy rubios. Las piernas, demasiado gruesas pero bien formadas, se enfundaban en unas zapatillas de fieltro. Llevaba una especie de chaqueta floreada sobre una blusa de color rosa, y en la mano sostenía un plumero de mango delgado con variadas plumas de gallo, un instrumento de limpieza casera con el que, sin tener en cuenta la hora avanzada —las doce habían dado hacía rato—, había probablemente acortado la espera. Sin embargo, si bien les esperaba, el recibimiento no fue tan cordial como había profetizado Zacharias:

—Bonito par de hermanos borrachos.

Frase muy comprensible, dado el aspecto que ofrecían los dos recién llegados: su esposo continuaba con la copa del sombrero en la cabeza y el acompañante se adornaba el cuello con las alas. Sin añadir ni una palabra más, un puño sobre la cadera y el otro en el plumero, les hizo entrar, señalando con el mentón la puerta de la sala de estar, y les siguió tras cerrar con un golpe enérgico la puerta exterior.

Bajo la mirada de Bebel, Scheidemann y de Guillermo II, examinó a los dos fríamente. El profesor, con la cabeza gacha, se atrevió a mirarla:

—Philip...

Pero no pudo seguir.

—¡A tu rincón!

Y él, siguiendo por lo visto una vieja costumbre, se encaminó sin replicar a una esquina de la habitación. Philippine, sin ocuparse más de él, se dirigió al joven:

—Han tenido una discusión bien «rociada» en su reunión científica nocturna, ¿no? ¿Pretenden continuarla aquí? Menos mal que sólo le ha traído a usted y no a diez compinches científicos más.

—Philippine —dijo una voz plañidera desde la esquina.

La esposa no se inmutó:

—¡Tú a callar, cara a la pared!

Y una vez se cercioró de que la orden había sido cumplida, volvió a emprenderla con el visitante:

—¿Y qué hago con usted? ¿Debo ponerle también cara a la pared? ¿Le ha traído aquí para eso? Lo mejor es que se largue a su casa cuanto antes.

De nuevo se oyó la voz desde la esquina:

—Philippine, cariño.

—¡Tú te callas!

—Seré bueno. Anda, vamos a acostarnos.

—¿No has oído lo que te he dicho?

Philippine se volvió con violencia, agarró el plumero por las plumas y el mango aterrizó, surcando el aire con un silbido, en las posaderas del esposo. A continuación le propinó un segundo golpe, si bien sólo levantó polvo. Zacharias, con el rostro vuelto hacia la pared, suspiró profundamente pero no se volvió. Al contrario, se inclinó un poco, como esperando que la operación prosiguiera.

—Bien —dijo Philippine al joven—, no creo que quiera usted trabar conocimiento con este. —Y señaló el mango del plumero que sostenía en la mano—. Así que es mejor que se largue con viento fresco.

—No le eches —dijo Zacharias desde el rincón con voz de ruego y siempre de cara a la pared—, déjamelo aquí, por favor, por favor.

La expresión severa del rostro de Philippine se transformó en auténtica ira y, con una furia sin control, subiendo cada vez más el tono de voz, gritó:

—¡A callar! ¡La boca cerrada! ¡Ni media palabra más, ni media! ¿Entendido?

Y con el movimiento de un jugador de golf, o más parecido quizá al del verdugo, empezó a pegarle, tan fuerte que el mango se dobló. No se fijaba siquiera en si le daba en la espalda o en las nalgas; le golpeó una y otra vez, sin parar.

Zacharias, primero silencioso, con el trasero un tanto salido para facilitar la ejecución, empezó ahora a gemir:

—Eso es, así... más, más... más... sácame la repulsión del cuerpo... hazme fuerte... sácamelo... eso es... así... ¡oh, Philippine!, querida... te amo, otra vez.

Cuando se disponía a desabrocharse los tirantes, se interrumpió el castigo. Se volvió sorprendido y, con la mirada vidriosa, la copa del sombrero siempre en la cabeza, se dirigió titubeante a su mujer:

—Philippine, te quiero.

Con el plumero le tiró la copa del sombrero, al tiempo que no le permitía acercarse más. Y con la otra mano agarró al joven por el hombro:

—Usted ha subido aquí quizá por buen corazón. Él se habrá lamentado y usted le ha querido ayudar. Tal vez pretende incluso ayudarme a mí. Pero es imposible ayudar a quien se encuentra en el infierno, donde no hay más que ira y más ira. No descuide, todavía habrá más; no hemos llegado ni con mucho al último infierno al que tenemos que llegar. Sí, querido joven, ha tenido usted una visión del infierno y ahora debe borrársela de la memoria. ¡Olvídelo usted!

Todo eso fue dicho en un tono tranquilo, pero como el joven no se movió, le espetó en pleno rostro:

—¡Fuera!

Cuando abrió la puerta de la calle le hirieron el rostro fuertes gotas de lluvia. Un paso más y estaría completamente empapado. La tormenta estaba en pleno apogeo. Los relámpagos se sucedían unos a otros, el agua formaba sobre el asfalto olas que iban a estrellarse contra los bordillos, creando riachuelos que se atorbellinaban en las alcantarillas por las que se precipitaban. Las luces de la calle y de las casas de enfrente se reflejaban en las negras mareas, y su imagen se sumergía hasta lo más profundo de la inmovilidad, y cada rayo provocaba un fuego de artificio bajo el agua. A. se pegó a la puerta. Transcurrió media hora larga hasta que los relámpagos se fueron espaciando, los truenos fueron cada vez más débiles y la lluvia cada vez menos espesa hasta cesar por completo. El aire se llenó de paz y de frescor. A., que había abandonado su escondite, miró hacia el piso del profesor: aún había luz en las dos ventanas del cuarto de estar, así como en las dos adyacentes, que eran probablemente las del dormitorio, sólo que en esas las cortinas estaban corridas.

Allá arriba estaba el infierno, la semilla del infierno, pero no la única sino una de las muchas esparcidas por el mundo, aunque quizá en Alemania más que en otra parte. La amenaza del infierno se cobija por doquier en lo inofensivo.

La ciudad reposaba en una noche pacífica, fresca y candorosa. Le resultó fácil el paseo hasta su casa. Se percibía el aliento de las colinas, el aliento del paisaje que rodeaba la ciudad, la parte habitada, un elemento natural, al fin, del campo. Allá donde se extienden los cultivos y también el bosque alemán, asilo de árboles y animales salvajes, donde pace todavía el corzo y hoza aún el jabalí, donde resuena el bramido del ciervo en celo a través de las húmedas sombras. Los cencerros de los rebaños cruzan las montañas y el campesino se entrega a su pesada labor diaria sin que le importe qué gobierno está en el poder ni qué luchas infernales celebran en su alma los instintos voraces. Ni lo uno ni lo otro pueden apartarle de su trabajo.

En Alemania todo tiene lugar de manera más prudente y sensata, pero todo está más sujeto a los instintos, todo es más voraz e infernal que en otros lugares. Todo se hace de modo poco hipócrita y sin embargo con más mentiras. Parece que el alemán nazca con una extraña sed de absoluto que le impide dominar los instintos con el feliz humor que el hombre de Occidente, mucho más instintivo, ha convertido en su forma ideal de vida. El alemán tiene rara vez el sentido del humor, y cuando lo tiene es otro tipo de humor, un humor extravagante, que sopesa cada disyuntiva, rasgo característico del estilo de vida alemán, y que constituye su tosquedad. Esta desemboca por una parte en un ascetismo perfecto y por otra en un desenfreno total de los instintos. Las soluciones intermedias resultan sospechosas para el alemán. Las considera hipocresía y embuste, y no se da cuenta de que con ello se hace responsable de mayores embustes, de que no se ciñe ninguna aureola falsa de virtud, la aureola artificial del Occidente, sino que —y eso es lo penoso— transforma con mentiras lo justo en injusto, al contraponer, en nombre de las disyuntivas, de los pros y contras, su insensibilidad salvaje e indomable, como criterio sano, al justo derecho del ser humano, violando así ese derecho como tal. Su honestidad es la del tirano, que quisiera arrancar la mentira de los farsantes que no pueden ser tiranos y se siente por ello salvador. En cambio, está condenado a seguir siendo un emisario de la desgracia, porque su doctrina es la del asesinato.

Falsedad aquí, falsedad allá, y entre ellas la senda infinitamente estrecha de la verdad, senda entre dos mundos, prescrita al hombre alemán y, por tropiezos y tambaleos, no transitable. ¿Senda de la virtud alemana? Falso, precisamente, como diría Zacharias, desde luego sin darse cuenta de la realidad, a saber: que es el camino de la angustia torturada.

¿A qué se debía esto? A. no conocía la respuesta. Además, en definitiva, ¿qué le importaba? No tenía por qué preocuparse de ello. Llegó a su casa y se acostó de inmediato. Se lo merecía.

VIII. BALADA DE LA ALCAHUETA

Melitta ha recibido un regalo de un joven. Es la primera vez que le ocurre. Lo ha llevado a su casa el mozo de una tienda. Es un pequeño bolso de piel fina blancogrisácea con reflejos azules. El cierre es dorado y brilla, y también brilla el asa. Está muy bien hecho y es muy gracioso. Lo palpa por todas partes. La satisfacción de las yemas de los dedos a ese tacto es tan grande como la de los ojos. No se atreve ni a abrirlo. Por dentro está forrado de seda blanca. Junto al pequeño monedero, al lado de la diminuta polvera con una gran M grabada, junto al lápiz dorado y al librito de notas (¿qué significará «Dates»?), hay una carta en la que el joven pregunta cuándo y cómo podrá volver a verla. Tampoco esto le había sucedido jamás.

Quiere contestar enseguida, pero necesita un papel de carta bonito. No le sirven, no sería propio escribirle en las postales que usa para comunicar al abuelo en sus frecuentes y demasiado largas ausencias que a Dios gracias está bien. Baja corriendo a la papelería más cercana para comprar algo más digno. Ahora tiene ante sí un hermoso papel y de poco le sirve. ¿Cómo empezar? Quisiera decirle que el bolso es lo más precioso del mundo. Quisiera decirle que le gustaría verle inmediatamente; o, ¿sería quizá mejor mañana, o tal vez pasado mañana? Quisiera decirle que le gustaría tenerle aquí, pero que tal vez al abuelo, si regresaba de modo imprevisto de sus largos viajes, como era frecuente, no le parecería bien —en realidad, ¿por qué?— encontrar a un invitado en su casa. Quisiera asegurarle que él no puede ser un invitado, que no sería un invitado al uso, pero que debe encontrarse con él en otro lugar, arriba en el castillo o abajo en la estación, donde él quiera. Pero ¿cómo se expresa todo eso de forma ordenada? ¿Y cómo decirlo para que él se dé cuenta de lo que ella piensa y de lo que desea decir? El camino que va del corazón a la pluma es muy largo, y aún lo es más para una lavandera a la que escribir asusta tanto.

La mañana transcurre con creciente desesperación. La carta empezada está sobre la mesa y tiene un aspecto cada vez más inquietante. No la quiere ni mirar. Pero por la tarde encuentra una solución, que lleva a la práctica casi antes de haberla terminado de pensar. Se viste de pies a cabeza con toda rapidez. Descubre que, sencillamente, le llevará ella misma la carta. Hay que hacerlo enseguida.

Ya está en la calle, con el traje de los domingos y el pequeño bolso colgado del brazo. Si cuando fue a la papelería no hubiera estado tan absorta en la carta se habría dado cuenta de lo que ahora veía: era el día más hermoso de septiembre que viera en toda su vida. Se ha levantado la fresca brisa del otoño, discurre por la calle bajo un cielo aún veraniego atravesado por los rayos del sol, y acaricia las fachadas y las multitudes. Melitta duda un instante: ¿debe tomar el tranvía hasta la plaza de la estación? Allí vive él, allí vive, y si coge el tranvía llegará antes. Pero frente a esto se halla la dulzura de la prolongación de la espera, ese pequeño sabor amargo que se mantiene en el umbral de la dulzura mientras la espera no se prolongue demasiado. Por fin se decide a hacer el recorrido a pie.

El camino cruza casi todo el rato el barrio comercial, concurrido siempre excepto en domingo, pero hoy parece aún más bullicioso y sobre todo más alegre que otras veces. Como si cuantos por aquí pasan hubieran recibido también en obsequio un pequeño bolso, visible o invisible. Melitta avanza despacio y balancea el suyo de un lado para otro, no sólo para demostrar que es como las demás personas sino para que todas vean que su bolso es el más bonito. Se detiene de vez en cuando ante un escaparate, en especial si tiene espejo al fondo y puede verse en él con el bolso. Y si llega a uno donde hay bolsos expuestos, ha de comparar el suyo con todos los demás, uno por uno, tanto si están agrupados como si los han colocado solos sobre soportes de cristal. Pero se está retrasando y el pequeño sabor amargo de la espera se agudiza demasiado. Cuando por fin llega a la plaza de la estación le gustaría volver a empezar el juego. ¡Era tan hermoso! Pero el límite oscilante y divertido entre la dulzura y la aspereza de la espera ha sido alcanzado ya. Si diera la vuelta y empezara de nuevo el juego de los escaparates, la amargura se haría insoportable. Melitta lo deja correr.

Encuentra pronto la casa con las señas indicadas. Melitta siente un poco de decepción al ver que no figura en la puerta el nombre de él, y aún se siente más confusa cuando no le abre la puerta él mismo sino una vieja de cabellos grises y mirada poco amable bajo una blanca y almidonada cofia. Le pregunta con sequedad qué desea, y ante la tímida demanda por el señor A. casi le cierra la puerta en las narices:

—El señor A. no llega a casa hasta la noche.

—¡Oh! —contesta Melitta, y los ojos se le llenan de ardientes lágrimas.

—¿De qué se trata? —el tono es más suave, y Melitta cobra ánimos.

—Le traigo una respuesta.

—¿Una respuesta? ¿De quién?

—Mía.

La boca desdentada de la anciana estalla en una risa:

—¿Quién envía a quién? ¿Acaso se ha quedado usted en casa mientras venía para acá?

Melitta la mira fijamente sin comprender y las lágrimas acuden de nuevo a sus ojos.

La hilaridad de la vieja se transforma en una sonrisa:

—¿Qué pasa, pues, con esa respuesta? Todavía no me he enterado.

Melitta lo quiere explicar pero no puede. Sin embargo, hay que decir algo, es necesario explicarse y, como el tiempo apremia, abre por fin el bolso —lo hace ostentosamente, ¿por qué esconder algo de lo que está tan orgullosa?— y le entrega la carta a la vieja.

—Un momento —dice esta, y cogiendo la carta se dirige a la cocina, donde hay más luz. Para leer, además, hacen falta gafas. Melitta, que no quiere abandonar su carta, la sigue un tanto sorprendida y aún se extraña más cuando se encuentra con que la otra prorrumpe en una serie de impacientes lamentaciones—: ¡Vaya! ¿Dónde demonios estarán esas gafas? Las dejé ahí, sobre la mesa de la cocina. ¡Venga, dime dónde están en lugar de quedarte ahí como un pasmarote! ¡No! Primero cierra la puerta, parece que no te hayan enseñado a cerrar las puertas. ¡Por todos los santos del cielo, dichosas gafas! Ajajá, te dije que estaban sobre la mesa de la cocina y en efecto ahí están.

Después, de pie junto a la ventana, lee la carta con suma atención, quizá incluso dos veces, y al terminar mueve la cabeza en señal de aprobación:

—Conque... así está la cosa. ¡A ver si cierras de una vez la puerta de la cocina!

Después se acerca al fogón:

—Primero tomaremos una taza de café. Seguro que hoy no has probado bocado.

No, realmente Melitta no ha pensado en comer.

—¿Lo ves? La vieja Zerline lo sabe, porque yo soy Zerline, ¿entendido? ¡Anda, coge dos tazas del armario!

Se sentaron, pues, ante un café. Echaron una buena cantidad de leche al oloroso brebaje, partieron el pan blanco y, como corresponde, lo pescaron de la taza con una cucharilla, bien empapado de líquido color marrón; en un cuarto de hora, Zerline ya se ha enterado de todo lo que quiere saber y de todo lo que había por saber.

—Así que quieres verle hoy.

Melitta asiente con fuerza.

—Te quedarás a cenar. La señorita fruncirá tal vez el ceño. —Su risita de conejo sonó bastante maligna—. Claro que hoy está invitada a cenar fuera. Y si viniera la baronesa a la cocina, no pasa nada... Eres una pariente mía, ¿entendido?

A continuación lavaron y secaron el servicio de café.

—No lo haces nada mal —alabó Zerline—, también te gustaría prepararle café a él...

Melitta enrojeció. Sí, sí le gustaría.

—Además. —Con la punta del dedo le levantó la cara por la barbilla para verla mejor y añadió—: No eres nada fea. Sólo el peinado... No debes pasearte así por ahí.

—¿Por qué? ¿Tan mal estoy?

—Por qué, por qué, ¿no has ido nunca al cine? Habrás visto cómo se arreglan las artistas.

—El abuelo nunca va al cine.

—No me digas. ¿Acaso se va al cine con el abuelo a tu edad? ¡Uy, no pongas esa cara, que no he dicho nada malo! Es mejor que vayamos a mi cuarto. Te peinaré bien para que te encuentre guapa esta noche.

Ante la ventana de la cocina un hombre riega el parterre bajo el sol vespertino y el agua forma reflejos irisados. Cuando el chorro cae en el césped, este adquiere un tono verde oscuro y, si cae en los bordes del parterre, forma momentáneamente pequeños montículos que desaparecen enseguida. Unos y otros desprenden un agradable olor a tierra mojada.

—¿Me podré sentar con él allá abajo? —pregunta Melitta.

—¿Por qué no? Pero ahora vamos a arreglarte el pelo.

Y lleva a la pequeña a la habitación de la criada, agradable y espaciosa, contigua a la cocina —el jardín se ve también desde aquí—, la hace sentar ante un espejo, le pone un anticuado peinador sobre los hombros —que evidentemente, pertenece a la baronesa— y le suelta las trenzas, les dedica toda su atención:

—Tienes el pelo bonito, fuerte… Corto te sentaría muy bien.
—Al abuelo no le gusta.
—Otra vez el abuelo. Pero ¿qué dicen los demás hombres?
Melitta reflexiona:
—Creo que no conozco a ningún otro hombre.
—¿Qué? A ver, ¿cuántos años tienes?
—Diecinueve.
—Diecinueve, diecinueve… —Zerline le va desenredando el pelo con movimientos rápidos y expertos, propios de la doncella de servicio—. Diecinueve. Y ¿de veras no has tenido relaciones con ningún hombre?
Silencio. Melitta, que se contempla en el espejo, se da cuenta de su propia palidez. ¿Por qué preguntará la vieja estas cosas? Pero, inexorable e inflexible, continúa:
—Hay muchachas más espabiladas. Empiezan antes, mucho antes. De Zerline y su juventud no hablemos. Pero, con tu Andreas, con ese sí te acostarás, ¿no? Estamos terminando. Ahora quiero probar cómo te están los rizos en la frente. Pero, Dios, ¿qué pasa ahora?
Los ojos de Melitta estaban bañados en lágrimas. Esconde la cara entre las manos. Zerline, de pie tras ella, le besa los cabellos, le acaricia la cabeza y las mejillas.
—¿Tan malo es eso, pequeña? ¿Temes no poder? No, pequeña, a todos nos llega.
Los sollozos son cada vez más fuertes. Melitta se dobla completamente sobre el asiento, con la mano derecha le pide a la vieja que se calle. La anciana sonríe.
—Vamos, vamos, ya eres toda una mujer.
—Con el día tan hermoso que era. Ahora todo ha terminado. Ya no puede volver a ser hermoso.
Entonces Zerline habla en tono severo y, al hacerlo, parece que su encorvada figura se yergue:
—Será hermoso si tú quieres que lo sea. Actúa de forma que le resulte a él hermoso y también lo será para ti. Para eso has nacido, y para eso procrearás.

Algo quedó en el aire por decir, algo inexpresable, y aunque no lo manifestó se percibía la mayor fuerza de las palabras no pronunciadas: pensaba en lo inmediato, en la preparación inmediata para la vida y para la muerte en esta tierra, el bendito infinito de este mundo, impuesto a todas las mujeres. La gravedad y la entrega de nuestro mundo en todo lo que tiene de espantosamente inevitable, en su espantosa sencillez. Zerline pensaba todo eso y Melitta lo sentía al mismo tiempo que Zerline.

—¿Tendré niños?

—Sí. Los tendrás si todo va bien. Ahora te has estropeado el peinado.

La muchacha mira muy seria a la vieja por el espejo, pero luego le sonríe.

—Nadie puede entenderlo.

—¿El qué? ¿Tu peinado? ¿Tener niños?

—No, todo.

—Exacto. Nadie puede entenderlo. Si se duerme con muchos, malo; tener tratos con muy pocos también es malo, y no tenerlos con ninguno es peor todavía. Y por qué los niños son de uno y no de otro es tan absurdo e incomprensible que le haga a una enloquecer. A pesar de todo, hay que aceptarlo. Tú también tienes que aceptarlo. Y a pesar de todo hay que esforzarse en hacerles a ellos la vida agradable, para eso se es mujer.

—No quiero tener que pensar en ello —dice Melitta secando sus últimas lágrimas.

—Sí, actuar sin pensar es lo propio de ti. Así lo hacen todas. No piensan, actúan... ¡Eh, no te me estropees el peinado otra vez! Ahora bajas al jardín. Yo te llamaré cuando la señorita se haya esfumado. Me ayudarás entonces a preparar la cena.

Melitta baja, pero tiene miedo de pisar el jardín envuelto en sombras. Allí habría podido sentarse con él, las manos entrelazadas, pero la inmensidad de este deseo, sin la cual no habría sido un deseo, ha sido destruida por las duras exigencias de Zerline. Una nueva inmensidad, más dura, más noble e inexorable, de la que no se puede escapar, ha aparecido en su lugar. Lo impersonal sin límites de la vida humana. No entiende nada de todo ello, ni lo sabe expresar, pero presiente que el pequeño bolso ha perdido su primitivo valor, no sólo porque lo ocurrido es inevitable sino porque nunca más podrá volver a ocurrir. Todo el día había suspirado por ver a Andreas y, sin embargo, habría renunciado al deseo sin más, sin gran pena, como si fuera un juego no obligatorio, caso de haberse interpuesto algo, por ejemplo, el regreso del abuelo. El deseo ya no existía y por tanto tampoco existía la posibilidad de renunciar. El deseo que había llenado todo el día se había sumergido en una alegría ilimitada, jugueteando con la impaciencia; ahora la impaciencia está desprovista del anhelo, se vierte hacia la oscuridad, es una impaciencia casi sin meta, impaciencia en sí misma y sin embargo indomable. La indomabilidad del vacío. Y Melitta, que se habría sentado gustosa en los bancos del fondo del jardín, allá donde hubiera querido estar junto a él, sólo se atreve a sentarse en el banco de detrás de la casa. Contempla el nebuloso crepúsculo otoñal que despacio —¡ay, demasiado despacio!— se va disolviendo en la oscuridad de la noche. Todo lo que sabe, todo lo que sabe y piensa, es el conocimiento de su impaciencia, es el pensamiento de su vacua impaciencia. Finalmente —¡oh, por fin!—, la vacua espera es interrumpida. Se oyen pasos en la escalera que se encuentra detrás de ella. Tiene que ser la señorita. La vacía tensión interior de Melitta se relaja un poco, ya que esto significa que Zerline la llamará pronto.

Zerline baja también. Lleva unas tijeras de jardinero en la mano y refunfuña porque no había forma de sacar a la señorita de casa:

—Pero tú sales ganando. Arriba ya está todo a punto. Sólo tendrás que sentarte a comer. Al menos me habrías podido cortar unas flores entretanto.

Melitta se ofrece a hacerlo pero la otra no acepta. Se dirige a los parterres y, bajo la luz grisácea de la niebla crepuscular, se la ve inclinada, acompañada del ruido de las tijeras, de planta en planta, recogiendo flores. Regresa de buen humor con un ramillete en la mano:

—Vámonos.

En la cocina hay dos cubiertos preparados, tampoco falta el vino. Zerline trae con dificultad un gran jarrón de cristal, coloca en él las zinnias ordenadamente y lo pone junto al vino. Antes de sentarse, se sirve un vaso:

—¡Que vaya bien y mucha suerte, niña! —dice emocionada al tiempo que hace chocar su vaso con el de Melitta, y como las puntas del delantal han sido inventadas para eso, se seca los ojos en ellas.

Melitta, poco habituada al vino, olvida la melancolía de la hora anterior. Tras hacerse un poco de rogar, se decide incluso a comer, a pesar de que estaba convencida de que no volvería a probar bocado en toda su vida. Pronto ha de admitir, además, que incluso le gusta y que nunca había comido tan bien. Zerline, en pago de las alabanzas a sus virtudes culinarias, le da un sonoro beso:

—Un banquete de bodas sin novio es lo mejor que existe. Puedes beber otro vaso, ¿cuándo sino hoy?

Melitta ya no hace ningún remilgo. Le gusta beber y el deseo alegre, el deseo sin impaciencia, aparece de nuevo.

Hartas de comer y de hablar, siguen un rato sentadas en silencio hasta que Zerline, levantando los ojos hacia el reloj de la cocina, decide el próximo punto del programa:

—Es hora de lavarse, pero a ver si lo haces bien. ¿O te tendré que enseñar esto también?

Le indica dónde están el baño y el lavabo. No cabe duda, es algo absolutamente necesario. Cuando regresa a la cocina, oye una voz que proviene de otra habitación:

—Melitta, ven, por aquí.

Al acudir a la llamada, no ha de discurrir mucho para

comprender que Zerline está en la habitación de A. Melitta entra con miedo. Atraviesa la sala y en la alcoba encuentra a Zerline poniendo ropa limpia en la cama. El aposento está un poco oscuro, sólo iluminado por la lámpara de la mesilla de noche. Sobre la consola hay un jarrón de cristal con zinnias. Aunque todo sea normal hay algo que produce angustia, pero el rudo humor de Zerline acaba con dicha sensación ya que, antes de haber mirado bien, le reprocha:

—Sigues sin poder cerrar las puertas que dejas detrás de ti. No, esa no, la otra, la que da al pasillo.

¡Ah, sí! Lo había olvidado y, en verdad, no le gusta cerrarla, pero obedece. Mientras, Zerline ha terminado con la cama. Se acerca a Melitta con un ligero trotecillo.

—Desnúdate.

—¿Yo?

Zerline se ríe.

—¿Quién si no?

—Pero...

—No hay peros que valgan, debes desnudarte.

Como la muchacha no se decide, le desabrocha ella misma la blusa. Con ese gesto rompe el hielo. Melitta se sienta obediente en la silla que hay junto a la cama y empieza a desnudarse concienzudamente, como si fuera hora de acostarse. Cuando está a punto de quitarse la camisa tartamudea:

—No tengo camisón...

—¡Ea, sigue! ¿Por qué vas a necesitar hoy el camisón? Claro que, sin embargo, deberías ponerte uno... Quítate de una vez esta absurda camisa, yo te traeré un camisón.

Melitta ya está desnuda. Nunca en su vida había estado tan desnuda. Zerline la observa con aire de buen entendedor y la palpa con mano suave:

—Todo está muy bien. Son un poco blandos y pesados. Los míos, a tu edad, eran más duros, pero están bien así. Muchos hombres los prefieren, se vuelven locos por ellos, para ciertos hombres son como leche dulce.

Se da por satisfecha después del examen.

—Es increíble que algo así sea virgen todavía. Mírate al espejo, puedes estar satisfecha de ti misma.

Sí, Melitta está contenta, y es una satisfacción completamente nueva la que le produce su propia imagen en el espejo, de forma que no se cansa de mirarse y no querría dejar de hacerlo. Descubre de pronto cómo es el deseo carnal del hombre y qué es lo que busca. Y está contenta de ser deseable.

—¿Dónde está mi bolso? —pregunta de sopetón, asustada.

—Espera, te lo traeré, y también un camisón, uno bonito de la señorita.

Al volver trae no sólo el bolso y el camisón sino también una botella de agua de colonia con una corona a guisa de tapón. Lo destapa a fin de que Melitta perciba el perfume, y se deleita con el éxtasis de la muchacha, poco habituada a él.

—Francés, es un regalo que tu Andreas le hizo a la baronesa. Tienes derecho a él.

De pronto advierte que la muchacha lleva colgada del cuello una cadena con un medallón en el que se ve un esmalte con la fotografía del abuelo de barba blanca. Abre el cierre con una sonrisa:

—El abuelo no tiene por qué estar hoy contigo. No estaría bien.

Melitta no puede estar más de acuerdo. Desliza al abuelo en el bolso, lo contempla un segundo en la oscuridad y, con la expresión del que asiste a un entierro y se separa de una tumba recién abierta, aprieta el cierre sobre él. Todo se ha desarrollado con la maravillosa naturalidad que dicta la necesidad, y no obstante también con su dureza, pues la inmediata proximidad es cruel: tiende hacia la lejanía pero se queda en lo terreno; es el infinito de esta tierra, impuesto y encomendado a todas las mujeres, abarca en sí mismo la misión de la humanidad bajo la forma inexorable e inmediata de la consecución de los sexos, la misión ineludible hacia la humanidad. Y tanto Melitta como Zerline se han quedado muy serias.

Melitta no se atreve casi a mirar otra vez el espejo, entorna los ojos, los cierra incluso con fuerza cuando Zerline empieza a frotarla con agua de colonia. Eso le proporciona una sensación oscura y fresca de bienestar, nunca experimentada hasta entonces. No puede por menos de mirar el camisón que Zerline le pasa por la cabeza, y en verdad que no se cansa de mirarlo. Es infinitamente largo, infinitamente sedoso, muy escotado, los brazos y los hombros quedan al descubierto, unos finos encajes cubren el pecho.

—Una auténtica novia, y guapa —comenta Zerline.

La contempla en el espejo, al tiempo que lo hace ella misma. Pero pronto, demasiado pronto para Melitta, se cansa de mirarla y decide:

—Bien, ahora a la cama.

Ya acostada, Zerline la besa de nuevo, apaga la luz y sale de la habitación, dejando abiertas las puertas que dan a la sala de estar y cerrando cuidadosamente la que comunica la alcoba con la salita.

Melitta se encuentra en la cama. Una sensación mezclada de bienestar, cansancio y somnolencia la invade. La impaciencia ha desaparecido. En su lugar crece de nuevo el deseo, y la oscura habitación se convierte en un sueño. Quizá se llegó a dormir realmente, pero no sabe cuánto rato. La intemporalidad se rompe de pronto. Fuera —todavía muy lejana— se oye la voz de Zerline:

—Sí, un secreto, sí, señor A. Una verdadera sorpresa para usted. Entre, entre. Ah, ¿conque no cree a la vieja Zerline? Pase, entre de una vez, y no me haga demasiado ruido por la noche, ¿entendido?

A continuación —con un ligero resplandor en la salita— se abre la puerta y, ante la sorpresa de la propia Melitta, sus brazos se yerguen como independientes del cuerpo y se tienden hacia él, van hacia él, para darle una sorpresa, sí, una sorpresa. Los brazos adquieren una blancura crepuscular en la suave oscuridad. Es lo último que verán los ojos de Melitta esta noche. Enseguida llega el asombro del primer beso, del primer encuentro, que no termina nunca, pues la dulzura del encuentro aumenta y crece sin cesar. Tras un esfuerzo algo torpe y un ligero dolor, naturalmente lógico, llega la sorpresa atávica, la sorpresa eterna que —aunque no fuera la primera vez, como en este caso, sino que se hubiera convertido en un acto normal y cotidiano— está siempre rodeada del fulgor de la primera experiencia y puede constituir siempre una nueva sorpresa. Será perpetuamente una sorpresa: dos cuerpos humanos que se sumergen uno en otro, que se armonizan.

IX. UNA MADRE DE ADOPCIÓN

Era una casa de alquiler pero poseía un cuño aristocrático y los arrendamientos se hacían según la categoría social del inquilino. El jardín, por ejemplo, que se extendía detrás de la construcción en considerable profundidad y que, pese a no ser muy ancho, imitaba el estilo del parque, como todas las casas de la vecindad, era de uso casi exclusivo de los habitantes del piso principal, o sea, de la baronesa W. y su hija Hildegard. Los inquilinos del piso de arriba no tenían acceso a él, y los de la planta baja debían contentarse con el fragmento del jardín, casi un pequeño patio, que daba entrada al edificio.

Todos los años, o mejor dicho, cada otoño, acostumbraba Hildegard organizar un *tea party* en ese jardín para celebrar la llegada de los primeros fríos. Ese año siguió la costumbre.

El día anterior, en una escena muy violenta entre madre e hija, se decidió invitar a A. a la recepción. Hildegard consideraba al joven completamente inmoral. La baronesa, en cambio, sin oponerse radicalmente a tal opinión, creía que eso no era de su incumbencia. Hildegard se impacientaba:

—¡Uf, madre! Tus libertinajes son *vieux jeu*. Pertenecen por derecho al siglo dieciocho, y hace tiempo que lo hemos dejado atrás.

—Sea en el siglo dieciocho o en el veinte, la sociedad se rige por unas reglas y no por las opiniones particulares, y elimina de sí a aquellos que no las cumplen. Tú no estás en condiciones de poderle probar ninguna falta de este tipo.

—Aquí no tenemos por qué preocuparnos de eso. Somos jueces de nuestros propios asuntos.

—De ningún modo. Si ocultamos al señor A., correrá el rumor de que albergamos a una persona poco sociable y que por tanto sólo le tenemos aquí por afán de lucro y necesidad de dinero.

—Por desgracia así es.

—Quien es aceptado en mi casa, que yo sigo considerando como la de tu difunto padre, ha de ser una persona sociable.

La alusión al padre, a la intachable corrección del presidente de la Audiencia, era irrefutable y Hildegard no pudo negarse a invitar al huésped.

La fiesta, si es que puede llamarse tal, resultó favorecida por un maravilloso tiempo de septiembre. El sol de la tarde doraba el jardín, la opaca variedad de los ramajes, el verde cansado de sus arbustos, la suave palidez de las rosas tardías, resaltaba la tranquilidad del jardín al estilo Biedermeier y el sol mismo adquiría, en cierto modo, carácter Biedermeier. Los personajes allí reunidos, unas damas con trajes de vivos colores, otras con vestidos otoñales más o menos oscuros, los caballeros, casi todos de negro o según la moda ya pasada Cutaway, un joven comandante de la Reichswehr con su uniforme verde musgo; todos quedaban envueltos por un silencio luminoso, casi grávido, impresión que acrecentaba la estrechez de los caminos del jardín, que obligaba a las personas a una especie de inmovilidad pesada. En el pequeño cenador del fondo, a derecha e izquierda del banco arqueado y pintado de blanco tras el que se erguía la tapia cubierta de hiedra, habían colocado dos mesas de jardín que, cubiertas de damasco, servían de mostrador. En la mesa de la izquierda había un samovar de plata en el fuego y rodeado de un servicio de té muy completo, o sea, de azucareros, frasquitos de cristal con esencia de limón o con ron, bellas tazas de finísima porcelana antigua y pequeños jarroncitos con crema de leche. En la mesa de la derecha había platos apilados junto a unas bandejas de plata repletas de bocadillos. La vieja Zerline ejercía sus funciones en traje negro de camarera con una blanca cofia rematando sus cabellos grises y con guantes blancos que le cubrían las manos reumáticas. Servía con alegría a la elegante compañía y disfrutaba con el ambiente festivo, a pesar de su aversión hacia las faldas demasiado cortas de las damas y hacia los últimos encantos del verano bajo el sol aún radiante.

No obstante, la cálida rigidez tenía algo de inestable. Los contornos delimitados que la luz de la tarde confería a todo, acentuando su carácter Biedermeier, resultaban como marchitos, envejecidos. Tanto el jardín como los grupos de personas que en él se movían daban la impresión de algo muy viejo, casi retrovertidos a un falso fin de verano, inmersos en una falsa permanencia, en una rigidez, en suma, falsa, cuya belleza estática desaparecía si se contemplaba el conjunto con los ojos semientornados. Cierto, la unidad primitiva que la luz comunicaba a todo lo visible no cambiaba ni podía cambiar, pero antes, en un plano que podríamos llamar absolutamente externo, el movimiento se inmovilizaba, transformándose lo animal en vegetal, las flores en piedras. Ahora en cambio sucedía de pronto todo lo contrario: el mundo de contornos inmóviles, descompuesto, eso sí, en manchas de color, se trocaba en un mundo de movilidad y todas las cosas, la esencia de las cosas, fuera cual fuera su forma, piedras, flores, manchas de color, líneas, todo adquiría movimiento en ese nuevo mundo, adoptaba un carácter dinámico, como el espíritu humano, que es partícipe de la esencia de las cosas y huye del reposo pese a buscarlo sin cesar, cuya memoria no es nunca estática ya que conserva todo lo almacenado en constante tensión y evolución, fiel al recuerdo en la infidelidad creadora, pues la movilidad crea el contorno, las cosas —y el color es también una cosa— y crea, en definitiva, el color, el mundo. El movimiento se transforma en tensión, la tensión en línea, la línea en movimiento. En resumen, el movimiento se convierte en nuevo movimiento. Y esto es lo que A. percibió de súbito: la inviolabilidad de la metamorfosis del movimiento, lo que carece de espacio inmerso en el espacio, y el espacio envuelto por lo que carece de espacio. A. vio esto sin verlo, y algo en él se preguntaba, sin que él mismo fuera capaz de formular tal pregunta: ¿supone todo esto realmente una unidad profunda del ser? ¿No habría que sobrepasar para ello los límites de lo visible?

Tales pensamientos cruzaban por la mente de A. o, mejor dicho, pasaban como una ráfaga ante sus ojos, clavados en el espacio y descomponiéndolo, pensamientos fugaces como el mismo tiempo. ¿Dónde estaba? Y como si el tiempo le pudiera contestar, consultó su reloj de pulsera, que señalaba las 17.11. Era necesario, por tanto, volver a las obligaciones que su caso requería. En calidad de huésped le incumbía más o menos el papel de hijo de la casa. Pasó de grupo en grupo estableciendo contactos, ofreció bocadillos y té, se preocupó de las sillas —no había suficientes— a fin de que las damas se pudieran sentar inmóviles como flores. Y mientras llegaban a su oído fragmentos de las diferentes conversaciones, semejantes al zumbido de los insectos:

—Sin modales no se puede gobernar —decía una de las señoras de edad que estaban sentadas junto a la baronesa en el banco circular, bajo la soleada tapia cubierta de hiedra.

—... y la corte de Berlín, hoy ya se puede decir, había perdido casi toda su respetabilidad...

—Aquel hombre de allá, ¿qué es? —preguntó un civil señalando discretamente al joven comandante de la Reichswehr—. ¿Cartero?

El otro se echó a reír:

—Alegrémonos de que existan aún oficiales, y precisamente de que tengamos uno aquí. Sobre todo si se piensa que...

—... necesitamos a alguien que se haga cargo de toda esa barahúnda gubernamental, a fin de que nosotros...

—Claro que se gana, y mucho, si uno tiene en cuenta los valores reales, pero puedo decirle que me siento, por mi parte, terriblemente inquieto...

—Se nos echa en cara un afán de agresión —decía el joven comandante de la Reichswehr—, nos lo echan en cara porque el Estado Mayor Imperial ha reconocido, y muy sabiamente, que, con todos los preparativos de guerra de Europa, nosotros, los más afectados, sólo tenemos posibilidad de sobrevivir si nos aseguramos la ventaja con un ataque fulminante. Es un riesgo temerario, pero que en definitiva tendremos que correr...

—Y ¿dónde encuentra el hombre en el mundo actual estabilidad y seguridad?

—... se enamoró de ella cuando estaba en Wiesbaden con las tropas inglesas de ocupación y ahora viven juntos en Birmingham.

Hildegard asintió con un gesto a lo que le contaba su interlocutora, al tiempo que admiraba sus medias de seda de primerísima calidad, que la falda descubría justo bajo las rodillas:

—Claro que muchas consideran el matrimonio la gran solución, sin embargo...

—... en los tiempos del viejo gran duque, no, no del anterior a este, sino de su predecesor, el país era feliz y estaba satisfecho, y no había nadie que no tuviera su ir pasando.

—... Pola Negri...

—... no puedo continuar escuchando ni leyendo todo ese chismorreo político, no se saca nada en claro...

—... ¿que se le puede exigir a esta juventud, predicador distinguido de la corte? Tras todos estos años de escasez, en que no teníamos leche, carne ni azúcar, podemos ofrecerles, en el mejor de los casos, unos malos dineros y pésimas carreras. Pero en general no les podemos dar ni carrera ni dinero.

—... y yo creo que nuestra Iglesia y nuestro amado Señor Jesucristo exigen que seamos nosotros los que pongamos orden en todo eso...

—... cuanta más corrección hay en una sociedad, tanto

mejor puede uno hacerse comprender guardando silencio. En nuestros días todo se consigue a base de gritos...

—... francos suizos en pesos...

Tales frases y muchas más llegaban al oído de A., en sus idas y venidas, como un zumbido de insectos. A lo sumo eran en ocasiones meros incisos, pero los percibía, y cada palabra, cada interpelación, adquiría para él contornos delimitados y se grababa de manera casi estática en su memoria. La memoria reconocía el sentido de cada palabra, de cada frase, dentro de su propio movimiento y tensión. Su sentido, sin embargo, se disolvía en un segundo movimiento más amplio, en una unidad que incluía de nuevo cada significación aislada. A A. le pareció como si este zumbido unitario fuera una orden común en la manifestación, al parecer independiente, de cada una de las voces como si el hormiguero de voces perteneciera a una gran organización colectiva que impusiera a cada una de sus células, pese a sus movimientos independientes, unas reglas secretas, invisibles e incomprensibles; como si este hormiguero de voces, pese al sentido que parecían tener aisladamente, no se comprendieran a sí mismas ni unas a otras, aun anunciando el mismo secreto elemento latente en ellas. El sentido se transformaba en movimiento, el movimiento en sentido. Resumiendo, el sentido se volvía nuevo sentido, lo indecible, encerrado en el lenguaje y el lenguaje, a su vez, encerrado en lo indecible. Como si la ola del ahora quedase cortada por una lejana e infinita ola del tiempo, igualmente quedaba el sentido de la expresión aislada en el sentido general, como si las olas del tiempo fueran innumerables y se precipitaran unas en otras, inexplicables dentro del coro de insectos de las voces humanas y de cuanto decían, y A. percibió la inviolabilidad de la metamorfosis del movimiento: lo intemporal en el tiempo, el tiempo en la intemporalidad. ¿Corría realmente el año 1923? ¿Era realmente septiembre?

El tiempo se cobija en el espacio y también en la falta de espacio. El espacio se cobija en el tiempo y en lo intemporal.

El tiempo y el espacio, tanto si existen como si no, se fusionan uno en otro. Todo lo que acontece, que tiene lugar en el ser —y el ser es sólo ser si acontece—, todo movimiento, todo discurso hablado, toda melodía, llevan en sí la fusión y son llevados por ella. Mas en la multiplicidad irreductible del movimiento, en ese verdadero coro musical de tensiones y líneas, tanto existentes como imaginarias, ya oídas ya reales, esa fusión se prolonga hasta lo que en realidad es: multidimensionalidad, y en el coro armónico del ser el ojo percibe lo pluridimensional en lo tridimensional, la realidad tras la realidad, la segunda realidad invisible —no la última ni con mucho— que constituye una parte del hombre en la cual él vive, independientemente de su aquí y ahora.

Poco importa el aspecto de las personas en este jardín, poco importa cómo estuvieran vestidas, poco importa si iban de oscuro o no, poco importa el modo de ser que ocultaran bajo sus trajes, poco importa que fueran jóvenes o viejas, poco importa su sexo, poco importan los rasgos de sus caras, todas estas personas se encontraban en un estado de desnudez más profundo y más real. Interior y exteriormente no eran sino partículas y gotas de la gran onda pluridimensional que las atravesaba y las elevaba, arrastradas, de modo indiferenciado, hacia lo dinámico de dimensiones infinitamente múltiples, sin tener en cuenta su carácter de cosa, de flor, de animal o de paisaje —y lo mismo les ocurría a las cosas, a las flores y al paisaje— eran arrastradas allá donde el Ser se refleja en el no-Ser, a la vez adquiriendo con ello nueva pujanza de ser, mundo de infinitamente múltiples dimensiones.

Una voz interior le decía a A.: «Todavía no, pero sí». Sentía la desmembración del mundo en lo pluridimensional y sentía sobre todo que tal hecho afectaba a su propio ser. Pero la escena no tenía nada de anormal o espectral. Antes bien, las personas —algo sorprendente— permanecían invariables en su carne y en su sangre, y su propio sentimiento de la vida no sufría cambio ni perjuicio inmediato. En consecuencia, uno no parecía estar obligado a darse cuenta de esos fenómenos, si bien la naturalidad sin nada de espectral con que se presentaban contenía en sí algo alucinante. Lo natural en lo espectral; ¿no se parecía al elemento alucinante de las grandes obras de arte de vejez, que aparecen tras una prolongada vida de artista y nos revelan la pluridimensionalidad del Ser? O quizá era espectral y, sin embargo, natural: ¿no evidenciaba simplemente la incapacidad de representarnos la muerte que crece en nosotros de forma espectral y, no obstante, natural? Por tanto: ¿no es la pluridimensionalidad sencillamente el fruto de la muerte, fruto este, por otra parte, el más noble, porque es la hazaña del que envejece y ha conseguido, vuelto hacia la muerte, el aura del saber mediante la aceptación paciente del Ser?

A. rechazó la idea antes incluso de haberla pensado. Sin embargo, le quedó notablemente reforzado un respeto aún mayor hacia la vejez. Llevado por este respeto, se acercó con delicadeza al banco circular del fondo del jardín procurando pasar inadvertido. Con la dulzura de un hijo, y no únicamente por cumplir un poco el papel de hijo de la casa, le susurró a la baronesa que le hiciera una señal caso de sentirse cansada y desear retirarse.

—Oh, sí, mi querido A., creo que es el momento.

Con una disculpa, se despidió discretamente de sus dos vecinas. Se apoyó en su bastón y en el brazo de A. y, simulando un paseo, se abrió paso por entre la muchedumbre. Se detenía aquí y allá, señalaba con el bastón una flor, se dirigía con una palabra chistosa a aquellos que le cedían el paso respetuosamente en los caminos estrechos, y así, paso a paso, llegaron —eran casi las seis— hasta donde la casa cubría ya rápidamente de sombras el jardín. Atravesaron la ancha puerta de cristales, cuyos batientes estaban completamente abiertos con motivo de la fiesta, y alcanzaron el fresco zaguán y la escalera, que tanto A. como la baronesa temían en secreto pero que se dejó dominar al fin tras algún esfuerzo.

—Realmente —dijo ella arriba, esforzándose por recuperar el aliento—, esta es la hazaña de los que envejecen. Algo así se convierte para mí en la ascensión a una montaña, y me siento tan orgullosa como si hubiera escalado el Matterhorn.

A. sonrió cortés:

—El Matterhorn aún no, baronesa, pero es un buen ensayo. Y tal vez consiga el hombre algún día crear un mundo sin espacio ni tiempo, o sea, sin dificultades.

La baronesa levantó el bastón y la mano a guisa de juramento:

—¡No me diga esas cosas! Prefiero tener que subir la escalera sin aliento y con palpitaciones.

Entraron en el salón, iluminado por el sol de la tarde e inundado también por su calor, ya que a causa de la fiesta habían olvidado echar las cortinas, como hacían todas las tardes, tanto las del balcón —cuya puerta se apresuró A. a abrir— como las de las ventanas. A la derecha estaba el sillón en el que habitualmente se sentaba la baronesa. Se dejó caer en él con un ligero suspiro:

—El cansancio es un indicador que no falla... por él nos damos cuenta exactamente de cómo se cierra el círculo de nuestra vida.

—Puede que disminuya, pero en cambio la intensidad aumenta.

La anciana reflexionó:

—Yo no lo llamaría intensidad, es otra cosa. Lo más insignificante adquiere para nosotros un carácter tan indescriptible, archiestratificado y secreto, que todo lo que se considera grande e importante carece a veces de importancia.

—Lo sé —contestó A., que desde aquella tarde sabía bastante sobre ello.

Era curioso que a él le viniera a la memoria el hermoso rostro rectilíneo de Hildegard. ¿Cuántos estratos se ocultaban tras él? A veces, muy raras veces, su rostro se iluminaba con una sonrisa en la que brillaba la luz del deseo, y descubría la hilera perfecta de sus dientes. Pero aun así era estático, impenetrable, con la rigidez propia del cristal. La baronesa prosiguió:

—Por eso para los que nos hacemos viejos, y para los viejos, resultan tan aburridos los supuestos contenidos fundamentales de la vida. Han perdido para nosotros el atractivo de lo secreto. Por el contrario, todo lo que es forma sí nos resulta secreto y atrae más y más nuestro interés. La forma es la aventura de los viejos, aunque a veces se trate para muchos de simples formas sociales...

—En efecto —corroboró A.—, un artista, a medida que envejece, suele ceñirse cada vez más a la forma.

—En el juego con el secreto de la forma nosotros los viejos nos parecemos a los niños, somos juguetones, traviesos e inmorales como ellos. En el imperio de las formas, incluso en el de las formas sociales, no existe la moral, todo lo más existen reglas que se asemejan a la moral. Que uno mate o no, eso no importa, lo que tiene importancia es el modo en que lo haga, y lo que se castiga son los errores... El niño todavía no ha ido más allá de la forma, nosotros, en cambio, los que hemos dejado a nuestra espalda el imperio del contenido, volvemos a la forma. Si no fuéramos tan juguetones y, en realidad, estuviéramos tan poco interesados por todo, no seríamos dignos de confianza ni se podría contar con nosotros, seríamos auténticos criminales, de los peores. —Se rió un poco—. Desde luego esto no se lo habría podido contar a mi excelente esposo, en aquel entonces era yo bastante tonta y aún no sabía... Pero ¿por qué no se sienta usted?

A. cogió la silla más cercana a la estufa y se sentó junto a la baronesa:

—Nadie es viejo, baronesa... En los pocos años que se le conceden al hombre el alma, el Yo, no tiene tiempo de cambiar.

—Depende de cómo se enfoque, querido A. Es cuestión de matices. La juventud posee todos los elementos para ser moral y por sus instintos, por la inevitable dependencia que la ata a los asuntos de la vida, se aparta de esa moral, mientras que nosotros los viejos, que hemos llegado finalmente a la amoralidad, no sentimos precisamente por ello ningún interés por aquella, no sólo porque somos débiles sino porque nuestro interés se centra en la forma y no en el contenido. Lo que resta son sólo matices de la moral y se es bueno o malo según se consideren estos matices. Y —sonrió de nuevo— tal vez no vemos los matices debido a nuestra idiotez.

—Así pues, usted, baronesa, cree que unos son inmorales porque sus conciencias son malas, y que los otros son morales pero con idénticas conciencias.

—Hmm, hmm, sí, más o menos.

—Es posible, baronesa. Pero ¿qué se puede hacer? Yo, por ejemplo, no sabría decir si soy inmoral con buena conciencia o moral con mala conciencia.

Ella le miró con atención:

—La joven generación de ahora realmente no lo sabe. Parece que haya nacido con los síntomas morales de la vejez.

—En efecto. Formalistas, inseguros en nuestro fondo y de poco fiar. Eso somos exactamente.

—Hildegard le tiene por un hombre inmoral.

A. dijo con acento dudoso:

—¿Es una censura o una alabanza?

—Probablemente ambas cosas. Y usted ¿qué me dice? Cuente, cuente. En ese caso, excepcionalmente, sí estoy interesada en el contenido.

—No merezco ni reproches ni alabanzas.

—No se desvíe, mi querido A. Donde hay humo es que hay fuego. ¿Cómo ha provocado usted la indignación de mi hija?

Naturalmente se trataba de Melitta, esa dulce muchacha que era su amante desde hacía dos días y que, de forma totalmente inmoral, había pasado las dos noches en la casa. Había ocurrido debido a la colaboración de la alcahueta Zerline, que se divertía con ello, no sólo por el hecho en sí sino porque Melitta, una insignificante lavandera, estaba socialmente muy lejos de A., y Zerline la consideraba su igual. Seguro que Hildegard lo había olfateado. Lo más probable era que, en su desconfianza, fría e inquisidora, hubiera escuchado detrás de su puerta. O tal vez se lo habría sonsacado a Zerline, en cuya discreción no se podía confiar, sobre todo si traicionándose podía irritar a alguien, y con más razón a su señorita. Como es lógico, no se le podía contar todo eso a la anciana. Era necesario centrar su atención en otro tema, aun a costa de una pequeña conmoción:

—Baronesa, se trata de una indignación telepática por parte de Hildegard.

—¿Qué significa esto? ¿Que ella ha diagnosticado su inmoralidad por telepatía? Me temo que se sale usted otra vez por la tangente.

—De hecho es un diagnóstico telepático, pues hasta ahora no he revelado aquí a nadie mis proyectos inmorales.

—Y ¿cuáles son?

—No podré evitar el tener que dejar su casa, que me ha llegado a ser tan querida, en el próximo octubre.

—¡No!

La baronesa estaba realmente horrorizada, las manos le temblaban.

—Así es, baronesa. He alquilado el viejo pabellón de caza del bosque, incluso con derecho a compra, pues pienso instalarme allí por largo tiempo.

—Pero eso es terrible, sí, terrible. Y por si fuera poco el viejo pabellón de caza.

—Dios mío, no es tan terrible, baronesa. Al contrario, en cuanto esté instalado allá espero recibirla a usted como invitada de honor.

La baronesa apenas se podía controlar:

—Yo nunca estuve allí. Además hace mucho tiempo... No, no, nunca estuve allí. Además tendremos que buscar otro inquilino... Hace años... yo conocí a alguien que vivió allí.

—No debe preocuparle alquilar el apartamento, baronesa.

Si usted me lo permite, lo conservaré como residencia de paso para mis visitas a la ciudad.

—Oh, eso está muy bien.

—Y a la inversa, usted tendrá su residencia de paso en el bosque, en mi casa. Piense en los muchos años que ha estado usted constreñida a la ciudad y a esta casa.

—Sí, pero... —la baronesa intentaba centrarse un poco—, el pabellón de caza. Ni Hildegard ni Zerline me dejarían ir allá. Siempre temen que me perjudique la salud, y en definitiva no carecen de fundamento. A mi edad no son convenientes los cambios, nada pues de aventuras. Ellas tienen razón al tratarme como a una prisionera.

Hizo un gesto como de mendiga. Una mendiga junto a la puerta de una cárcel, pensó A.

—Yo quiero devolverle la libertad. Incluso nos llevaremos a sus dos guardianas.

—Tras decenios de cautividad, no se sabe qué hacer con la libertad. No se quiere ni se pueden emprender aventuras. El pabellón de caza sería una aventura, pero no otra... Por desgracia he adquirido sabiduría, la sabiduría de la cautividad.

Oscurecía por momentos. Abajo en el vestíbulo resonaban pasos y se oía un suave murmullo de voces bajo el balcón.

—Sus invitados empiezan a marcharse, baronesa.

—En efecto ya es hora. También es hora de cenar. Espero que Zerline venga pronto.

La conmoción, como es frecuente entre gente de edad, había sido superada con el pensamiento de la comida. A. se tranquilizó.

—Ayudaré a ordenarlo todo, a fin de ir más aprisa. Hay que entrar las cosas antes de que oscurezca.

—Eso es —aprobó la baronesa con fervor—, y mucho cuidado al recoger las tazas, son muy valiosas.

A. bajó rápido al jardín. Las dos carceleras estaban en pleno trabajo, y Zerline, como la cosa más natural del mundo, le señaló con la barbilla una bandeja llena de cristalería y porcelana:

—Ya puede llevarse eso, pero ¡mucho cuidado!

A. hizo lo que se le ordenaba y repitió varias veces la misma operación. Cuando lo hubieron subido todo, había desaparecido la suave claridad del atardecer, sustituida por la luz primitiva, y más dura, de las estrellas. A., de pie junto a la puerta de la cocina, propuso buscar con su linterna lo que hubiera quedado.

—No es necesario —decidió Zerline—. Primero lo contaré, y si falta algo ya lo encontraré mañana por la mañana. Nadie lo va a robar por la noche.

Pero A. no quería dejar de serles útil. Señaló las dos vitrinas.

—¿Se va a meter todo allí?

Ella le miró con reprobación.

—¿Así, sin lavar? Además, ahora no me puedo ocupar de esto. Primero he de preparar la cena, o la baronesa se impacientará. ¿Se va usted?

En efecto, iba a salir. Ella bajó la voz:

—¿Con Melitta?

Negó con la cabeza.

—¿Por qué? ¿Están ya cansados uno del otro?

La pregunta le resultó desagradable, pero contestó la verdad:

—Le ha entrado de pronto el temor de que llegue hoy su abuelo. Si pasado mañana no ha vuelto, es probable que no regrese hasta octubre. Pero ella no quiere ausentarse de la casa estos días.

—O sea, que durante dos noches... nada. Al principio todas tienen miedo, las jóvenes son así. Claro que ella es valiente.

—Además, aquí no podemos seguir. Pasado mañana iremos a cenar fuera y pensaremos cómo se puede solucionar.

—Está bien, así ella podrá descansar mientras. Hoy se ha marchado a las cinco.

—Es usted capaz de exasperar a cualquiera, Zerline. No para hasta haberse enterado de todo.

mida sencilla. Atravesó la calzada y el parque y se encaminó, pues, a dicho local. Cuando estuvo al otro lado de la calle, bajo el aliento del parque y del húmedo verdor de septiembre, se apoderó de él otra vez la incapacidad de imaginarse la pluridimensionalidad del Ser, tanto del Ser interno como del externo: lo que le había invadido por la tarde, a causa del excesivo número de personas y de la multiplicidad de figuras humanas que había visto y oído, le invadió ahora más profundamente. No era del todo consciente de ello, debido al vacío del triángulo de piedra, o sea la plaza ya para él familiar, la cual a pesar de o tal vez a causa de hallarse desierta y en reposo se había despojado de espacio y convertido en tensión y devenir. Empezaba de nuevo el proceso de la metamorfosis, el proceso de la desnudez, el proceso de la confluencia y divergencia de todas las partículas del cosmos, el proceso del no-Ser en el que el Ser se transforma en conocimiento y reaparece una y otra vez, el proceso del punto medio y su proyección.

El quiosco central, situado en el punto donde se cruzaban oblicuos los dos senderos principales del parque en forma de S, ¿no tenía la apariencia de una tumba? ¿No señalaba, con las tres esferas iluminadas del reloj, el eterno emplazamiento de la muerte? ¿Por qué los relojes? ¿Por qué la puntualidad del poder técnico tridimensional? El hombre antiguo no necesitaba relojes y el oriental, de no estar amenazado por Occidente, no los habría necesitado nunca, porque se ha adaptado a la pluridimensionalidad del Ser y de la muerte. Sólo Occidente —quizá a causa de su entrega a la muerte— no ha sabido adaptarse: esconde la muerte dentro del ruido. Por una parte, en el ruido de las frases que enturbian el espíritu y exigen la renuncia a la vida en favor de la tridimensionalidad, de la patria y de semejantes cosas terrenas. Por otra parte, en el ruido autoritario e intransigente de la técnica, que le engaña haciéndole creer que ni la falta de dimensión ni la pluridimensionalidad detendrán la puntualidad del tiempo y la estabilidad del espacio. Claro que ni las frases que exaltan la muerte ni la técnica que la desprecia —¡y cuán íntimamente unidas están!— pueden llevar a cabo sus propósitos, porque ambas están minadas por la cobardía, son ciegas al infinito y se hallan sometidas a la muerte. Por esa razón el hombre occidental ha de consultar continuamente su reloj, asegurándose de que no ha perdido el tiempo ni, con este, la tridimensionalidad. Mide el tiempo que lo conduce a la tumba.

Mientras se iba acercando al quiosco central coronado por el reloj, le parecía a A. que aquel le indicaba el camino que llevaba al centro de sí mismo, el camino hacia el modesto silencio, abierto al infinito, del Yo más íntimo, hacia la honestidad del conocimiento más profundo, acompañado del dulce ánimo que le caracteriza y que es capaz de dominar lo irrepresentable. Ya no es representable el Yo que muere y abandona un mundo inmutable, es irrepresentable el no-Ser como tal, el total no-Ser, que abarca también lo representado, el Ser de la no-dimensionalidad en la cual se funde en definitiva la infinita pluralidad de las dimensiones. Quien alcanza tal límite extremo de lo representable consigue, en este solo y único instante, llegar al no-Ser y superar la muerte. Tal es la superación de la muerte del agonizante, a quien por una parte se le concede la gracia de haber vivido plenamente consciente y por otra la de morir plenamente consciente. Tal vez sea también así la superación de la muerte por parte de la obra artística, pues el artista se asemeja a un agonizante. Incluso pudiera ser la del arquitecto que creó esta plaza de la estación, guiado por la tensión de las múltiples e infinitas dimensiones, cuya acción creadora y destructora era visible alrededor.

Desde las casas de la ciudad, en el vértice del triángulo, hasta la estación en la base del mismo, desde los anuncios luminosos, que brillaban por encima de las edificaciones, hasta el runruneo técnico de la estación, se extendía el vacío de la plaza, sumergido en la medida, tendido hacia el infinito. A. era un hombre débil y no pudo seguir soportándolo. Consultó su reloj, eran casi las ocho. Con el estómago hambriento

—los bocadillos del té no habían sido abundantes—, se encaminó al restaurante de la estación.

El salón principal del restaurante era una sala inmensa, de techo excesivamente alto que, con sus trofeos de caza y adornos de madera, pretendía imitar una sala real germánica. El ruido era casi ensordecedor, pero no el del espíritu, ni siquiera el de la técnica —representado en este caso, ocasionalmente, por los trenes que anunciaban los altavoces—, sino el ruido producido por masas que engullen alimentos. Había, por supuesto, un «Comedor de primera clase» mucho más tranquilo, con mesas cubiertas de manteles blancos, pero no era bastante fino para los comerciantes de la ciudad. Era, en cambio, demasiado elegante para los campesinos que constituían, junto con los primeros, la única clientela con dinero. El comedor se había convertido en una reminiscencia de museo, recuerdo de una época en que la jerarquía estaba más definida, un concepto de los buenos viejos tiempos que nadie deseaba resucitar ni revivir (excepto algunos sectores empobrecidos de la población pertenecientes a la aristocracia o a la clase media). Los nuevos tiempos se ponían de manifiesto, de modo significativo, en la real sala germánica, que parecía sin duda hacer justicia a su propósito arquitectónico, pues constituía el marco de constantes orgías campestres, no sólo por la especialidad del estofado a la vinagreta con patatas y pepinillos, que había dado fama a la casa, sino sobre todo por la cerveza negra, fuerte y de solera, que servían.

A. se sintió atraído por ese arte culinario y por dichas celebraciones plebeyas. Se sentó, codo con codo, junto a agrónomos de rudo lenguaje, a una mesa de tosca y brillante madera por la que pasaban un trapo húmedo en cuanto se levantaba un cliente. Estaba sentado allí igual que lo haría un forastero, venido de la ciudad para asistir a la fiesta mayor del pueblo. Una fiesta seria, desde luego, ya que en una auténtica fiesta mayor se habla de precios y envíos, y tiene el elemento festivo que aquí faltaba, el tumulto de las barracas de feria. Faltaba, en resumen, la magia de lo extraordinario. Faltaba también la vecindad de la iglesia, la vecindad de los establos con el ganado, la vecindad de los graneros con los frutos almacenados, la vecindad del siguiente día de labor con el trabajo correspondiente. Todo esto carecía aquí de valor, permanecía alejado en un punto difícil de imaginar, al igual que su primitivismo. En su lugar reinaba una atmósfera rústica y opaca de casa de Bolsa: en todas partes se efectuaban ventas y compras y a cada momento aparecían carteras llenas de billetes de banco con los cuales, casi sin contarlos, se pagaba algo no-existente.

A. descubrió de pronto que no era sólo el estofado a la vinagreta lo que le había atraído hasta allí; el recuerdo de Melitta era lo que estaba en juego. Algo extraño pasaba en su memoria desde ayer. Tanto ayer como hoy, en cuanto la muchacha le había dejado de mañana —demasiado temprano, eso sí—, se le había borrado su imagen de la memoria. Sabía cómo era ella, desaparecida en el fondo de su recuerdo. No había olvidado el desconcierto de la primera noche ni la dulzura de la segunda, ni el encanto y enamoramiento surgidos por la encantadora sorpresa de lo inesperado, pero la imagen era borrosa. Por una parte, debido a que es difícil recordar con claridad a la persona que se ha conocido en esas circunstancias, por otra parte —y esto abarcaba mucho más— debido a que faltaba el deseo nostálgico, el anhelo por un Yo, extraño a la propia persona, cuya maravillosa misión —aceptada desde luego con humildad— consistía en revelarse ante sí mismo. La ausencia de anhelo nostálgico hizo que A. desconfiara de su propio ser. La aparición de Melitta le había convertido en cómplice de Zerline y se rebelaba contra ello. Bajo sus acosadoras preguntas, en que le pedía cuentas, la imagen de Melitta se iba apagando, reducida a una sombra casi imposible de recordar. Era como si en cierto modo quisiera hacer pagar a la muchacha la degradación que, justa o injustamente, experimentaba siendo compinche de Zerline, como si, en ese acentuado sentimiento de degradación, no quisiera acordarse —al menos durante el día— de ese amor tan simple en la elegante casa de la baronesa y de Hildegard, y tomara como pretexto la distinguida reunión del té para legitimar sus deseos de olvido, fundiendo su ser interno y externo, básicamente, en lo no-dimensional y en la pluridimensionalidad, a fin de que al hacerlo desapareciera todo recuerdo. ¿No era, pues, necesario y natural buscar un ambiente plebeyo, cuya tridimensionalidad y trascendencia terrena le ayudara a encontrar el recuerdo perdido? Ahora se daba cuenta de que las indiscretas preguntas de Zerline le habían hecho adoptar tal decisión y concebir esta esperanza.

Se había equivocado en sus elucubraciones. Cierto que la sala germánica se expandía en tres dimensiones. Tampoco se podía dudar de la tridimensionalidad de las figuras campesinas, tanto los muy delgados como, con más razón, los barrigudos; las esferas de cabezas y vientres, los prismas de los cuerpos, los cubos de las posaderas y los cilindros de los brazos rellenaban la sala, construida alrededor de conos de luz. Pero de esas figuras tridimensionales, precisamente porque sus tres dimensiones eran tan reconocibles, surgía la pluridimensionalidad, y todos los que se sentaban allá, con sus tragonerías, regateos y gritos, eran transportados a una tensión que llegaba hasta el universo: eran cuerpos de campesinos ligados a la tierra, seguirían siendo cuerpos de campesinos y sin embargo no lo eran, no podrían volver a serlo nunca aunque regresaran a la naturaleza que les era propia, despojándose de su innaturalidad actual sin Dios, aunque volvieran a su trabajo inclinado sobre la tierra, atado a la tierra, con sus arados y rastrillos, aunque volvieran a sus ocupaciones en el establo y a la celebración del descanso dominical, agradable a Dios.

El observador se ha transformado y ya no puede verles como fueron en otro tiempo, y ellos mismos se han transformado y no pueden sentirse como eran antes. Una cosa depende de la otra, y, el que quiera recordar, tendrá que encontrar otra clase de recuerdo, también transformado. La huida a ese rincón no le había servido de nada a A. Ahí no podía encontrar a Melitta.

El recuerdo de Hildegard, en cambio, permanecía intacto, a pesar de que desde luego no encajaba con el estofado a la vinagreta, las patatas ni el ambiente plebeyo reinante. ¿Acaso se trataba de una nueva clase de recuerdo dentro de la pluridimensionalidad?

Hildegard se identificaba con el jardín trasero de la casa, con la plaza de la estación, pero era inimaginable como compañera amorosa. Nunca había sido su amante ni podría serlo jamás; sólo al pensar en ello se estremeció de temor. Era, por tanto, absurdo poder acordarse de ella y no de Melitta; sí, sencillamente absurdo. De pronto lo supo, lo sabe: al hombre en quien las dimensiones del Ser se disuelven no le será permitido acostarse con una mujer. ¿Es este el futuro estado de la humanidad, o sea, su fin? ¿Su muerte por el conocimiento? ¿Radica en esto el doble comportamiento del hombre, sólo del hombre occidental, claro está, y sobre todo el doble comportamiento del hombre alemán frente al conocimiento que le significa a la vez un triunfo sobre la vida y la muerte, tentación y miedo? ¿Radica en esto la maldad de Occidente? El hombre se tendrá que salvar, de una u otra forma. No se dejará robar tan fácilmente sus aventuras amorosas y las adaptará al nuevo conocimiento, igual que tendrá que adaptar su memoria. Sólo es un dilema para el instante actual del mundo, el peligro de la disolución del Ser. Una fuga con Melitta sería lo más indicado. ¿Huida? ¿Adónde? ¿A África? ¿Huir de la disolución del Ser?

A. vacía la jarra de loza lentamente. Esta evasión no tiene éxito. Melitta permanece en la sombra del recuerdo, mientras que Hildegard aparece clara en su memoria sin ningún esfuerzo. Y, como confirmándolo, aparece Hildegard en persona en medio de la plebeya humareda. A. no se sorprende en absoluto.

Se dirigió a pasos rápidos hacia el comedor de primera

clase y, al hallarlo vacío, paseó su mirada inquisidora por la sala germánica. A. se levantó para que ella pudiera verle. Lo descubrió enseguida. Con un movimiento algo anguloso, pero con andar ligero, se encaminó hacia él:

—Aquí hay demasiado ruido. Pague y vámonos a la sala de espera.

Sentados ya en las sillas de cuero negro de la sala de espera, dijo:

—Desde el balcón le he visto dirigirse hacia la estación. No se necesitaba mucha imaginación para encontrarle aquí. Quiero hablar con usted sin escuchas.

A. estaba convencido de que le reprocharía las dos visitas nocturnas de Melitta, y se previno de antemano contra ello. Pero Hildegard dijo simplemente:

—¿De modo que ha adquirido usted el viejo pabellón de caza?

No podía sino confirmárselo.

—¿Ha invitado usted realmente a mi madre?

También hubo de limitarse a confirmarlo.

—¿Y por qué no me lo hizo saber a mí antes?

—Hasta esta mañana no he hecho el contrato definitivo.

—Y le ha faltado tiempo para correr con la noticia a mi madre. Lo considero una auténtica falta de tacto. Se ha excitado enormemente y usted tenía la obligación de evitarlo.

—La baronesa pareció afectarse mucho ante mis proyectos de marcha, y mi invitación la calmó.

—Una persona de edad puede alterarse por diferentes motivos, e incluso puede resultar peligroso, en determinadas circunstancias, conmocionarla con tan poco tacto. Aunque usted ha vivido lo suficiente en nuestra casa para aprender ciertas cosas, por ejemplo que nuestra buena Zerline carece de discreción, no sabe qué puede resultarle perjudicial a mi madre. Nadie de fuera puede saberlo, y por tal razón mantengo a mi madre apartada de las influencias externas en la medida de lo posible. Usted me ha quitado todo movimiento, casi estoy por afirmar que ha obrado voluntariamente a mis espaldas, y ha intervenido de manera irresponsable en la vida de mi madre. E incluso, aun cuando no haya obrado usted por otros motivos, debería al menos haber reflexionado y pensado que a los árboles viejos no hay que trasplantarlos. Usted pone en juego la vida de esa anciana.

—Saca usted demasiadas consecuencias de una simple invitación, no diré social sino amistosa.

—No finja ignorancia, por favor. No puede sorprenderle que mi madre haya considerado su invitación como duradera. En cuanto llegue al pabellón de caza, no habrá quien la haga regresar.

—No tenía ni idea, pero confieso que me entero de ello con auténtica alegría.

—Espero que sea una alegría formal, pues en usted recaerá el cuidado de mi madre. Confiemos en que soporte la conmoción que supone el traslado, caso de que yo no logre disuadirla. ¿Estaría usted dispuesto, en el crepúsculo de su vida, que deseamos sea muy largo, a prestarnos la ayuda que fuera necesaria?

—Si se refiere a la cuestión económica, estoy dispuesto a darle todas las garantías que usted quiera.

En los labios contraídos de la señorita apareció la sonrisa que tanto los embellecía momentáneamente:

—Esto ya es algo, desde luego, pero yo pensaba en ello sólo en segundo término. Pensaba, por ejemplo, en que usted algún día se querrá casar. Esto colocaría a mi madre en una posición insostenible. Dependería entonces, tanto material como espiritualmente, de la gracia o desgracia de su mujer, y ante tal hecho no hay garantías.

A. le dio la razón con aire divertido:

—No, en contra de las malas nueras, si es que puede usarse tal nombre en dicho caso, no existen garantías.

—¿Cuándo piensa usted casarse?

O sea que, en definitiva, sí se trata de Melitta, pensó A. Se trata de Melitta, aunque a través de muchos rodeos. Su respuesta fue:

—Mis planes de casamiento me son tan desconocidos como a usted, mi querida señorita.

La sonrisa no había desaparecido de su rostro:

—No deja de ser una esperanza. Pero ¿y si a pesar de todo sucediera?

—Hablemos en serio. Las garantías financieras continuarían, de modo que resultaría imposible que ocurriera lo que usted dice de caer en gracia o desgracia. Por otra parte, está usted, y por último su vieja criada. Me parece que es más que suficiente.

—Yo me retiro. Dejo el campo libre. Dejo el tapete limpio.

A. se sintió turbado, de una forma extraña, en algún lugar profundo y desconocido de su interior:

—¿Cómo se ha de entender eso?

—¿Está usted realmente ciego, señor A.? ¿Aún no se ha dado cuenta de que es un juguete en manos de Zerline?

Esta última afirmación le cogía de sorpresa. ¿De qué modo le podía haber incitado Zerline a adquirir el viejo pabellón de caza? ¿Tal vez con su colaboración en sus encuentros con Melitta? Nadie, ni él mismo, podía prever que de una fantasía amorosa surgiera la instalación de una casa, y menos la adquisición del viejo pabellón de caza. Todo cuanto ella decía rayaba en lo inverosímil, en especial lo último. No obstante, él se sentía en terreno inseguro:

—Me parece que en mis decisiones no me he dejado guiar por nadie, y menos por Zerline.

—La compra del viejo pabellón de caza ¿no se debe a sugerencias de Zerline?

—Que yo sepa, no. Es posible que ella me haya hablado alguna vez de su existencia. Pero eso es todo.

—Subestima usted la inteligencia de Zerline. Es del dominio público que usted se dedica a la compra de solares y fincas. No pretendo juzgar la dignidad de tal profesión, pero lo que sí es seguro es que usted no perderá la pista ante una buena oportunidad, y Zerline le ha puesto sobre esta pista.

—No veo qué interés la puede mover.

—Tal vez le haya hablado de una supuesta necesidad de descanso por parte de mi madre, seguro que lo ha hecho, lo cual es, por supuesto, otra de sus invenciones.

—¿Cómo puedo acordarme de todas las opiniones de Zerline? Además, ¿a qué conduce esto?

—Su ceguera es en verdad sorprendente. Se lo tendré que decir a fin de que lo sepa de una vez por todas: yo soy un estorbo para el despotismo de Zerline. Quiere dominar a todo el mundo, también a usted y a mí, pero en primer lugar a mi madre. El aislamiento del pabellón de caza le permitirá hacerlo, por lo menos mejor que aquí, donde debe contar conmigo. Que usted es un estorbo insignificante comparado conmigo lo ha demostrado la obediencia con que se ha doblegado a sus deseos respecto al pabellón de caza. Está bien demostrado. ¿Comprende por fin?

—Me parece un poco desconcertante, un tanto alambicado...

—Alambicado... —Hildegard rió sarcástica.

—Está bien, alambicado no. Lo más sencillo sería que usted viniera con nosotros.

—Cumplo mi obligación aquí desde la niñez. Pero tomar parte en el triunfo completo de Zerline, o sea, en el traslado al pabellón de caza, sobrepasa mis fuerzas. Estoy cansada de luchar. Su mujer puede ocupar mi lugar allá...

Asomó en su voz un atisbo de coquetería, como si tanteara el terreno, pero fue casi imperceptible. A. movió la cabeza.

—Nada de eso está demostrado. Parte usted de suposiciones y las confunde con la realidad.

—La llamada realidad no es más que el envilecimiento de nuestras suposiciones.

—¿Y qué debe ocurrir en esa realidad? ¿Cuál es propiamente su deseo?

—Que desista usted de la compra.

Estaba bien claro. A. se sintió incómodo:

—¿Y quiere mi inmediata aprobación?

—A ser posible, sí.

—Sin embargo, tiene usted que comprender y perdonar que me tome tiempo para pensarlo.

—Pues no. Cuanto más tiempo piense mi madre en el idilio del pabellón de caza, tanto más atractivo tendrá para ella, y la inevitable decepción, que llegará al fin, puede adquirir visos de catástrofe. Ya está advertido. Yo también sé tratar de negocios. Deme su respuesta mañana, si es posible.

Se levantó. A. la imitó.

—No —dijo ella—, propongo que usted se quede todavía un rato y no me acompañe. No deseo volver a casa con usted.

Le dirigió una leve inclinación de cabeza y abandonó la sala de espera.

Lo que ella había apuntado caía en la esfera de lo improbable, pero considerándolo desde un ángulo o desde otro, dicho con fundamento o por extravagancia, causaba miedo en ambos casos. ¡En qué maraña se había metido y tenía aún que meterse más profundamente! ¿Tenía que meterse? ¡No! ¡Quería meterse! El hecho de haber pedido tiempo para pensarlo, habiendo podido satisfacer sin más el deseo de Hildegard —tanto más cuanto que se trataba de un derecho de compra y no de una auténtica compra—, indicaba ya su irrevocable decisión de trasladarse al pabellón de caza. ¿Con quién? ¿Con Melitta? ¿Con la baronesa? Probablemente con ambas, y hasta ahí las suposiciones de Hildegard eran justas. La idea de una nuera le daba vueltas en la cabeza, y no podía imaginarse a Melitta dentro de la maraña en que él estaba con justicia metido. Era necesario huir, huir quizá con Melitta, pero desde luego no debía llevarla al pabellón de caza. ¿Por qué cargaba él con todo eso? Llegado a tal punto se le oscureció todo, todo pareció confuso e impenetrable. Fuera como fuere, la conversación le había traído de nuevo la imagen de

Melitta, si bien no muy clara. A. sentía necesidad de nicotina después de la rústica comida. Encendió un puro. ¿Por qué no lo había hecho un rato antes? ¿Por respeto hacia Hildegard? Entonces se fijó en el letrero «Prohibido fumar», que antes viera sin percatarse bien. Como era un buen ciudadano, que tenía en cuenta las prohibiciones aunque no hubiera testigos, salió a la estación a fumar, a fin de dejar un espacio de tiempo entre su llegada a casa y la de Hildegard.

Los campesinos estaban de pie en el andén, en espera del último tren de cercanías que había de llegar a los pocos minutos y que les transportaría en manadas de estación en estación. Estaban ahí como una gran masa negra y silenciosa, oscura en sí misma y aún más debido a la escasa iluminación del andén; si hubieran mantenido todos la cabeza gacha, no habría sido sorprendente. Eran el rebaño consciente de su culpabilidad, el rebaño de la negrura. Incluso los puntos brillantes de los cigarrillos, como diminutos ojos de fuego, tomaban parte, acá y allá, en la oscura conciencia de culpabilidad. De la cantina, en la que se oía sólo el entrechocar de las jarras de cerveza, salía la retaguardia, titubeando, con un grito a punto en la garganta, como cuando se sale de la taberna del pueblo en fiestas, pero una vez unida a la masa, los gritos se convirtieron en remordimiento y el tambaleo en inmovilidad. Estaban ahí como aves de mal agüero. Si alguien les hubiera llamado a matar y asesinar, se habrían entregado al pillaje y al incendio, siguiendo el llamamiento sin dudar ni poner ninguna condición, desfogando su propia opresión en el deseo de oprimir. Pues aquel que es funesto para sí mismo lo es también para el mundo de los hombres. En este caso —muy simple por cierto— no se trataba más que de la mala conciencia debida a las carteras demasiado llenas; pertenecía sin embargo, y pertenece, a un sentimiento de culpa universal, cuya existencia tal vez se presume pero no se puede probar. Es la pluridimensionalidad del mal que penetra hasta las más ínfimas partículas del ser humano, primer sostenedor del mal, marcado en la frente por el estigma de Caín.

Cierto que el hombre aislado —sobre todo el artesano, más que el campesino— no sólo responde a la llamada del mal sino asimismo a la del bien, responde al símbolo que eterniza lo tridimensional y que le convierte a él mismo en símbolo. Pero en la masa el hombre es ciego y sordo ante el bien. En este caso, la masa de campesinos esperaba simplemente que anunciaran su tren, pero sin que ninguno se diera cuenta esperaban en secreto el silbido inaudible del infierno que les llamaría al mal.

Los silbidos de las locomotoras que se oían acá y allá parecían en cierto modo señales de alarma, y era casi como si el tren de mercancías que pasaba y desaparecía en la noche con un lúgubre traqueteo viniera del infierno para regresar a él de nuevo. Dejaba tras de sí una pesada bandera de humo, cuyo hedor se mezclaba al de los puros, al de la cerveza y al del sudor de la masa. Del restaurante llegaban, cada vez más apagados, los tintineos de la loza y de las jarras. Eran cada vez más aislados, de forma que los ruidos de los platos, de los vasos y de los cubiertos se distinguieron hasta desaparecer por fin del todo. Después se apagaron las luces, excepto una que otra bombilla. Fuera, seguía en pie impertérrita la masa de cuerpos, repleta de cerveza, de dinero, de culpa y de maldad. Estaba ahí inmóvil, hasta que se encendieron súbitamente, en el más profundo silencio, las luces del andén. Significaba que iban a abrir el paso: las figuras adquirieron un pesado movimiento y el ovillo humano se desenredó, pasando por partes a través del embudo que constituía el acceso, acompañado de las validaciones del taladro del revisor, que se oía desde lejos con la regularidad de un reloj.

A., que se había detenido en medio de la masa, fue empujado hasta allá, cosa que le pareció lógica. ¿Estaba él también destinado a viajar en la noche? ¿Estaba obligado a hacerlo? Los pueblos esperaban en la noche, y si descendía del tren en una estación desconocida para llegar a la desierta calle del pueblo, bajando por la colina —los escasos compañeros de viaje, negros dentro de la blancura lunar cubierta de polvo, desaparecerían enseguida en las casas y en las calles laterales—, abriría una puerta extraña con una llave desconocida y ahí, bajo el historiado plumón de una cama campesina, en una habitación desconocida, encontraría de nuevo a Melitta con toda su dulzura. ¡Oh, evidentemente sucedería así!

Cuando le empujaron hacia el acceso, él también empujó, buscó realmente el billete imaginario en el bolsillo, tanto que algunos de los que empujaban por detrás empezaron a protestar. Sólo en la inutilidad de esa búsqueda reconoció la invalidez de su sueño. Con un encogimiento de hombros volvió sobre sus pasos, en contra de la corriente y luchando de veras con la masa que empujaba hacia delante sin ninguna consideración. Cuando logró pasar, se detuvo en la puerta de la sala de espera: contempló el tren donde, acosados por los empleados, se iban colocando los campesinos con lentitud, y no se volvió hasta que los vagones, tras un estertor inicial, se pusieron en marcha, hasta que las luces de cola desaparecieron en la negra profundidad en dirección este. Escuchando todavía el eco de las ruedas, se dirigió a la salida de la estación y regresó a casa, al paisaje de la ciudad.

En una estación, el lugar de donde parten los trenes y la cara que da a la ciudad son dos mundos diferentes. El primero, con su maraña de raíles, pese a su procedencia técnica, pertenece ya al campo, el cual no es concebible sin raíles, igual que no es concebible sin carreteras o sin puentes o sin un pueblo con la torre de la iglesia. La fachada, en cambio, es sin discusión una parte de la imagen de la ciudad. Y si bien los campesinos que se habían desvanecido parecían figuras del infierno, venidas de él y a él regresando, la ciudad era otra clase de infierno del que quizá fuera más difícil escapar. Cierto que la plaza de la estación, bajo los rayos de la luna y con el reloj iluminado en el centro del triángulo, descansaba sosegada, libre del dinámico acontecer, zona de paz entre uno y otro infierno, pero el anuncio luminoso de su cúspide señalaba ardiente y sin esperanza la entrada del infierno. Era casi imposible imaginar que allí, en alguna parte, cobijada por la ciudad, por así decirlo, se hallaba Melitta. Prescindiendo de todos los abuelos, tendría uno que entrar y llevársela, la cama aún caliente. No, no se doblegará al deseo de Hildegard, al contrario, no sólo no anulará la compra sino que hará efectivo su derecho a ella de inmediato. No hay que dejarse intimidar por advertencias amenazadoras o por deseos disparatados. El pabellón de caza tiene que ser realmente la última alegría de la baronesa, y respecto a Melitta cabrá otra solución intermedia que no cree conflictos. Se trataba de crear zonas de paz en el centro del infierno, nada más. La confusa oscuridad empezaba a aclararse. A., sin sombrero, las manos en los bolsillos del pantalón, se paseaba arriba y abajo por la parte más alargada del parque, miraba de vez en cuando hacia el balcón de la baronesa, cuyos pelargonios no tenían flor ahora, hacia las ventanas, tras las que no se veía luz —incluso Hildegard estaría también en cama—, y parecía como si se despidiera.

Del lejano y desconocido este llegaba una brisa suave, unificadora, que juntaba los paisajes, el de los campesinos y el de la ciudad, y hacía más difícil la respiración. La infinita multiplicidad del Ser parecía ordenarse dentro de una nueva unidad, unidad libre de tensiones, que se movía como la brisa, esperanza límpida del otoño que empezaba aquella noche.

A. sintió un poco de frío. Atravesó la calle y abrió la gran puerta. Su tarea del día estaba hecha, pero faltaba una conclusión formal. Se sentó, pues, al escritorio para redactar el acta de donación, según la cual la baronesa pasaba a ser dueña del viejo pabellón de caza. Se reservaba ciertos derechos, por ejemplo, el regentarlo y habitarlo, pero la baronesa podía luego legarlo a quien quisiera, no venderlo, ya que a su muerte, si Zerline la sobrevivía, esta debía disfrutar de su uso el resto de sus días. Melitta quedaba, así, apartada. Era mejor. Para ella había que buscar otro tipo de protección, lo cual desde luego era fácil y no precisaba ser redactado. Se limitó a escribirle una carta de amor en la que comparaba la noche solitaria de hoy con la de ayer, completamente distinta, y en la que expresaba sus deseos de llegar a la tarde esperada de pasado mañana, no, de mañana —era más de medianoche—, en que debían reunirse en la plaza del castillo. Ella no recurría a maniobras equívocas como la señorita que dormía allá al lado y a la que, con justicia, había que hacer caso omiso. Tras constatar eso último, se retiró a descansar.

Como se le había hecho muy tarde, a la mañana siguiente se quedó dormido. Cuando salió de su habitación, Zerline, con la puerta de la cocina abierta, se ocupaba ya del almuerzo. Él la saludó con un «buenos días» al pasar, pero ella le hizo señal de que se acercara:

—Parece que todavía tiene sueño por recuperar. Dos noches con una muchacha y ya está derrengado. Debería avergonzarse, ¡un hombre joven como usted!

Eran bromas que parecían forzadas; en verdad le miraba preocupada y malhumorada. Sin hacer caso de su: «Sí, somos una generación débil», señaló hacia la parte delantera de la casa.

—Lo sabe todo.

—Naturalmente que lo sabe. Ayer me percaté muy bien.

—Ya le advertí que no hicieran ruido. Escuchó de nuevo detrás de su puerta.

—A veces se puede fantasear sobre cosas que no se han oído.

—Sí, pero no es una fantasía que usted ha comprado el pabellón de caza y que la baronesa se trasladará allí.

—Es cierto, pero es otra cosa.

—No, es lo mismo.

—¿Y pues? ¿Acaso no le parece a usted bien lo del pabellón de caza?

—No me parecería mal...

—¿De qué se trata entonces?

—Melitta no puede venir. ¿Piensa llevársela allá?

Aunque A. había decidido no llevarse a Melitta al pabellón de caza, se rebeló:

—¿También usted me viene con eso, Zerline? ¿Qué le ha ocurrido?

—Se puede encontrar con ella cuando, donde y tantas veces como quiera. Por mí, incluso puede hacerlo aquí, pero no en el pabellón de caza.

A. se echó a reír:

—A eso le llamo yo ser categórico.

—No es cosa de risa. No estoy dispuesta a servirle a usted de espía.

—Y nadie se lo pide, Zerline.

—Sí, para eso ya le sirvo. Pero piense que sin mí no tendría ni a Melitta ni el pabellón de caza.

—¿Acaso se lo he discutido?

—La chica me dio pena, por eso la dejé entrar.

—¡Alto! Ella le cayó bien y usted le tiene afecto. Usted misma me lo ha confesado.

—Naturalmente que le tengo afecto.

—Entonces, todo está claro.

—¡Ni hablar! No olvide que Melitta no es superior a mí. Si viene al pabellón de caza, tendré que ser su criada. De ella no recibo yo órdenes.

—¡Dios mío! ¡Dar órdenes la pobre Melitta!

—No debe ni siquiera intentarlo. Le costaría muy caro.

A. se asustó de su expresión feroz:

—No sea tan dura con ella, no le ha hecho ningún daño.

—No soporto que nadie me convierta en su criada. Ella pagaría las consecuencias, y lo sentiría, pues le tengo cariño...

—Mi querida Zerline, esto va ya demasiado lejos. ¿Acaso no lo comprende?

Pero ella repitió con obstinación:

—No la quiero en el pabellón de caza.

—¿Qué le parecería, Zerline, si desistiera de comprarlo?

Para nuestra señorita sería una gran alegría y usted tendría la seguridad de que Melitta no iría allí.

Ahora sí se enfureció:

—O sea, ¿que Hildegard ya le ha enredado? ¡Atrévase, atrévase a hacerle esto a la baronesa y verá!

—Sólo era una sugerencia, Zerline.

Ella se tranquilizó un poco.

—La baronesa está muy animada con la idea. Celebraremos allá las Navidades, con usted, señor A.

—¿Y dónde pasará Melitta las Navidades?

Zerline se encogió de hombros con indiferencia:

—Allí no.

Esto fue demasiado para A.

—Es muy posible que, como sorpresa de Navidad, reciba usted una invitación para asistir a mi boda.

Zerline se volvió con rapidez:

—¿Lo dice en serio?

—¿Por qué no? A mí, igual que a usted, tampoco me gusta recibir órdenes.

A. olvidó pronto su enfado, tanto más cuanto que ese día, ya demasiado corto, tenía que hacer muchas cosas: terminó los trámites de derecho de compra sobre el pabellón de caza en el ayuntamiento, arregló de inmediato la cuestión del pago y pensó que, dados los rumores de que se iba a estabilizar la moneda, había actuado muy sabiamente, no lo habría podido disuadir la palabrería de ninguna mujer. Después se dirigió a su oficina, donde hizo pasar en limpio el acta de donación que había redactado. Finalmente fue a casa de su abogado, en parte para ver con él la forma de librarse de impuestos en el acta de donación, y en parte para tratar de fijar legalmente el futuro económico de Melitta, a la que reservaba una buena suma en valores extranjeros, incluso en el caso de que no se casara con ella.

Cuando se encontró de nuevo en la calle se sintió satisfecho de sí mismo. Lo había previsto todo de la mejor manera posible, y ahora desaparecería de la ciudad sin despedirse de nadie. Era la salida más noble. Además, ¿qué tenía que hacer aquí? La compra de bienes había sido un pretexto para justificar su permanencia en el lugar, pero no tenía sentido caso de estabilizarse la moneda. ¿Y Melitta? Por una parte, deseaba tenerla con él en casa, pero por otra pensaba con inquietud en su encuentro de mañana. ¿La reconocería vestida? ¿Estarían tal vez frente a frente, desamparados, como hijos de dos mundos diferentes, sin nada que les uniera? ¿Y después? ¿Serían dos enamorados que van al restaurante, al cine? Y por fin, ya que bajo ningún concepto la quería llevar a casa, ¿serían una pareja de amantes en cualquier hotel? La única solución digna sería marcharse con ella a alguna parte. Pero lo impedía la existencia del legendario abuelo. Era un amor sin dignidad, y A. se sintió vejado. Pensando todas estas cosas, se dio cuenta de que se había dirigido al mejor restaurante de la ciudad, al que tenía intención de acudir al día siguiente. Le pareció que era algo así como un ensayo general. Y el ensayo general tomó cuerpo en cinco platos distintos, tan buenos que incluso olvidó a Melitta. Cuando, tras tomar café y una copa de coñac, buscó un cine, descubrió que una historia de amor representada es mucho más bonita que la vivida. Al final de la película, la madre bendice a la nuera que no había tolerado durante las dos horas anteriores. La bendición de la madre, eso es, de ahí venía todo.

Debido a las circunstancias su regreso fue mucho más agradable que la salida de la mañana. Una brisa otoñal recorría los árboles del parque, nostalgia recubierta de dureza, debilidad del apetito carnal, abandono de la severidad; lo fácil, en suma, se hallaba en el seno de lo difícil y todo ello tenía su buena lógica.

Le chocó que todavía estuvieran encendidas las luces de la sala de estar. Quienquiera que estuviera despierto —probablemente Hildegard— no importaba. Había soportado ya suficientes discusiones el día anterior, y tenía derecho a un sueño tranquilo y sin interrupciones.

Pero de nada le sirvió esa reflexión. En cuanto abrió, apareció Hildegard en la puerta de la sala de estar.

—Venga —le dijo con sequedad, y no tuvo más remedio que seguirla.

Le señaló un sillón junto a la estufa. Cuando estuvo sentado frente a ella le preguntó:

—¿Ha estado usted con su amiga?

Meditó un momento. Si bien la pregunta le molestaba, todavía le encolerizaba más no poder encontrar de nuevo, ni siquiera ahora, el perdido deseo de añoranza hacia Melitta, como si fuera una nostalgia prematura, un deseo precoz, una sed temprana.

—He ido en su busca, pero no la he encontrado —contestó, fiel en cierto modo a la realidad.

La respuesta pareció divertirla. Apareció por un momento su cautivadora sonrisa pero desapareció enseguida. Había en su rostro una especie de rara tensión a la expectativa, una expectación de todos sus nervios, y lo que era todavía más extraño, había bebido. En la mesita de té estaba el oporto que él había regalado a la baronesa hacía algún tiempo, en recuerdo, por así decirlo, de su esposo, que tenía por costumbre —ella lo explicaba en parte con admiración y en parte disculpando esta costumbre inglesa— tomar una copita de oporto al anochecer. Pero Hildegard no había tomado una copita sino muchas. No quedaba más que una cuarta parte de la botella. ¿Por qué bebía ahora, ella, que apenas probaba el vino? En uno de los dos vasos de cristal que había junto a la botella quedaba todavía un resto y, como bebedora inexperta, lo llenó de nuevo sin vaciarlo primero. Después llenó el otro y se lo tendió:

—Beba un vaso de oporto. He pasado el día fatal por su culpa y no me quiero quedar sola. Su obligación es hacerme compañía.

—¿Que yo tengo la culpa de que haya pasado un día malo?

—En efecto, así es. Pero no deseo continuar la conversación que sostuvimos ayer. Ni quiero preguntarle tampoco qué decisión ha tomado respecto al pabellón de caza, si es que ha adoptado alguna.

—Yo...

—Silencio, cállese, a no ser que pretenda matarme. Usted quiere llevar a mi madre a una casa de crímenes, no deberá únicamente constatarlo comigo...

—Pero, mi querida señorita...

—Espero que piense en mí cuando esté allá. Debe pensar en mí, sobre todo cuando le rodeen los espíritus. ¿Comprende usted que yo no quiera dejar ir a mi madre a una casa de crímenes y fantasmas?

«Está más borracha de lo que imaginaba», pensó A.

—Si continúa usted bebiendo este fuerte oporto, pronto verá los espíritus aquí mismo. No hace falta ir al viejo pabellón de caza.

—No hable del pabellón. Es la casa del crimen, es una casa de fantasmas y no quiero ni oírlo mencionar.

Levantó la mano en señal de protesta y su brazo quedó al descubierto. Un brazo blanco y bien torneado. También la mano era perfecta. A buen seguro que los pies —enfundados en zapatillas de brocado de seda— también eran perfectos. Era hermosa, estaba bien formada, pero parecía, en cambio, una vieja solterona. La tensión que invadía su persona era asimismo la de una vieja. La petición que formuló, sin transición alguna, tampoco era propia de una joven:

—Le permito que me haga la corte.

«Una situación embarazosa —pensó A.—, y muy desagradable, sobre todo cuando uno sólo desea irse a dormir, pero he de decirle la verdad.»

—¿Cómo puedo hacerle la corte, si es usted demasiado hermosa para mí, demasiado para que me atreviera a amarla? Hay riesgos que no me expondría a correr.

—Perfectamente, nada de amor. En esto estoy de acuerdo, completamente de acuerdo. Pero ¿y el deseo físico? ¿Soy acaso demasiado hermosa para despertarlo?

Le miraba con ojos entornados, con la expresión típica de los borrachos. Pero su mirada, a través de los párpados semicerrados, no había perdido su sequedad habitual, entre interesada y desinteresada, y su aspecto era frío y sobrio.

«Me he equivocado, no está bebida. Es de esas personas que no se emborrachan jamás aunque quieran, pero que en cambio se marean. ¡Ojalá no se me maree ahora!» Dejó su vaso sobre la mesa.

—Sencillamente no creo, no puedo creer que sólo aspire usted a ser deseada.

—Y sin embargo así es. Lo único que no quiero es que me amen.

Hizo un ligero movimiento y el quimono —de color verde azulado— quedó un tanto abierto, de forma que se veían los bordes punteados de su camisón. Parecía un juego bien aprendido, tanto más cuanto que se movía con una extraña y lenta torpeza.

—Muy bien, usted no desea ser amada, pero el temor a ello hace que mate usted el deseo. Teme los riesgos.

—¿Lo mato? Lo mato. —Se rió—. Yo lo mato, yo lo mato... Se puede seguir conjugando... nosotros lo matamos... vosotros lo matáis... eso me suena a crimen... O sea, ¿que se me culpa a mí del crimen?

—Claro que es un crimen. En el mejor de los casos, homicidio por imprudencia. En el supuesto, evidentemente, de que se podrían encontrar circunstancias atenuantes.

—No anda usted en lo cierto. Además, no necesito para nada estas circunstancias atenuantes, para nada. El deseo carnal sigue las huellas de la sangre, y el crimen aumenta el deseo. Asesinamos incluso nuestro deseo para que sea mayor... —Vació de un solo trago el contenido del vaso.

«Es una sabionda truculenta —pensó A.— yo necesito dormir, estoy rendido.» No obstante, contestó:

—Hace un momento, hablaba usted con repugnancia de la casa de los crímenes...

—No quiero oír hablar de esa casa…

Se llevó las manos a la cabeza y se tapó los oídos, pasando los dedos por entre su pelo color caoba. Las mangas del quimono cayeron a ambos lados.

¡Qué esfuerzo indecible supone el deseo cuando penetra en la conciencia! Y qué energía se necesita para volver del no-Ser al Ser; Ser que el hombre debe encontrar para recuperar el aliento. A. dijo:

—Usted pretende negar la existencia del amor, pero si me fuera permitido amarla, permitido por usted, por el destino y por mí mismo, recorreríamos cogidos de la mano el camino que va del Ser al no-Ser y regresa al Ser…

—¿A donde están los muertos, y luego volver?

—Posiblemente —contestó él, aunque había pensado otra cosa.

—Cogidos de la mano hacia el reino de los muertos… —Ella se rió—. Y, al regresar al mundo, el deseo no cesaría jamás. ¿Es esto un auténtico pacto? ¿Una promesa?

—No es una promesa, es un riesgo.

Ella se puso seria.

—Lo que todos necesitamos es un guía que nos conduzca al reino de los muertos, que nos lleve hacia el no-Ser, a fin de poder regresar al Ser. —Le miró con frialdad—. Usted no es ese guía.

—Ni pretendo serlo. Soy tímido ante una decisión, apocado ante el destino.

—¿Por qué habla entonces del Ser en el no-Ser? ¿No sabe acaso que se trata de renuncia, de crimen y de suicidio?

—Puede que lo sepa, mas no quiero saberlo.

Algo frío y atroz cruzó por su corazón. Por lo visto ella disfrutaba con lo macabro:

—O sea, ¿guía en contra de su voluntad y *faute de mieux*?

Él se contagió de su macabra tensión.

—No pregunte tanto.

—Y no obstante, ¿cogidos de la mano?

Con lentitud y precaución, tanteando el aire con las yemas de los dedos, palpando en cierto modo la distancia, acercó su mano hacia él. En cuanto le rozó, besó él las puntas de sus dedos.

Le dejó la mano con indolencia, sin nervios, sin huesos, una dócil mariposa cuyas alas podía abrir y cerrar como quisiera a fin de besarla por todos los lados. Y eso hizo, partícula por partícula. Cuando sus labios descansaron por fin en la palma de la mano, notó la fiebre: la piel estaba febril y, con todo, fría, en tensión, más allá del frío no-Ser, el cual, sin embargo, está atravesado por la fiebre. Impelido por un deseo de calor humano recorrió el brazo hasta la axila, casi desprovista de vello, pero también estaba fría.

—Más cerca —rogó él—, más cerca.

En respuesta, ella le puso las manos sobre la cabeza, que él sostenía con los puños como cuando se duerme en el tren, con los codos apoyados en las rodillas. Permanecieron sentados así mucho rato, de forma que lo intemporal se deslizó en el tiempo y el tiempo en lo intemporal, sin que ellos se dieran cuenta. La febril tensión de su cuerpo y de su alma le invadió, penetró en él, y se convirtió en un estremecimiento común, sin amor, sin deseo, pero con una fuerza cada vez mayor hasta alcanzar el máximo poder, poder que crecía, crecía, hasta que él ya no sintió nada, ni siquiera notó cómo se clavaban las puntiagudas y duras uñas de ella en la piel de su cabeza. El dolor no llegó poco a poco sino de repente, agudo, y no lo pudo apartar, porque las manos de ella seguían todos sus movimientos.

—Una corona de espinas —dijo ella riendo—, una corona de espinas.

No aflojó hasta que por las mejillas de él empezaron a resbalar unas gotitas de sangre. Casi con dulzura, como lamiéndolo, besó ella el pequeño hilillo de sangre. Cuando cesó, se lamentó con suavidad:

—Ya no sale más.

Entonces atrajo hacia su pecho la cabeza de él, arrodillado a sus pies. Ambos se estremecieron, apoyados uno en otro, ambos sin amor, sin deseo, temblando, estremecidos por el fresco viento de otoño que penetraba por el balcón y que movía a pequeños intervalos la puerta de cristal.

—Tengo frío —dijo ella al fin—, ven.

Lo llevó a su dormitorio, que estaba a oscuras. Con la media luz que se filtraba a través de las persianas debido a la claridad de la calle, vio cómo ella dejaba caer su quimono, se desabrochaba el camisón y se echaba en la cama. Al intentar sentarse al borde del lecho, ella le hizo un gesto impaciente y enfadado:

—Así no... así no... dentro de la cama.

Es fácil desnudarse cuando el amor espera, es más difícil cuando somos nosotros los que esperamos al amor, y todavía lo es más cuando no existe ninguna de estas dos cosas. Eso pensaba mientras se entregaba a una ridícula lucha con los pantalones, lucha en la que todos salen vencedores pero ninguno con dignidad, ya que es en sí la indignidad del hombre, prederrota triunfadora que se ha de olvidar de inmediato y que él también olvidó en cuanto la rodeó con sus brazos.

—Por favor, sea usted amable —decía ella con voz quejumbrosa—, tengo frío.

—A eso le llamo yo fría cortesía —contestó, intentando echarlo a broma a pesar de su sorpresa.

—De veras tengo frío. Tendría que darse cuenta.

Claro que se daba cuenta, estaba aún más fría que antes.

—Por favor, abráceme fuerte y tápeme los hombros con la colcha.

A pesar de la flexibilidad y del carácter insinuante de su cuerpo, él tenía la impresión de que algo rígido se apretujaba contra él. Yacían, pues, en una estrecha soledad compartida, dura, honesta, inmutables e inmóviles. Cuanto más contemplaban el techo, atravesado por los rayos de luz que entraban por las persianas, más flotaba la habitación en lo pluridimensional. También ellos parecían flotar, absorbidos por la falta de espacio, sumergidos sin tocarse, como las almas muertas, que están juntas sin conocer la compañía. ¿Empezaba a surgir el no-Ser, todavía confuso en la bruma del lejano horizonte pero ya presente, amenazador, con todo su poder de atracción? Ella levantó despacio la mano y la posó en su cabeza, acariciando levemente su frente, sus mejillas.

—La sangre estaba aquí —murmuró para sí—, pero ha desaparecido.

Se quedaron de nuevo quietos, silenciosos, mirando el techo, escuchando la lejanía, escuchando la voz de la tierra. Y todo pasaba otra vez de uno a otro, en infinito intercambio. Al cabo de un rato, ella afirmó:

—Ya no hace frío.

Se percibía, en efecto, que había entrado ligeramente en calor. Pero ella no se movió, sólo se notaba un poco más de calma, casi de adormecimiento, y poco faltó para que él, con el cansancio del día en los huesos y el abundante alcohol en el cerebro, se sumergiera en el sueño. Ella interrumpió de pronto la calma.

—Ahora puede usted seguir.

«¡Vaya!», respondió algo en su interior. Si no lo dijo en voz alta —habría sido lo más lógico— fue debido al sublime miedo que hace enmudecer y temblar al hombre ante la sexualidad, la falta de pudor o lo grotesco, y la fría petición de Hildegard encerraba todo ello. Pero no podía escapar; estaba como hechizado por el poder de esa extrañamente oculta y asexual sexualidad. Echado de espaldas, en silencio, daba la impresión de estar paralizado. Ella repitió:

—Ahora puede usted seguir.

—No sin amor —consiguió decir por fin.

—Si lo hace —y corrigió—, si logra hacerlo, le prometo el placer más intenso que jamás haya recibido un hombre de una mujer.

Él, subyugado, buscó sus labios.

—Así no, eso es amor.

El recuerdo de su fría belleza pareció surgir de un abismo, arrastrándole.

—Quiero tu aliento, tu boca, quiero tu boca.

—Después. ¿No se da usted cuenta de que primero ha de violarme?

Él no atendió la orden, no la quería escuchar, y sin embargo estaba a punto de cumplirla. Tomó la cabeza de ella con ambas manos, buscando su boca, pero cada vez que la tenía cerca ella volvía el rostro o le mordía las mejillas, la nariz, al parecer sin elegir pero con suma maña. Él desistió. Rápida como el rayo, la mujer se escurría cual una anguila, repitiendo con el aliento entrecortado:

—Vióleme usted, vióleme.

De pronto le pareció que, por encima de todo placer y de toda promesa de placer, sólo la concentración en aquella mujer, en ella y no en otra, podía aportarle la victoria. Nunca podría conocer otra cosa que ella y debía entregar su Yo para conquistar el de ella. Todas sus fuerzas se resumieron en el grito, ronco de tensión:

—¡Te amo!

—¡Cállate! —replicó ella con aliento sofocado—. Primero debes seguir.

El tú con que ella le había respondido era ya un triunfo. Apretándole convulsivamente el cuello con los dedos, con una rodilla entre las de ella, creyó haberla dominado. Mas en este instante, en el momento salvaje de la inmediata victoria, un sudor frío le invadió. Y fuera porque la febril tensión en que ella le había sumergido resultara excesiva, o porque la lucha por la existencia en lo inexistente había durado demasiado, todo se esfumó. Se dejó caer de espaldas.

—No puedo más.

—¿No puedes más?

La voz de ella reflejaba fría curiosidad, sin rastro del sofoco ni del aliento entrecortado de un momento antes.

—No, no puedo más.

Con un tono compasivo, pero en el que se advertía cierta alegría malévola, ella le preguntó:

—¿Te sientes humillado?

—No lo sé. Ha pasado.

Ella rió un poco.

—¿El no-Ser? ¿El reino de los muertos?

—Quizá.

—¿En qué piensas? ¿En qué se piensa cuando se está muerto?

—No lo sé.

Se acercó con cautela a él para cerciorarse de su flaccidez.

—¿Piensas en mí?

—También pienso en ti, y en la casa y en tu madre…

—¿Me amas?

Allí estaba de nuevo la perversidad, triunfante, precisamente por haber sido expresada con dulzura.

—Sí, te quiero, te amo sin límites, pero no puedo más.

Entonces brotó de su garganta un gemido ronco, un auténtico grito de alegría:

—¡Ajá! ¡No puedes más, no puedes más! ¡Te he matado! ¿Sabes? ¡Te he matado! Ya nunca más podrás, ni con la mujer más bella. Y ninguna mujer podrá devolverte la fuerza que yo te he quitado. Siempre, siempre pensarás en mí, que te la he robado.

Era un grito de triunfo y de placer, el más abyecto placer animal. Él hizo un movimiento de huida y de desamparo: ella le retuvo con fuerza y clavó los dientes en su hombro hasta hacerle brotar la sangre. Cada movimiento aumentaba el enervante dolor. Cuando ella notó que él se sometía y que ya no se movía, se durmió, entró de pronto en el sueño.

Al dormirse aflojó su mordisco, lo que le permitió a él separarse de ella con suavidad. El dolor desapareció y, antes de darse cuenta, se durmió también. Al cabo de un rato —era todavía noche cerrada—, se despertó de nuevo, quizá debido a que le volvía el dolor, o a que el cuerpo femenino que respiraba a su lado despertaba de nuevo en él el deseo, hecho que constató con alegría y sorpresa. La abrazó amorosamente, pero ella no reaccionó ni en favor ni en contra: dormía como un pedazo de madera, no, como una piedra, como un cadáver; parecía que respirara a través de la piel y no con los pulmones. Fuera deseo amoroso o amor lleno de deseo, su sentimiento murió al pensar que estaba profanando un cadáver. Comprendió que era inútil. Tomó sus cosas y, con los zapatos en la mano y la ropa colgada del brazo, se encaminó a su habitación, para ir él también al encuentro de la mañana dormido como un pedazo de madera, como una piedra, como un muerto.

Por la mañana, demasiado pronto dada su necesidad de descanso, se despertó al oír que llamaban a la puerta. Era Zerline.

—Hoy no se escapa usted sin tomar café, señor A.

Lo dijo en tono amable, como si nunca hubiera habido discusión, y le colocó el desayuno ante las narices. Luego, de muy buen humor, dijo:

—Hace una mañana maravillosa, espléndida.

Bien, mucho mejor amistad que discusión.

En cuanto estuvo vestido, se oyó en la sala de estar un grito, un grito de Zerline. Inmediatamente entró en su cuarto y se echó en sus brazos llorando:

—Muerta, está muerta —sollozó a gritos.

—¿Quién, la baronesa?

No pudo contestar, se dejó caer en el sofá. Él se precipitó afuera.

Se encontró, con sorpresa, a Hildegard, sentada tranquilamente ante su desayuno. Al verlo se limitó a darle —con ese movimiento, igual que la víspera, quedó al descubierto su blanco brazo al caer la manga de su quimono verde-azul— el periódico que estaba leyendo. Impresa con pequeños caracteres y señalada con una horquilla clavada en el periódico, había esta noticia:

Accidente. Ayer noche pereció en un triste accidente la muchacha de diecinueve años Melitta E., que regentaba en esta localidad una pequeña lavandería en la vivienda de su abuelo, el instructor ambulante Lebrecht Endeguth. Cuando una de sus clientas, la baronesa W., acababa de salir, la infortunada quiso, al parecer, usar la polea para la ropa que se encuentra en la parte exterior de la casa y se precipitó en el vacío. La testigo ocular del accidente, la baronesa W., confirmó lo ocurrido en su declaración a la policía. El abuelo de la víctima hace semanas que no ha sido visto en la ciudad. Hasta ahora no se ha podido averiguar su actual residencia.

Eso ponía.

—Melitta —murmuró A.

Las rodillas le flaqueaban. Hildegard dijo en tono casual:

—Por favor, cierre usted la puerta de su habitación y esta también. Sería muy desagradable que mi madre oyera sollozar a Zerline.

Él obedeció maquinalmente. Volvió sobre sus pasos como un autómata y se sentó frente a Hildegard. Parecía un sueño. Suicidio, un suicidio por su culpa. En realidad era un crimen y Hildegard la autora, no hacía falta pensar mucho para comprenderlo. Además, los sucesos de la noche anterior lo confirmaban. Le entró una ira feroz contra la asesina que, en aquel momento, se servía tranquilamente el café.

—Esto es obra suya, Hildegard.

—En efecto, señor A.

—Y con toda tranquilidad bebe usted su café.

—¿De qué comida piensa usted prescindir? Caso de que ayune usted al mediodía, la cena por la noche le sabrá aún mejor.

—Yo no he asesinado a nadie.

—Ha hecho algo peor. Se ha metido en esta casa sin ninguna consideración, se ha mezclado en mi vida y va a entrometerse en la de mi madre. En una situación así, no se lía uno con una pobre lavandera.

—El que yo, para emplear su misma expresión, me haya «metido» en su casa, fue cuestión de suerte, lo demás...

—... también cuestión de suerte. Es lo único que puedo admitirle. Mas yo le previne que se opusiera a esta suerte. Le advertí. Y su culpa, su mayor culpa, ha sido no hacer caso de mis advertencias. Le dije que acostumbro poner las cartas sobre el tapete.

—¿Y sólo por eso un asesinato? ¿Un asesinato sin más?

—Usted sabe tan bien como yo que esta última consecuencia no era de prever. Las lavanderas tienen en general una constitución muy fuerte y son capaces de soportar un pequeño desengaño amoroso. Y eso tenía que llegar, lo sabe igual que yo. Usted habría abandonado a la muchacha de todos modos.

—Hice las diligencias necesarias para asegurarle un dichoso porvenir.

—Es lo que siempre ha hecho usted: tranquilizar su mala conciencia. Porque el porvenir de mi madre no sólo era para mí más importante que el de esa plebeya... también lo era para usted.

—A pesar de todo, usted se comportó demoníacamente. ¿Qué le dijo a la infeliz?

—La verdad.

—¿Qué verdad?

—Que usted me ama y que a la menor indicación por mi parte se casará conmigo. Usted mismo me lo ha probado esta noche suficientemente.

—¿Y qué ocurrió luego? No me oculte nada. Tengo derecho a saberlo.

—Claro que tiene derecho a saberlo. Bien. Usted conoce la casa. Subí los cuatro pisos y la hallé trabajando. Era bonita y dulce; no me resultó fácil decirle qué quería, pero ella, si bien un poco pálida, me escuchó en silencio y tranquila, incluso me invitó a sentarme. Después me confió un pequeño bolso que usted le había regalado para que se lo devolviera. Cabía, pues, esperar que todo se había solucionado del mejor modo posible; en la medida que puede hablarse de «mejor» en este caso. Pero apenas llegué abajo, su cuerpo se precipitó en el vacío y cayó a menos de diez pasos de mí. Estaba horriblemente contorsionada, pero su rostro conservaba todo su encanto. Fractura de cráneo.

—Y la dirección, ¿la obtuvo a través de Zerline?

—Naturalmente. Y fue lo suficiente astuta para adivinar por qué necesitaba esa dirección. Usted ayer, inútilmente por cierto, la exasperó tanto que ella quería gastarle una mala pasada —bajó la voz en un susurro—, ya le dije cuán dominadora y vengativa es. Por eso me reveló enseguida la dirección. Ella no previó, como nosotros, que iba a concluir en tragedia. O sea, que no se le puede reprochar nada. Dejémosla llorar un rato. Eso la divierte.

—Desearía que tuviera usted menos sangre fría. Es casi inhumano. Su actitud de ayer era preferible al menos.

—Ayer tuvo lugar el accidente ante mis ojos. Ayer me incliné sobre el cadáver. Ayer... —La sonrisa extraña y seductora apareció de nuevo al dejar al descubierto sus brillantes dientes—. Ayer era distinto. Yo le amé a usted, sí, señor A.

—¿Que usted me amó?

Ella asintió muy seria.

—Con un amor menos excitante, pero tal vez más conveniente para usted que el de Melitta.

—¡Hildegard, por el amor de Dios! Su comportamiento no fue en absoluto el de una mujer enamorada.

—Los análisis a posteriori me parecen inadecuados. Sólo quiero recordarle que usted vino a mí impregnado del deseo hacia otra mujer. Voy a traerle ahora su pequeño bolso.

Se levantó y se dirigió a su habitación.

La póstuma declaración de amor le hizo estremecer. Hildegard no era una mujer mentirosa, aunque a veces se engañaba a sí misma. Ella creía por tanto en ese amor. ¿Lo necesitaba para mitigar el asesinato? ¿Había precisado de aquella noche para llegar a la declaración de amor que embelleciera el crimen? ¿O quería tan sólo, después de despojarle de su deseo carnal, dejarle clavado el aguijón de la pérdida eterna, la pérdida de ese amor conveniente para él? ¿Y qué entendía ella por ese amor digno de él? De pronto comprendió: ella se refería al amor que surge del no-Ser, al amor atávico que procede de la nada, salvaje, infraanimal, malvado, pero que se despoja de todo ello para ascender hacia el Ser, hacia lo humano, que constituye su anhelo y su deseo. Lo humano... Allá fuera la niebla matutina cubría aún las copas de los árboles del parque, el sol brillaba sobre las casas, era de día.

Hildegard entró de nuevo con el pequeño y familiar bolso gris plata en la mano.

—Ahí lo tiene —dijo alargándoselo—, será para usted una reliquia. Su sangre dejó estas manchas grandes y negras del borde. Tenía el bolso colgado del brazo, y al inclinarme sobre el cadáver rocé con él el charco de sangre. Fue sin querer, pero no obstante significativo, sobre todo para usted.

La sequedad con que lo dijo le hizo estremecer. No se atrevió a tocar las manchas de sangre:

—Pero no deja de ser un crimen.

Algo salvaje, que recordaba la noche anterior, algo indomable y feroz estalló en el interior de ella.

—No finja tanta aprensión ante el crimen y ante la sangre. Habrá muchos más crímenes y mucha más sangre en el mundo y usted los aceptará igual que acepta la guerra, con cierta tranquilidad incluso. Sí, tendrá que haber aún muchos crímenes, enormes, horrendos, y usted lo sabe, hasta puede que los desee, y sin embargo sigue fingiendo. Al menos este crimen, si de tal puede calificarse, ha sido en beneficio de usted.

—¿En beneficio mío?

—Sí, su vida será más simple de ahora en adelante.

—Tendré que empezar de nuevo.

A. miró las figuras arquitectónicas adosadas a la pared con marcos de madera de cerezo, completas en su tridimensionalidad, que superaban en sí mismas la muerte dentro de su inmovilidad.

—¿No puede dejar de fingir? ¿Qué quiere decir ese «empezar de nuevo»? ¿Acaso no ha tomado sus decisiones desde hace mucho tiempo? ¡Esto y no otra cosa es lo que usted ha dado en llamar tiempo de reflexión! Tanto usted como Zerline han conseguido lo que se proponían, y mi madre se trasladará al pabellón en cuanto Zerline lo ordene. Lo tengo que aceptar así, y sólo espero que todo se desarrolle lo menos catastróficamente posible.

—Ni siquiera debo repetir que no me basta con que no se produzca una catástrofe, mis esfuerzos van más allá. Y otra cosa: mañana le entregaré los documentos que certifican las garantías económicas.

Hildegard se encogió de hombros con resignación, pero con cierta satisfacción:

—Allí llevarán una vida muy contemplativa —dijo riéndose un poco—, un «empezar de nuevo» muy recogido. Y creo que mi madre, que espera con ansia el traslado, tendrá algo que decir al respecto. Por cierto que aparecerá de un momento a otro, saque esto de aquí —dijo señalando el bolso de Melitta.

A. se llevó el bolso a su habitación y lo escondió bajo llave en el cajón donde guardaba los documentos secretos y el revólver. Cuando volvió, la baronesa estaba sentada en su sillón.

—Tendríamos que llamar a Zerline —dijo.

«Escena final de una ópera —pensó A.—, una ópera trágica, o, en el mejor de los casos, una tragicomedia.»

Entornó un poco los ojos y la imagen se desdibujó de nuevo, el Ser se replegó en sí mismo sin perder su solidez y penetró en la suma realidad de lo irreal. ¿Había que considerar a la baronesa, a Hildegard y a Zerline, que entraba ahora, como seres individuales, ya que su juego en conjunto estaba dirigido por una única voluntad superior que apenas se podía considerar divina? Y ¿pertenecía él también a su grupo, él que se había introducido entre ellas para llegar juntos a lo irreal, para disolverse en lo irreal? Él lo había querido así. Y no obstante, ¡oh, sí!, no obstante seguía siendo él mismo, aferrado a su propio ser. La escena de ópera significaba esto, cualquier escena de ópera tenía ese sentido: en el momento de la constatación convertirse en no-Ser y sin embargo permanecer aferrado al Ser. Y él, hombre desnudo, con muchos huesos y articulaciones, una marioneta de ópera bajo el vestido que le cubría, se acercó al grupo.

—Se comporta usted como si fuera mi hijo —fue el saludo de la baronesa, al tiempo que le posaba una mano en la cabeza al inclinarse él a besarle la otra; el gesto de la baronesa semejaba la bendición de una madre—. En verdad que así es: como un hijo. Y me gustaría que lo fuese en realidad, significaría ver cumplido uno de mis más íntimos deseos.

En aquel momento, como si el deseo de la baronesa fuera una contraseña que pusiera en marcha el silbido de una olla —puede que se oyera realmente una—, Hildegard se levantó con premura de su asiento y se precipitó hacia la cocina diciendo:

—¡El agua hierve!

La baronesa la siguió con la mirada. En su voz había emoción al decir:

—Lo que no ha ocurrido, puede aún suceder.

Zerline, por su parte, tomó con un movimiento sincero la mano del semihijo. Era imposible descifrar si el gesto espontáneo significaba condolencia, felicitación, o era sólo reflejo de la alegría que sentía ante el próximo traslado al pabellón de caza, no amenazado ya por el peligro de la presencia de Melitta.

Se decidió que A. se trasladaría en los días siguientes, a fin de preparar el cambio de residencia y controlar los trabajos de instalación ya que, a propuesta de Zerline, se habían de celebrar allí las Navidades. Hildegard no opinó al respecto, tampoco se opuso. Quedó, pues, en el aire la esperanza de que tomara parte en la fiesta.

Era regla de convivencia que él, tras un suceso histórico

de tal índole, permaneciera un rato junto a la baronesa y, por derecho, hubieran tenido que quedarse con las manos juntas, en silencioso y confiado diálogo entre madre e hijo. Pero las conveniencias se lo prohibían. No se cogieron de la mano sino que permanecieron convenientemente alejados. Sin embargo, como el silencio confiado no les estaba prohibido, hablaron poco, y sus pensamientos siguieron probablemente un mismo curso, pendientes de percibir la dicha más natural del ser humano: haber nacido. Haber nacido de una madre cuyo cuerpo es el propio cuerpo, un cuerpo cuyas costillas se ensanchan a cada respiración. Oh, dicha de existir, felicidad de pasear por el mundo y sus suaves calles sin perder la mano de la madre en la que reposa protegida la del niño. Oh, el amparo de toda una vida, con su creciente desarrollo, depende de la infancia. Amparo que no significa cautividad sino que lleva en sí el germen de la libertad. Ella dijo:

—Ahora ya no soy una cautiva.

Él le sonrió:

—Yo, en cambio, me sumerjo en la cautividad, pero me siento tan feliz al hacerlo que no hace falta ni decírselo, baronesa.

Y era exacto. Pues su espacio vital se había restringido voluntariamente dentro de los límites de la plaza triangular y de esa casa, sin que él pudiera decir quién lo determinaba ni quién le retenía prisionero. Ahora lo sabía: el retorno al hogar. La cautividad voluntaria seguiría siendo un factor determinante para él, el viejo pabellón de caza no cambiaría nada.

Las copas de los árboles se agitaban suavemente ante las ventanas. El ligero viento de septiembre arrullaba los árboles, cuyas hojas empezaban a amarillear. Las golondrinas surcaban el aire hacia lo lejos, ya dispuestas a emigrar, y el ambiente estaba lleno de trinos.

La mirada de la baronesa recorrió la aristocrática plaza.

—Siempre volvemos al aliento supremo a fin de poder respirar. Siempre regresamos a la vigilancia máxima para poder nosotros vigilar. Buscamos eternamente la gran cadena que va desde los antepasados hasta los últimos nietos, buscamos el camino más corto entre madre e hijo, y nos aferramos a él a fin de sobrevivir. Yo he esperado y en esto consistió mi búsqueda, pero ¿quién puede decir si fue en cautividad o en libertad? Quizá sea lo mismo.

La ciudad, cobijada en el paisaje entrecruzado de calles y raíles, hecha ella misma paisaje, yace bajo la bóveda celeste, transparente y tenue como un hálito. La casa está entre el césped de la plaza y el verde del jardín de atrás, entre dos elementos que crecen, entre lo vivo y lo viviente, formando unidad con las casas vecinas. Y entre las paredes muertas e inmóviles existe el acontecer vivo, la relación de un ser humano con otro, relación viva que, en virtud de su pluridimensionalidad, lleva en sí lo inanimado. Existen el amor y el odio, que de pronto se funden; existe el susurro que va de la boca al oído; existe el aliento, que flota en el éter que todo lo penetra y en el que se halla, visible e invisible, el arco iris, semejante a una promesa de orden ingrávido.

La baronesa dijo:

—Acordémonos con gratitud de los muertos.

Él asintió. ¿Pensaba ella en Melitta?

La baronesa se levantó. En prueba de confianza no utilizó el bastón sino que, para conservar el equilibrio, se apoyó en la mano que se le tendía. Colgada de su brazo, se puso en movimiento. Y entraron así, orgullosos, en el comedor, con cierta solemnidad, deteniéndose ceremoniosamente ante el retrato del presidente. A. sintió unas ganas terribles de hacer una reverencia; la baronesa, en cambio, no estaba de humor para comicidades. Mientras ordenaba con mano cuidadosa las zinnias del gran jarrón de cristal que había bajo el retrato, dijo con melancólica seriedad que el difunto había deseado siempre un hijo, y contemplaba alternativamente los rasgos de uno y de otro como si fuera posible establecer una semejanza entre ellos. Esto le resultó desagradable, A. no deseaba haber sido engendrado por el caballero de traje talar pintado allá ni quería que le recordasen las funciones del barón. Y le pareció injusto que la baronesa poseyera un retrato del que había sido su compañero mientras que de Melitta, tan muerta como él, no quedaba más que una imagen confusa en la memoria, condenada a desaparecer en el transcurso de los días. De un modo casi perentorio, le entró el deseo de ir hacia ella, de verla una vez más, de visitarla en la sobria cámara mortuoria donde yacía: tenía que impregnarse de los rasgos de un pasado, de los rasgos crepusculares de dos noches.

La baronesa, todavía apoyada en su brazo, notó su impaciencia y se soltó:

—Nos veremos a la hora de cenar, querido A. Se entiende que usted es nuestro invitado esta noche.

Él aceptó dándole las gracias.

Tomó su sombrero en la antesala. Estaba a punto de abrir la puerta cuando apareció Zerline procedente de la cocina. Al verle con el sombrero puesto, lanzó una risita:

—Vaya, por una vez, y como excepción, no se le ha olvidado.

Y añadió con premura:

—¿Adónde va usted?

No contestó. La mujer le quitó el sombrero en un santiamén:

—No lo haga. No debe ir a verla. Déjela descansar, merece el reposo. Es lo que haría yo: lo dejaría todo tal y como está. Es aquí y no ahí... —Señaló primero su corazón, luego sus ojos—. Es aquí y no ahí donde debe quedar su imagen, igual que la vio por última vez a las cinco de la madrugada anteayer. Si va usted lo destruirá todo, y la imagen se quedará en los ojos y no en el corazón, que es donde debe estar.

Como él permaneciera silencioso, añadió:

—Yo la quería. Prométame que no irá a verla, ¡prométamelo!

Él prometió.

Más tarde salió, sin sombrero. Pero mantuvo su promesa, no fue a ver a Melitta. Por otra parte, ¿habría podido volver de aquel lugar? Él quería volver, quería regresar al hogar, quería quedarse. El que regresa es siempre absuelto.

Permaneció sentado en un banco junto al quiosco de la estación hasta que se hizo de noche. Con el reloj de los tres rostros de la muerte ante él, el triple rostro del punto central, pensó en Melitta, asesinada por la falta de libertad, la falta de libertad de las marionetas, porque ella misma era libre. Todos los crímenes se deben a la falta de libertad; es esta la que mata. Un hormigueo de marionetas llenaba la plaza, llenaba las casas en torno a él, y a pesar de la eterna limitación triangular de la plaza esta se convertía en un conglomerado, el conglomerado de la ciudad, el conglomerado de las cosas, que pertenece al ser de las marionetas, sin patria, sin esperanza. Pero él, sentado allí, tenía la esperanza del retorno al hogar, la esperanza de la falta voluntaria de libertad, unida de manera extraña a la libertad de Melitta, la esperanza de la despedida fácil. Y pensó en ella cada vez con más intensidad hasta que ella, disolviéndose en sí misma, penetró profundamente en él.

Cuando las luces del atardecer brillaron en la cúspide, donde se juntaban los lados del triángulo, no existía ya el temido signo de la justicia sino la señal del regreso al hogar y la inocencia, la señal del niño que escapa al infierno.

Al cabo de dos días se trasladó al viejo pabellón de caza. Y antes de que cayeran las primeras nieves —era a mediados de noviembre y el viento hacía correr sobre el asfalto de la plaza las hojas robadas a los árboles del parque— recogió a la baronesa en su coche nuevo. Desde luego hubo excitación, dificultades pequeñas y grandes, pues aunque la mayor parte de las cosas se enviaron primero, o se mandaba poco a poco lo que faltaba o lo pasaba a buscar él, y sin embargo no acababan de arreglar el resto, que tuvo que amontonarse en el auto.

Hildegard, que durante dos semanas había ayudado a empaquetar y enviar bultos, parecía completamente agotada. Le dijo con ira:

—Ya lo ha conseguido usted, señor A. Empiezan las contrariedades, como le dije, y sabe Dios cómo terminará todo.

Pero el aspecto de la baronesa la desmentía. Al fin el traslado terminó sin más dificultades. Y la baronesa seguía con su buen humor, y a lo largo de las semanas siguientes estuvo cada vez más alegre. Y en ese tono alegre celebraron la Navidad. El bosque nevado asomaba por las ventanas. El que Hildegard se disculpara en el último momento debido a un resfriado apagó un poco la atmósfera festiva. Pero no por mucho tiempo.

RELATOS POSTERIORES

VOCES
1933

Mil novecientos treinta y tres. ¿Por qué tienes que hacer poesía?
Tierra de Promisión de la despedida,
¡oh, presentimiento de profundos abismos!

* * *

No nos engañemos,
nunca seremos buenos;
arrastrados de borrachera en borrachera,
vamos hacia la tortura y la sangre.
Amamos la pena de muerte,
amamos el látigo, la soga y los gritos;
con cincuenta valientes latigazos
liberamos las costillas y la columna vertebral.
El hierro del garrote
quiebra lentamente la nuca,
y de la hirsuta barba del reo
asoma la lengua azul.
Nuestro progreso tiene mucho que agradecer
a la juiciosa guillotina;
la silla eléctrica,
que tortura silenciosa,
sirve para idéntico fin.

Los patíbulos de acero
para dos o cuatro personas,
orgullo del ejército alemán,
se mueven sobre neumáticos de goma.
Las plumas diseñan en los tableros de dibujo
y nadie, nadie, siente temor.
La nueva cruz del Gólgota,
hecha de tubos y enchufes,
se puede transportar, brillante, sobre ruedas,
exacta, para que la gente lo crea,
y luego los ingenieros
le atornillarán *in situ*.

* * *

Descúbrete y piensa en las víctimas.
Pues sólo el que siente la soga en su cuello
se da cuenta de la brizna de hierba
que se agita en el viento
por entre los adoquines que hay bajo el cadalso.
¡Oh, aquellos que disfrutan con la sangre derramada!
Lo demoníaco es ciego,
lo prohibido es ciego,
los espectros son ciegos,
están ciegos ante lo que germina
porque ellos desconocen el crecimiento.
Y sin embargo todos ellos
fueron niños alguna vez.
No alabes ni premies nunca más a la muerte,
no premies la muerte que los hombres se infligen,
no alabes lo indigno.
Ten, en cambio, valor para decir mierda cuando alguien
incite a los hombres a matar a su prójimo.
En verdad que el asesino sin dogmas
es el mejor de los hombres:

¡oh, llamada humillante y envilecedora,
llamada al verdugo, la llamada de miedo más secreto,
llamada de todos los dogmas infundados!
Hombre, ¡descúbrete y piensa en las víctimas!
El mal vuelve siempre su rostro hacia el mal:
¿quién consuma el sacrificio humano espectral?
Un espectro.
Está ahí en la habitación, algo prohibido está ahí,
que silba para sus adentros,
¡es el espectro del espíritu burgués
habituado al orden!
Ha aprendido a leer y a escribir,
usa cepillo de dientes,
va al médico cuando está enfermo,
honra a veces padre y madre,
en general se ocupa sólo de sí mismo,
y no deja de ser un espectro.

Surgido del ayer, sujeto románticamente al pasado, presintiendo en cambio las ventajas del tiempo actual y pendiente de este, un espectro que no es un espíritu, un espectro de carne, sin sangre y sin embargo sanguinario, con una objetividad casi carente de odio, sediento de dogmas, ávido de fórmulas exactas y movido por ellas como por los hilos de las marionetas (entre estas fórmulas está el progreso), siempre sangriento y cobarde, virtuoso en cambio en toda circunstancia, así es el burgués: ¡dolor, ay, dolor!
¡Oh, el burgués es en definitiva lo demoníaco! Su ilusión es la técnica más moderna y desarrollada que lleva inexorablemente a fines ya extinguidos, su ilusión es la ramplonería más perfecta técnicamente. Sueña en que un espíritu demoníaco profesional toque exclusivamente para él, sueña en la magia de la ópera, que brilla y refulge entre el hechizo del fuego. Su ilusión es brillo andrajoso.

¡Ah, qué asustados estábamos!
A través del Berlín de espectros

pasaba como un rayo el emperador-burgués,
plif-plaf, clin... clin...,
ramplonería de púrpura y apocalipsis,
motorizado y vestido de armiño,
apestaba a barroco,
resonaba diáfana su gran limusina.
Nos empujamos con los hombros
y nuestro espanto se hizo risa.
Pero esto era sólo el comienzo,
cuando tres decenios más tarde
se aproximó el monstruo y abrió sus fauces
y nos habló en un lenguaje babeante,
entonces perdimos el don de la palabra.
Las palabras se secaron
y parecía
que nos hubieran arrebatado para siempre
la comprensión:
el que todavía hacía poesía
era tenido por un loco despreciable
que pretendía sacar frutos de flores marchitas.
Perdimos la risa y vimos la máscara del terror,
la ramplonería fúnebre
unida al rostro del verdugo,
espíritu burgués.
Máscara sobre máscara,
monstruosidad cubriendo monstruosidades,
rostro que ignora las lágrimas.

* * *

Pero las revoluciones, sublevación de la naturaleza ante lo monstruoso, ante lo espectral y radicalmente prohibido, rebelión contra la multiplicidad de convicciones, que la sublevación pretende destruir mediante el fuego lúgubre y corrosivo del terror y de la violencia, las revoluciones se convierten ellas mis-

mas en fantasmas, ya que todo terror provoca una nueva actuación de la burguesía, hace surgir a los que se aprovechan de las revoluciones, al burgués rebelde, al técnico y virtuoso del terror, a los eternamente profanadores de la justicia: ¡Dolor, ay, dolor!
¡Oh, justicia revolucionaria! La revolución trae consigo la revolución imitativa y demoníaca del burgués, ente criminal y más exasperante aún, porque su falta de dogma es la del poder al desnudo. No se trata ya de convencer, por gusto o fuerza, sino de la infamia inherente a todas las convicciones, del instrumento de terror técnicamente más perfecto, de campos de concentración y laboratorios de tortura, que tratan de conseguir, mediante la abolición de la ley, hecha ley suprema, mediante la mentira fantasmagórica, hecha verdad superior, una esclavitud universal y abstracta, ajena a todo lo que sea humano.

* * *

No podemos medir el ser que hemos perdido:
yo era uno en mi cuna
y seré uno a la hora de mi muerte,
aunque quizá tenga que aguardar,
tras los alambres de púas,
a que me conduzcan
al lugar del suplicio.
Pues nuestras almas
aunque adheridas a la nada
y sin saber hacia dónde
han de dirigir sus plegarias,
susurran delirantes en piadosa soledad,
como si en la nada
se ocultara callado el Ser.
¡Oh, haced que yo nunca olvide!
Por eso tú, que aún vives,
debes descubrirte y pensar en las víctimas,

sin olvidarte de las víctimas del futuro.
La carnicería humana no ha terminado aún:
¡sean malditos los campos de concentración
de todo el orbe terrestre!
Se multiplican, sea cual sea su nombre.
Revolucionarios o antirrevolucionarios,
fascistas o antifascistas,
representan el dominio del burgués,
ya que este quiere practicar y sufrir la esclavitud.
¡Maldita sea la ceguera!
El prado y el bosque llegan a las alambradas,
y en los hogares de los verdugos cantan los canarios.
Un cielo de sangre cubre las cuatro estaciones del año
y el arco iris no tiene color de esperanza,
el cosmos se burla de las incompatibilidades
y pregunta al hombre:
¿soportarás todo esto aún mucho tiempo?,
¿qué ves?, ¿qué te parece falso?
El que va a morir lo ve;
ya nada le amarga
y el tiro en la nuca es auténtico.
Descúbrete y piensa en las víctimas.

* * *

La incisión en lo terreno, otra vez. La orilla desciende,
abrupta, hasta el mar.
El paisaje ya no constituye un todo y el horizonte,
allá a lo lejos,
está cubierto por la niebla múltiple de la metamorfosis.
Las cosas se han convertido en mesura del hombre,
y el ayer se escapa antes de que la barca lo recoja.
Llégate al puerto.
Las barcas aguardan todas las noches, invisibles,
para llevar hacia el este desconocido de la noche

la flota de los humanos: ¡oh, incisión que atraviesa el tiempo!
¿Existió un ayer? ¿Quiere burlarse de ti?
¿Existió la madre? ¿Existió nunca lo que te llevó en su seno?
¿Existe el retorno al hogar? El retorno nunca existe,
siempre hallas, en tus encuentros, aquello que te está destinado.
Por eso no es necesario que busques, sólo mira.
Contempla el flujo y reflujo tranquilos,
contempla la metamorfosis en la escisión,
la pausa entre lo visible y lo invisible
en que se resuelve la escisión,
allí adonde vuelven las cosas hechas por el hombre,
indefensas al término de su poder. En eso se cumple todo.
Llégate al puerto.
Cuando el atardecer se cierna sobre los muelles
y el mar sea un espejo tranquilo,
mira donde el ayer se convierte en mañana
antes de que se cumpla.
El paisaje está dividido,
pero tu saber es mayor que tú mismo.
Espolea de nuevo tu conocimiento
para que tu saber lo alcance
antes de que caiga la noche.

* * *

No basta con que no esculpas una imagen Mía;
sin embargo tú piensas en imágenes
cuando piensas en Mí.
No es suficiente que te avergüences
de pronunciar Mi Nombre;
tu pensamiento es lenguaje
y Me nombras con tu callada vergüenza.
No basta que no creas en otros dioses aparte de Mí;
tu fe sirve sólo para forjar ídolos
y Me coloca en su mismo rango;

son ellos y no Yo quienes te dan órdenes.
Yo soy el que soy
y no soy porque soy.
Yo escapo a tu fe.
Mi rostro no es rostro. Mi lenguaje no es lenguaje,
esto lo sabían Mis profetas:
cualquier afirmación acerca de Mi Ser o Mi no-Ser
es presunción.
Y tanto el descaro del embustero
como la sumisión del creyente
son la misma cháchara presuntuosa.
Aquel evita las palabras de los profetas
y este no las comprende,
aquel se rebela contra Mí,
este se Me une con cómoda veneración.
Por eso rechazo a aquel
y sobre este dejo caer Mi ira.
Soy benévolo para con los que confían en Mí.
Soy el que no soy,
soy una zarza ardiendo y no lo soy,
pero a aquellos que preguntan:
¿a quién hemos de venerar? ¿Quién es el primero entre nosotros?
a ellos ya les respondieron Mis profetas:
¡Venerad lo desconocido! ¡Adorad lo desconocido!
Lo que está fuera,
lejos de vuestro campo;
allá está Mi trono vacío,
inasequible en el no-espacio vacío,
en la no-mudez vacía y sin límites.
¡Protege tu conocimiento!
No intentes acercarte.
Si quieres acortar la distancia
agrándala con libertad
y arrástrate libremente en la contrición
sin poder acercarte a ti mismo.

Sólo así podrás formarte una imagen.
Si no, te verás obligado a la contrición.
No seré Yo quien levante el látigo sobre vuestras cabezas,
vosotros mismos lo iréis a buscar
y bajo sus golpes
perderéis vuestra capacidad de ser imágenes,
perderéis vuestro conocimiento.
Pues en tanto Yo sea y exista para ti,
te habré infundido el no-espacio de Mi Ser,
y habré hundido hasta lo más profundo de ti mismo
aquello que es más externo,

a fin de que
tu conocimiento llegue a presentir tu saber
y, no obstante, puedas creer en tu falta de fe,

reconoce la capacidad de tu conocimiento,
pregunta por tu facultad de preguntar,
la claridad de tu oscuridad,
la oscuridad de tu claridad,
que no se pueden oscurecer ni volver más diáfanas:
ahí radica Mi no-Ser.
Así es como enseñaron Mis profetas
cuando fue el momento
y, rebelándose sólo por ser elegidos
pero siendo sin embargo elegidos,
algunos del pueblo así lo entendieron
y se atuvieron a ello.
Escucha en lo desconocido
atiende a las señales de la nueva plenitud
a fin de que existas cuando se abran a tu conocimiento.
Dirige hacia allá tu piedad y tu oración.
No Me reces a Mí, no te oiré:
sé piadoso por Mi causa, incluso sin acercarte a Mí.
Sea esta tu conducta:
orgullosa humildad
que te hace ser hombre.

Y, sobre todo, mira.
Esto sí es suficiente.

* * *

Oh, el sistema solar es todo para el hombre,
y le cuesta decir adiós,
aunque en la mirada de despedida
descubra la Tierra de Promisión
sin que pueda ni deba pisarla.

Hermano lejano, a quien todavía no conozco
en mi desamparo,
ha llegado el momento
de que escalemos el monte Pisgah.
Un poco fatigados
—como corresponde a nuestra edad—
pero llegaremos,
y luego, en la cúspide del monte Nebo,
descansaremos.
No seremos ni los últimos ni los primeros en llegar.
Se nos juntarán eternamente
gentes de nuestra clase
y diremos de pronto Nosotros
olvidando el Yo.
Pero ahora hablaremos así:
nosotros, estirpe elegida,
estirpe renovada entre todas las demás,
en máxima y pujante transformación,
nosotros que hemos cruzado el desierto
hambrientos, sedientos, cubiertos de polvo y de mugre,
completamente agotados
(sin citar los insectos, las sabandijas
y las enfermedades
que nos han torturado),

nosotros los exiliados,
los buscados por el hogar
y que por eso buscamos hogar,
nosotros, los que hemos escapado al horror,
reservados para la felicidad de conservar
y de contemplar.
Nosotros, los que nos hemos evitado
el horror de la contemplación expectante,
nosotros somos los bienaventurados.
La noche se nos ha hecho corta,
para nosotros el ayer llega hasta el mañana
y vemos uno en otro,
regalo maravilloso de la paridad del tiempo.
Y de este modo
(mientras allá abajo hacen sus equipajes,
con la confusión y los gritos de la marcha),
a nosotros, aquí arriba,
libres de toda esperanza, dichosos,
en la gran despedida de la contemplación,
nos es dado esperar el beso dulce y fuerte de lo desconocido
sobre nuestros ojos y sobre nuestras frentes.

X. EL CONVIDADO DE PIEDRA

A. vivía desde hacía unos diez años en el viejo pabellón de caza, rodeado de bosques, en compañía de la cada vez más frágil baronesa y de la criada Zerline, no más joven, pero sí con una robustez sorprendente, que aumentaba de día en día. A. sobrepasaba ya la cuarentena, había engordado mucho, no por falta de movimiento, o mejor dicho, por la existencia sedentaria que había escogido, sino por la dieta de engorde: desde que se trasladaron al viejo pabellón, Zerline se había propuesto convertir a sus habitantes en toneles ambulantes. Cuidar la mesa y cocinar constituían casi el único fin de su vida. Sus esfuerzos en pro de la cura de engorde tuvieron poco éxito en la baronesa pero surtieron efecto en A., y en ella misma también, pues su peso era sin duda el doble que antes y estaba en camino de triplicarlo.

A. la observaba con asombro. Para darle gusto, había comprado cierto número de animales a fin de que pudiera ejercer asimismo en ellos la pasión de alimentarles. Tres perros muy cebados, dos bassets y un perdiguero, e innumerables gatos, cuyo número aumentaba sin cesar, poblaban la casa. Y en el gallinero, donde ella dedicaba sus preferencias a los gordos capones, tenía incluso algunos gansos con los hígados muy desarrollados gracias a su ahínco. De vez en cuando, sobre todo si le sobrevenían crisis reumáticas, solicitaba la ayuda de A. para dar de comer a los animales del corral, pero en general realizaba esos quehaceres sola. Cuanto más engordaba tanto más rápida y hábil era, y más exigente, completo y reconocido su ascendiente sobre personas y animales. Incluso los dos bassets de forma cilíndrica, que no se dignaban ni pestañear cuando alguien les mandaba algo, obedecían a la mínima orden de Zerline, y los gatos comenzaban a ronronear en cuanto ella aparecía.

Igualmente resultaba indispensable en el cuidado del huerto. El jornalero que lo cuidaba le pedía consejo hasta en los menores detalles. Tras vivir en la ciudad más de cuatro decenios, había despertado de nuevo en ella su sangre campesina, así como la codicia propia de las gentes del campo. Dado que era imposible meter en los estómagos de los habitantes de la casa todos los huevos, verduras, frutas y aves —lo cual habría preferido—, se enviaban fuera por uno u otro camino. En gran parte se vendían o cambiaban por otros productos, y algunas veces, las menos, se regalaban, ya por generosidad ya con algún otro fin. En ocasiones, los beneficiados eran niños, que se sentaban entonces en la cocina horas y horas contemplándola si no les permitía que la ayudaran.

A. no vio nunca un solo penique como resultado de esas transacciones. Al parecer, metía el dinero en una media. En todo caso, no lo gastaba para ella: llevaba los mismos vestidos que diez años atrás, sólo que ahora las faldas se le rasgaban por todas partes y las arreglaba a base de imperdibles, pues no valía la pena buscarles un remedio más artístico. Cuando A., en Navidades u otra oportunidad, le regalaba algo nuevo, se limitaba a palpar la tela con aire desconfiado, comprobando si era de buena calidad, y luego se miraba al espejo para ver cómo le sentaba. Con eso se daba por satisfecha. La prenda nueva desaparecía y seguía usando las viejas, no sin señalárselo a veces a A. como prueba de su miseria:

—Yo no me puedo comprar nada. Usted se ocupa sólo de la baronesa y en cambio yo no le importo.

A. se ocupaba, en efecto, de la baronesa. La cuidaba como

si fuera su hijo. Atender a la que había convertido en su madre electiva, leerle el periódico, jugar con ella al «bésigue» por las noches, escuchar juntos la radio, daba cada vez más sentido a sus días. Se contentaba con eso porque ella también tenía suficiente, como si sus necesidades en la vida no pudieran sobrepasar las de la baronesa. Sin embargo, no existía en realidad la mutua y natural confianza entre madre e hijo. El inmutable y un tanto infantil trato ceremonioso que se otorgaban llegó a convertirse en la esencia de sus relaciones, que eran tan exclusivas que la baronesa olvidó poco a poco su vida anterior: la época de su matrimonio y sobre todo sus primeros años de viudez desaparecieron en la nada. Los lugares donde había transcurrido su existencia, en especial la vivienda de la ciudad, tantos años compartida íntimamente con su hija Hildegard y que esta ahora alquilaba a *paying guests*, se esfumaban en el horizonte. Esta mengua en sus recuerdos, compensada en cierto modo por la tranquilidad que suponía, abarcaba incluso a la propia Hildegard, convirtiéndola cada vez más en una extraña cuyas visitas —muy poco frecuentes por cierto— llegaron a constituir un auténtico estorbo.

A. evitaba rememorar hechos pasados. Les gustaba jugar a envolverse mutuamente en el ocaso y cualquier alusión a tiempos lejanos iba en contra de las reglas. También él, por tanto, olvidó su vida anterior. Se desvanecía lentamente el recuerdo de sus viajes por los cinco continentes, de su lucha para abrirse camino en la jungla de la Bolsa y del curso monetario internacional, entre la barbarie de las finanzas y la especulación. Olvidaba esa pasión vivida años atrás, que comparten el investigador y el jugador ya que —a veces con gran frialdad de pensamiento— han de prever, ellos también, las posibilidades que pueden surgir al combinar el Ser con el Devenir. De todo ello quedaban en su memoria sólo esbozos, envueltos por la vida cotidiana muelle y fácil, que engorda y entumece pero que no obstante se esconde tras lo ingrávido y lleva al Yo humano hasta una esfera en la que no cabe ningún deseo. Incluso los deseos eróticos habían desaparecido. Le parecía ahora inimaginable que alguna vez hubiera amado o poseído alguna mujer, y lo más inimaginable era, por supuesto, que una muchacha se hubiera suicidado por su culpa. ¿Fue en realidad por causa suya? Su última amante era un simple nombre en la crónica de sucesos, un nombre, además, casi caído en el olvido, pues no sabía seguro si había sido Melitta o no. No quedaba nada; sólo contaba el ahora de los últimos diez años, tan pobres en aconteceres. Cuando la baronesa decía: «Hablemos de los viejos tiempos», ambos entendían por ello los días de su primer encuentro. Tenían en común ese: «¿Te acuerdas?», que entre ellos, debido a la formalidad con que se comunicaban, era: «¿Se acuerda usted?».

Tenían miedo a los recuerdos. Cuando el viento hacía vibrar alguna puerta, ambos se estremecían. Si el tiempo lo permitía, acostumbraban dar un paseo por el jardín, contemplando las últimas innovaciones introducidas por A. con el fin de embellecer la finca: el reloj de sol, por ejemplo, en la glorieta del centro del jardín o las fucsias recién plantadas ante la cocina. Regresaban reposados, aunque Zerline les hubiera llamado para comer. Así era la vida en la casa de la obesidad, en el grueso y muelle vivir cotidiano. A. no deseaba que fuera de otro modo. Le gustaba dejar transcurrir así los años y, es más, incluso amaba esta forma de vivir. Con frecuencia se decía que en verdad se había convertido en un miembro de la *leisure class* en el sentido más estricto, y que algún día sería castigado por ello, cosa que lamentaba, pero ¿era culpa suya haber ganado siempre mucho dinero? El comercio internacional de diamantes era, desde luego, mucho más lucrativo que las penosas excavaciones para encontrarlos en las minas de Kimberley. Pero ¿se podía hablar de ingresos sin trabajo? No, pese a toda su comodidad e incluso pereza, su vida ociosa no estaba exenta de actividad. Debía estar incesantemente en el *qui vive* y seguir el curso de los cambios y las mercancías a fin de poder dar a tiempo instrucciones a los agentes de Bolsa y a los bancos. Además había que contar con el ascenso de políticos locos del jaez de Hitler, lo que significaba ser doblemente precavido si uno no quería correr el riesgo de arruinarse de la noche a la mañana. Hasta ahora había hecho bien sus operaciones. Se había desembarazado lo más rápidamente posible de bienes inmuebles, sobre todo de los alemanes, y había suprimido sus especulaciones sobre las mercancías, empleando sobre todo sus fondos en valores americanos. Y el haberlo conseguido sin pérdidas, a pesar de la crisis y la depresión general, a pesar de las duras y estrictas leyes sobre las divisas en el comercio internacional, a pesar de circunstancias cuyas dificultades su padre no habría podido ni soñar, era para él un triunfo, una victoria sobre aquel hombre tan seguro de sí mismo, que había profetizado a su hijo que dilapidaría toda su fortuna.

También era un éxito sobre su padre el haber conseguido la seguridad económica para la vieja baronesa. En su testamento se acordaría de las instituciones benéficas y sería particularmente generoso con las de su patria holandesa, pero la heredera principal sería la baronesa, a cuyo nombre ya había legado el viejo pabellón de caza y el pequeño resto que le quedaba de bienes inmuebles, en caso de que él falleciera.

Preocupaciones, desde luego, no le faltaban. Si la situación se agudizaba y el peligro de guerra, por ejemplo, era inminente, ¿tendría que marcharse en pos de su dinero? ¿Se atrevería a trasplantar a la vieja mujer cuyo traslado podía resultar fatal? O ¿se vería obligado a causa de ello a permanecer en el país, poniendo en juego el capital transferido, con lo que se cumpliría quizá tardíamente la profecía de su padre?

No obstante, aunque un pesimismo precavido le había resultado siempre lucrativo, eran tal vez suposiciones en extremo derrotistas, porque la situación a su alrededor mejoraba visiblemente: la tensión internacional, tanto política como económica, se suavizaba, la paz que reinaba en el viejo pabellón de caza, alimentada por Zerline, no parecía correr riesgo de perturbación alguna. El nacionalsocialismo perdía votos, las finanzas internacionales adquirían cierta rutina, como exigían las divisas, y la vida de A. seguía su curso normal, pareciendo que continuaría así aún por un tiempo.

«Hay que digerir la vida y digerir el destino», acostumbraba decir A. mientras contemplaba con alegría las fucsias, concurridas de avispas, que se erguían junto a la pared de la cocina, así como los pelargonios cercanos a la glorieta del jardín.

A menudo, en la fresca tibieza de una mañana de verano o de otoño, cuando el follaje amarillento rebosa quietud y transparencia, daba un reposado paseo por el bosque. Andaba por entre los troncos de hayas y se detenía de vez en cuando para tocar la áspera corteza gris verdosa o contemplar los corazones e iniciales que los ciudadanos habían grabado en sus excursiones y que, con el tiempo, habían adquirido un color entre negro y castaño. Le solían acompañar las imágenes de su padre y de la baronesa, aunque no en su apariencia física, sino que el primero se le aparecía en forma de problemas de finanzas y la segunda en forma de cédulas testamentarias. El bosque constituía, en ambos casos, un buen sugeridor de ideas. No obstante, por muy acertadas que fueran las mejoras que se le ocurrían respecto al testamento, nunca pensó que su anciana heredera podría morir —según el orden natural—; la muerte de ella le parecía evitable, algo que se podía aplazar indefinidamente, que se podía paliar igual que se le evitaban con sumo cuidado todas las desgracias que pudieran afectarla. En el fondo, todo eso significaba que él no quería, bajo ningún concepto, sobrevivirla. Mientras él siguiera en este mundo, nada podía cambiar, tampoco ella.

En uno de los árboles había la siguiente inscripción de amor: «Fiel hasta la muerte». Poco faltó para que él sacara su cuchillo y escribiera debajo el nombre de ella, «Elvira», como una palabra votiva. Y así se confundía en él el curso de la Bolsa con las leyes de la herencia, el susurro del bosque con el crepitar de las ramas, el zumbido de los insectos con los silbidos de una lejana locomotora y con todo lo visible en la claridad y oscuridad del bosque. Se mezclaban en él todas las realidades vistas, oídas y pensadas en un todo de infinitas y múltiples dimensiones, en cuya realidad superior se transforma lo inmediato, elevando lo contiguo y humano en su existencia terrena y en su sexualidad, pero conservándolo en su secreta plenitud para el instante supremo, eterno e intemporal en que el tiempo y el espacio se precipitan uno en otro.

Cuando regresaba de tales paseos nunca dejaba de contarle a la baronesa sus impresiones sobre la naturaleza. En primavera le solía traer las primeras campanillas, violetas o azafrán amarillo, recogido en los lindes del bosque. En otoño, en cambio, regresaba cargado de ramas de escaramujos, con el fin de que el fuego de sus rojos frutos otoñales resplandeciera en los jarrones de la casa.

«No se canse», decía casi siempre la baronesa, mientras contemplaba con satisfacción su figura cada vez más achaparrada, su rostro igualmente ancho y las manchas rojas en los pómulos, frecuentes en hombres rubios de edad madura cuando empiezan a engordar, manchas que acostumbran ir unidas, como en su caso, a una creciente alopecia. La complacencia de la baronesa era fruto del amor que, sobre todo tras una larga vida en común, transforma los defectos de la otra persona en virtudes. Le gustaba repetir: «Está usted en una edad en que hay que empezar a cuidarse; no debe fatigarse».

En esa época había sobrepasado él los cuarenta, y a pesar de que su salud era perfecta, empezó a ocuparse de su físico, debido a los maternales consejos de la baronesa. Por mucho que Zerline afirmase siempre que «el ejercicio al aire libre abre el apetito» y por eso comenzara a reducir el extenso trazado de sus paseos, no perdió el deseo de comer. Al contrario, a veces se deslizaba en la despensa y, con el ansia de un ladrón, robaba algo que devoraba al instante.

En general se sentaba en su habitación y dejaba que el bosque penetrara hasta él a través de la ventana. Si bien descansaba con frecuencia en el sofá, se entregaba allí a sus negocios financieros. El tiempo que le quedaba libre, que era mucho, lo dedicaba a la lectura. Como era un lector rápido e interesado en diversos temas —casi todas las semanas le llegaba algún envío, remitido por un librero de la ciudad—, los libros se acumulaban en su aposento, hasta tal punto que este tenía el verdadero aspecto de una biblioteca. Muchas veces no hacía absolutamente nada y, aunque se sumía en estados de arrebato, no lo arrebataban a ninguna parte. Eran evasiones hacia la nada que le producían una fascinación lastradamente fúnebre y no obstante sublime. Lo experimentaba especialmente en invierno. Se había acostumbrado —gracias a las recomendaciones de Zerline sobre el aire libre y el apetito— a tener por lo menos una de las dos ventanas abierta, incluso en invierno, pero debido a ello se veía obligado, por una parte, a mantener la estufa a toda marcha, y por otra a arrebujarse con ropas de abrigo. Se sentaba ante el escritorio con la cabeza —sensible a los resfriados por la alopecia— protegida por un viejo gorro casero y pasado de moda, con mitones (hechos por la baronesa expresamente para él), y los pies enfundados en zapatillas de fieltro. Así, casi siempre de pronto y sin ninguna causa externa que aparentemente lo justificara, caía en esos arrebatos crueles y paralizados hacia la nada. Y ni siquiera una ráfaga de nieve, que echara en su rostro sus copos helados, le habría podido obligar a cerrar la ventana. Antes bien, era como si sin moverse de su sitio lo tuviera que conservar hasta el verano, hasta el momento de máximo calor, cuando pudiera permanecer allí sentado, en mangas de camisa, soñando en el invierno.

Fuera aire de nieve o tórrido, viento del norte o del sur, para él, el evadido, era siempre como un flujo y reflujo, una corriente que entraba en su habitación y le purificaba, llevándole hacia lejanos presentimientos, pues el aliento del bosque era la respiración de la estructura más íntima, del substrato oscuro que, no obstante, se eleva a altas claridades, en un vislumbre de verdad lejana y casi ingrávida que constituye el orden. A veces era como un canto, un canto lejano e ingrávido.

Un día este canto se hizo realidad.

Primero fue como si en lo más profundo del bosque un leñador cantara al compás de su trabajo. Luego se mezclaron al canto los trinos y el gorjeo de los pájaros, cosa imposible, puesto que corría el mes de marzo. Después se hizo otra vez el silencio. Sólo se oía caer la nieve apelmazada, medio derretida por efecto del deshielo, de las ramas de los árboles, el agua goteando de los tejados.

Pero empezó de nuevo. A. se sintió molesto y con razón. ¿No había cosas mucho más importantes que esa especie de juego de adivinanzas a propósito de un canto? Adelantándose a los acontecimientos, con su pesimismo de siempre, ¿no lo había previsto casi todo hacía ya tres años? Hitler había alcanzado en efecto el poder, y el peligro de guerra se cernía inminente sobre un mundo ensombrecido. Tal vez lo consideraba desde un punto de vista excesivamente derrotista, pero la prudencia aconsejaba convertir en dólares todos los bienes que poseía en libras. Y A., que estaba a punto de cablegrafiar a sus bancos de Londres y de Nueva York, se preguntaba si incluso el valor del franco suizo seguiría siendo digno de confianza o, por el contrario, precario. Ese canto, ¿no podía esperar a que pusiera orden en sus pensamientos? ¿No sabía el cantor las muchas cosas que estaban ahí aún por solucionar? Además, después del abundante almuerzo la siesta era necesaria. Sin una cabeza despejada —¿por qué demonios tendría hoy tanto sueño?—, no es posible tomar ninguna decisión. Los golpes de hacha no le estorbaban, formaban un todo natural con el bosque. El canto, en cambio, no era natural, ni siquiera ahora, que se perdía en la sombra y se confundía casi con el lejano zumbido de las abejas. Pero el zumbido de las abejas no es un canto, es algo habitual. Nunca le había molestado y no tenía por qué incomodarle ahora. Pero ¡qué tontería! ¡Zumbido de abejas en marzo! En verano es lógico, en invierno era un canto.

Cortar troncos es un trabajo pesado, hay que reconocerlo, y si el leñador quería realizarlo cantando, la siesta propia no le da a uno derecho —la voz se oía cada vez más clara— a impedírselo. Sin embargo, ¿era en realidad el leñador quien cantaba? ¿No procedían la voz y los golpes de hacha de distintas direcciones, aunque sonaran al unísono? Parecía un coro de varias voces. No obstante, una voz única dominaba el conjunto, lo cual se notaba sobre todo cuando, elevándose por encima de sí misma, entonaba una especie de aria. No cabía duda, era una sola voz, masculina, y se acercaba, trayendo el canto consigo, rodeada de trinos de pájaros, envuelta en un arco iris de nieve. Era a la vez un canto de leñador, una marcha, un salmo y un himno de consolación, todo de una infinita belleza. A. lamentó que cesara y que los siete colores del arco iris se redujeran primero a tres para desaparecer luego en lo invisible. Los hachazos sonaron todavía un momento, pero se hundieron también en el silencio. Entonces se oyeron sus pasos, pesados, regulares, ininterrumpidos, como si el hombre no anduviera sobre nieve en deshielo sino sobre tierra firme. Los pasos se dirigieron hacia la casa y se detuvieron frente a la puerta de la cocina.

—Dios sea contigo —dijo el hombre a Zerline, quien, como si le hubiera visto venir, apareció en la puerta.

—Vaya, vaya —le respondió ella con la sorpresa semejante a la que se experimenta ante la aparición de un viejo conocido.

—Sí, sí —confirmó él en un tono casi de disculpa—, era el momento justo.

Hacía pocos días Zerline expresó el deseo de llamar al veterinario porque uno de los bassets parecía quedarse ciego, pero era inimaginable que el pequeño y flaco veterinario tuviera una voz tan potente. No, no era él. Por tanto era lógico que ella le preguntara:

—¿Con quién deseáis hablar? No será conmigo, ¿verdad?

Lo dijo en un tono de confianza, casi con coquetería, pero con un ligero dejo de ansiedad. A un veterinario no le habría interrogado así.

—No, por desgracia no con vos —contestó riendo el forastero.

—Ni siquiera me habéis preguntado si deseaba algo de vos.

—¿Por qué preguntarlo? Tenéis todo el aspecto de necesitar un tipo como yo.

La gente mayor bromea siempre de ese modo, pensó A., actúan como si quisieran retozar juntos, y lo turbados que se verían caso de tener que hacerlo. Pero, por todos los diablos, ¿por qué se tratan de vos y no de usted o de tú?

La cháchara seguía abajo, y Zerline, adulada, le atajó prestamente:

—Huy, huy, no exageremos. No estáis tan ciego…

—Sí lo estoy —le contestó con divertida grosería—. Nosotros tenemos que ser ciegos.

—¡Qué ciegos ni qué tontería! Bien que os han servido los ojos para llegar hasta aquí, y debéis de estar hambriento tras esta marcha. Ea, entrad, que os daré algo bueno.

—Gracias mil, pero no es necesario.

—No es necesario, no es necesario —contestó ella medio riéndose—. Todos tenemos que comer y nadie puede prescindir de ello; si no, desfallece. Incluso la muerte necesita ser alimentada si quiere servir para algo.

El forastero rió, y de su risa brotó otra vez el canto:

—Y ¿qué tenéis que sepa bien?

—¿Queréis un café, o bien algo para hincar el diente?

—Ya que tiene que ser… pues las dos cosas.

Ella rió socarronamente.

—Así son todos con su «no es necesario, no hace falta». En realidad todos quieren algo.

—Y no es necesario, ya os lo he dicho. El que viene para un negocio, además, no es un huésped.

—Ah, conque negocios. ¿Quién os pagará a vos? Pero primero comed. Luego, por mí ya podéis tratar con ella —y rectificó—, con la señora baronesa, de lo que sea.

¿Qué clase de negocios? ¿Era acaso un agente de Cambio y Bolsa? A. decidió proteger de ello a la anciana, tan alejada de esos menesteres. Pero inmediatamente escuchó:

—¿Y quién os dice que deseo hablar con ella? No es así.

¡Ah, ya! Se ha detenido aquí tan solo, en cuanto haya comido debidamente seguirá su camino.

—O sea, que no es con ella —comentó Zerline un tanto sorprendida—. No importa, primero comed.

Se les oyó desaparecer en la cocina, y subir de allá los ruidos característicos de las maniobras que en ella se realizan, amén de las risitas de Zerline, a todas luces dedicada con sumo agrado al forastero.

El hecho de que ese forastero, ese extraño y sorprendente cantor, estuviera ahora abajo recibiendo alimentos de manos de Zerline, y que hubiera venido con fines desconocidos para proseguir luego su camino con negocios también desconocidos, no hacía que su canto resultara menos extraordinario. Quizá no era él quien cantaba. Y tal vez ni siquiera había cantado nadie. El hombre siempre está expuesto a errores, y más cuando le invade la somnolencia. Ningún canto se sumaba a los golpes de hacha ahora, el leñador había reanudado su trabajo. A. separó involuntariamente un objeto pesado que había bajo los papeles —¿de dónde demonios habré sacado yo esto?— y se puso de nuevo a calcular sus valores en libras y en francos. Este es mi trabajo, se dijo.

Luego se oyó otra vez la voz de Zerline:

—¿Lo veis? Os ha gustado. Además no me ha supuesto ningún esfuerzo prepararlo.

La puerta se abrió un poco —Arouette, el angora negro de A., su gato particular, por así decirlo, salió furtivamente de la habitación—, y la vieja criada, en un tono complacido y como queriendo dar una sorpresa, dijo:

—Ahí hay uno que desea hablar con usted... Es ciego.

Un hombre muy viejo, con melena y barba blanca, con un aspecto que imponía respeto, entró en la habitación. A. echó su sillón para atrás en ademán de saludarle y ayudarle, pero el ciego levantó su mano grande con un gesto imperioso.

—No se moleste, no se moleste.

Sin hacer él tampoco ningún cumplido y, como si viera, se dirigió sin vacilar hacia el sillón de cuero situado frente a A. No usó en absoluto el bastón nudoso que, por lo visto, era sólo un emblema de caminante. Lo conservó en la mano y, con toda su figura pero sin pesadez, se dejó caer en el sillón y extendió las piernas, metidas en unas botas altas aún húmedas de nieve.

—Vaya, vaya, hemos llegado al fin. No cuesta mucho adivinar que me miráis en espera de una explicación. Os la daré enseguida, al tiempo que os propongo revisar vuestras cuentas conmigo. Estáis de acuerdo, ¿no?

¿Un recaudador de impuestos? ¿Un recaudador de impuestos ciego, de edad bíblica y encima conocido de Zerline? Además, prescindiendo incluso del canto del bosque, ¡qué forma tan rara de expresarse para un empleado de hacienda! En verdad que, de no haber tenido lugar el refrigerio abajo en la cocina, se le habría podido tomar por un espíritu, por un empleado fantasma, por un espectro examinador. Y sin darse cuenta de que caía en el mismo lenguaje espectral, A. preguntó:

—¿Quién os da derecho a someterme a examen? No tolero que se me examine, mis libros están en perfecto orden. ¿Quién sois?

—Sí, sí —concedió el anciano—, sólo un loco pondría en duda la corrección de esos libros, pero ¿se esconde algo entre las cifras?

—Nada, si no serían falsos.

—¿Nada? ¿Es la nada vuestro error?

—Nada significa que no soy culpable ni debo nada a nadie.

—¡Qué cosas decís! O sea, que vuestros libros son omniscientes y contienen aquello que vuestra mano no escribió. Razón de más para verificarlos, o mejor dicho, para permitir que se verifiquen.

—¿Quién sois para osar imponeros? ¿Quién os envía? ¿Qué sois? ¿Sois acaso un juez?

—Palabras desmesuradas, en exceso desmesuradas...

—Bien, limitémoslo a lo más humilde. ¿Puedo permitirme preguntar cuál es vuestro nombre, y cómo os he de llamar?

—Cuando uno se hace viejo, pierde muchas cosas de sí mismo sin siquiera darse cuenta o acordarse. Los más ancianos pierden incluso el nombre... hasta para consigo mismos. Sin embargo, llamadme abuelo, como hacen muchos.

¿Abuelo? Pensó en el padre de la baronesa sin podérselo imaginar. Pensó en sus propios abuelos, a quienes había conocido cuando era muy joven y de quienes no conservaba más que algún recuerdo, detalles insignificantes, como el brillo de una cadena de reloj de oro sobre una tripa, el reflejo de los cristales de unas gafas o el olor de tabaco procedente de una pipa de espuma de mar. Pero de pronto surgió en él una sospecha dolorosa, dolorosa porque resucitaba un recuerdo del que creía haberse librado hacía mucho tiempo: el recuerdo soterrado del suicidio de Melitta, del que él era culpable sin serlo. ¡Esa debía de ser la cuenta pendiente a que se refería el viejo!

—Sois el abuelo de Melitta. —Lo había dicho sin apenas darse cuenta, lo que tenía relación con el objeto pesado que se encontraba sobre la mesa ante él y que no quería ver. Era una relación oscura, afortunadamente sin fundamento, y a la que era mejor no prestar atención.

—Es posible, es posible. Y si es tan importante para vos, pongamos que lo soy. Estamos del otro lado del recuerdo.

Claro que era importante. Estaban brotando en Alemania infinitos manejos turbios y tenían lugar toda clase de extorsiones. Si era el abuelo de Melitta, A. estaba dispuesto a ocuparse de él, pero uno tenía que prevenirse contra chantajes sospechosos. Por muy terrible que fuera el recuerdo evocado de Melitta, se sentía liberado, incluso feliz, por haber hallado un hilo que le permitía evadirse de todas las circunstancias extrañas que le rodeaban y que, por así decirlo, le ataba de nuevo a la vida. Ahora que su entendimiento, a Dios gracias, se ponía de nuevo en actividad, se acordó de que Melitta poseía un medallón en el que figuraba la fotografía de su abuelo. Claro que —una barba blanca es una barba blanca, ya la tenía entonces y la seguía teniendo hoy, un decenio después— la identificación resultaba difícil. El anciano tenía que aclararlo y Zerline, cuya relación con todo ello no estaba aún muy clara, estaba obligada a proporcionar información.

—Desde luego me interesa saber si sois el abuelo de Melitta. Caso de que así fuere, y si estoy en deuda, aunque no sea consciente de ello y aunque sea ya tarde, quiero hacer cuanto esté en mi mano para saldarla.

—No te sulfures, hijo mío —se limitó a contestar el viejo.

Una terrible vergüenza se apoderó de A. y le hizo sentirse desnudo. Era mucho peor, más exasperante que si se hubiera avergonzado de su desnudez. Y ¿por qué estaba aquel objeto pesado sobre la mesa? ¿Quién lo había puesto allá? ¿Lo habría enviado el viejo de antemano? Si pudiera uno mirarlo, quizá la vergüenza no sería tan grande.

—Así pues, estamos de acuerdo en que no puedes redimirte. ¿No es cierto?

—Sí —contestó A.

Su mirada se cruzó con la mirada ciega del viejo, posada en él con todo su poder inquisitivo, ojos rodeados de arrugas y casi sin color.

—Y ¿está también claro, o, cuando menos, lo está para ti, que tu tiempo se ha cumplido y que tenemos que ocuparnos de ello? ¿Sí o no?

—Sí..., abuelo.

—¿Y ves también que cuanto está a punto de cumplirse significa la consecución de tu propio deseo? ¿Lo ves o no?

Esto último ya no resultaba tan claro para A. Era cierto que se había ocupado, casi demasiado, de testamentos, pero nunca se le habría ocurrido desear que llegara el momento de la ejecución testamentaria. Al contrario, los testamentos le parecían algo tocante al prudente pesimismo que le había ayudado en todas sus experiencias y que ahora, en los difíciles tiempos que corrían, se hacía doblemente necesario. Esperó, pues, a que el anciano prosiguiera. Esta pausa recordaba el solemne silencio que precede a la proclamación de una sentencia.

¿No era acaso una especie de sentencia lo que dijo el anciano?

—No quisiste ser padre, querías única y exclusivamente ser hijo, serlo para siempre. Este era tu deseo, casi un voto, un voto que no podías dejar de cumplir puesto que era tu propio deseo el que te lo exigía. Has unido tu ser a todo lo que para ti significaba algo maternal, y cuando se extinga te extinguirás tú también. Te has cerrado el camino de cualquier otra elección.

Sí, era una sentencia, un tanto siniestra como todas las sentencias. Sin embargo no producía terror, sobre todo porque coincidió con una ráfaga de aire frío y húmedo que penetró en la estancia y empezó a juguetear con los papeles que contenían las cuentas de francos y libras. Por tanto A., mientras intentaba en vano reunir las hojas sueltas, escuchó su condena a muerte con un solo oído. Y el objeto pesado, aún sobre la mesa del tribunal —¿era el cuerpo del delito?, ¿la espada de la justicia?, ¿ambas cosas a la vez?— resultó de pronto menos aterrador. La corriente afectó también al anciano, quien, desmintiendo su aspecto resistente a toda inclemencia, se estremeció y sacó del bolsillo un bonete de lana —¿era tal vez lo que debía cubrir la cabeza del juez en el momento de pronunciar una sentencia?— con el que protegió su abundante melena blanca.

No había solemnidad, y sin embargo se acababa de dictar una sentencia. Según la costumbre, pronunció la instrucción en el tono seco propio del juez:

—Depende exclusivamente de vos el aceptar o no la sentencia. Soy el último que os puede presionar. Si la halláis injusta, podéis rechazarla y no ateneros a ella. Vuestra voluntad es libre de decidir y actuar según vuestro criterio.

—Si me parece injusta, ¿podré seguir viviendo?

—¿Poder? Tendrás que seguir viviendo.

—¿Y deberé morir si me parece justa?

—¿Deber? Lo harás libremente, guiado por tu libre albedrío.

—Entonces es posible que ese libre albedrío cometa en mí un asesinato legal.

—Este es un pensamiento por el que no hallarás perdón ni en este mundo ni en el otro —dijo el viejo riendo.

—¡Qué iniquidad! —replicó A. acalorado—. Mi inteligencia es débil y lenta, y lo que hoy me parece justo puede que mañana, tras profunda reflexión, me resulte injusto. Mientras mi libre albedrío deba evitar tomar decisiones erróneas, es decir, irreparables, será preferible no decidir nada.

—No te inquietes. Lo que tú llamas reflexión carece de importancia para tu libre voluntad. Ella ha decidido que tan pronto empieces a reflexionar, se dirigirá única y exclusivamente al conocimiento de tu Yo más íntimo, el cual nunca, ni aun queriendo, se engañará a sí mismo, y la voluntad forma parte de él en cuerpo y alma. Tus reflexiones van a la zaga y con frecuencia se sumergen cojeando en la mentira a fin de sumirte en la confusión, al menos en las ocasiones más insignificantes. Pero, en todo cuanto ahora nos afecta, no hay confusión posible.

—¿Cómo podéis afirmarlo? Con culpa o sin ella, me siento incapaz de tomar una decisión. La situación no puede ser más confusa.

—Dejará de serlo en cuanto te decidas a permitir que hablen tu Yo más íntimo y su conocimiento.

—Esa es otra afirmación errónea. Precisamente mi conocimiento más íntimo os contradice, y con sobrada razón. No se comprende que el poco bien que hemos hecho en esta vida nos convierta en culpables. Ser un buen hijo, además, es un mandamiento bíblico.

El anciano rió de nuevo.

—No tengo nada que objetar: honrar al padre y la madre es un mandamiento de la Ley de Dios, y como el ser humano, en su imperfección, se contenta con cumplir a medias una ley, se puede establecer con un mínimo de agilidad mental que tú prescindiste de tu padre. Más vale la mitad que nada. ¿Te comprendo o no?

—Sí, se puede interpretar así.

—Muy bien, entonces dejemos este punto.

A. no estaba dispuesto a dejarlo tan rápido.

—No niego que en esto hay también elementos culpables.

—¿Y cuáles serían?

—He tomado siempre al pie de la letra el bienestar prometido al hombre si cumple con este mandamiento, y me he atribuido siempre una buena recompensa. Sin llegar a ser un sibarita, me he dado buena vida en este mundo, día a día. Doy mucho valor al buen comer, al buen beber y a la vida cómoda. Todo eso tiene importancia para mí, o la ha tenido, expresándome tal y como hoy quizá debo hacerlo. Mi huida hacia la madre en busca de refugio se debe a mi dependencia respecto de la vida regalada.

—¿Acaso debe el hombre comer o beber mal? ¿Tienes intención de confesar todas tus virtudes? ¿Por qué hablar, entonces, de huida? Zerline cocina muy bien, eso es todo.

—Para vivir bien no hace falta adquirir responsabilidades. Durante mucho tiempo sentí miedo ante las decisiones y las responsabilidades, pero cuando tomé la responsabilidad de una madre, y puesto que me refugié en ella, me cerré a los demás.

—Eso ya tiene más sentido. Pero todos debemos limitar el ámbito de nuestras responsabilidades, porque tener demasiadas supone una falta de responsabilidad.

—Mis esfuerzos, sin embargo, se centraron desde el principio en rehuir las responsabilidades. Por tal razón no he conocido nunca el auténtico amor; no he amado nunca. Y en cuanto se me presentó la ocasión de huir abandoné sin más a mi amante, la cual…

Se interrumpió de pronto. Acababa de reconocer el objeto que había sobre la mesa: era el pequeño bolso gris plata de Melitta. Su peso era ahora desconcertante y amenazador.

—¿Y? —dijo el viejo.

A. señaló el objeto.

—Se lo regalé yo, y luego me lo quiso devolver. Las manchas negras son sangre de ella. La abandoné y se sintió impelida al suicidio. Soy un asesino.

—No exageres. Todos los hombres exageran al hablar de sus historias de amor, tanto si tuvieron un final feliz como si no, constituyen para ellos motivo de alegría a lo largo de toda su vida. No tenemos por qué ocuparnos de bagatelas así, en verdad sin importancia. Hay demasiadas en el mundo. Tu Melitta habría tenido que buscarse simplemente otro hombre.

—Yo fui el primero que tuvo contacto con ella y le parecí enviado por el destino. Al no darle el niño que habría significado para ella la vida, se la robé.

—Es tu orgullo el que no quiere admitir que ella habría podido tener niños con otro. Pero cuando uno se ha convertido en un niño bien alimentado, como tú, cosa que no está mal, debe prescindir de esa vanidad masculina.

A. se sintió ofendido.

—Estoy gordo, pero no soy un niño. Un niño no teme actuar de forma irresponsable. En cambio yo, en mi temor ante las responsabilidades, huyo precisamente de la irresponsabilidad. Huyo, en definitiva, de lo que vos llamáis culpa. Un niño no se avergüenza de ser alimentado, en cambio yo me he procurado todo por mí mismo, sin pedir nada a nadie y mucho menos a mi padre, ni un solo penique. No quiero deber nada a nadie.

—Es digno de alabanza —respondió el viejo—. Has realizado un trabajo de hombre y por tanto no eres ningún niño.

—Os equivocáis de nuevo —dijo A. en tono de triunfo—.

Es cierto que he llevado a cabo una labor de hombre, pero no un auténtico trabajo de hombre, y eso aumenta mi culpa.

—¿En qué sentido?

A. reflexionó un momento y explicó:

—Sin un penique en el bolsillo me fui a los trópicos cuando era sólo un muchacho. Allí aprendí lo que significa un trabajo duro, sobre todo en las minas de África del Sur. Más tarde descubrí que en todas partes es igual, en las colonias un tanto peor, en Europa y en América un poco mejor pero en el fondo igual: uno es arrastrado por el látigo del hambre y obligado a trabajos forzados que no ofrecen escapatoria, de los que apenas se puede extraer algo de vida, por no hablar de seguridad. A mí me habrían ido también las cosas así de no haber encontrado pronto el truco para ganar dinero con facilidad y hacer negocios precavidos. Esto se lo debo a mi amor por la vida cómoda, claro que también a una astucia expectante. En resumen, desde entonces mis quehaceres nunca han estado mal pagados, sino que de forma sorprendente siempre me han resultado muy bien retribuidos. Le di a tal ocupación el nombre de trabajo porque necesitaba justificarme interiormente ante los ingresos que me favorecían. Barrunté en todas partes maquinaciones engañosas e imaginé que debía ponerme en guardia contra ellas. En realidad, yo mismo las provocaba y simulaba trabajar para contentarme con un trabajo fingido. A eso le llamo yo culpa.

—¡Alto! —le atajó el viejo—. No trabajar ¿significa necesariamente ser culpable? Y el trabajo ¿consiste en algo penoso, que se realiza a disgusto y mal remunerado? No lo creo. ¿Por qué, pues, te has dedicado a ese trabajo que no es en realidad tal?

—Por la seguridad —contestó A. un tanto sorprendido—, para poder ofrecer a la madre una seguridad en estos tiempos tan inseguros.

—¿Y no es eso justo? ¿No actuaría de igual modo todo aquel que es esclavo del trabajo y tiene hambre, si tuviera tu astucia y encontrara, como tú, la manera de ganar dinero? Una vida de zángano no está exenta de culpa, pero tampoco es tan grave como tú la haces parecer.

A. se sintió más ofendido por la alusión a la vida de zángano que por el desprecio hacia su culpabilidad.

—No me resultó todo tan fácil como pensáis. Mis negocios me significaron a menudo un esfuerzo de mil demonios y a veces llegué a pensar que me habría sido más cómodo un auténtico trabajo manual. No sé a qué se debe, si a mi constitución, a una enfermedad o a cierta propensión a cuidarme. Por otra parte carece de importancia. Sea como fuere, el caso es que incluso la carta de negocios más breve me cuesta un esfuerzo enorme. De no haber sido así, mi seguridad económica sería actualmente mayor de lo que es, pues habría podido dar mayor amplitud a mis negocios en lugar de habituarme a dejar que las cosas sucedieran por sí mismas. Todo ello puede dar la impresión de pereza, pero es una apreciación superficial. Considerándolo mejor, se ve que no soy un zángano indolente.

—Tanto menor es, por tanto, la culpa.

Las continuas objeciones del viejo empezaron a irritar seriamente a A.:

—¡Falso y cien veces falso! ¿No comprendéis que estas ocupaciones, aun significando un esfuerzo para mí, no son más que un simulacro de trabajo? Ahí está la mentira y todo depende de eso. Como mi falso trabajo me salía bien, aportándome lo que se da en llamar éxito, imaginé hipócritamente que estaba a un nivel muy superior al resto de la masa. Yo era el vencedor. No me importaba lo que hicieran los vencidos. Aunque el látigo del hambre silbara sobre sus cabezas, aunque les oprimieran los bajos salarios o corriera su sangre, me era igual, bastaba con no mirar. Mi camino estaba trazado de antemano, lejos del sudor del trabajo, apartado del sudor de la muerte de los otros, y la misma gracia divina me había colocado en posición privilegiada. La guerra causaba estragos en

Europa y yo ganaba dinero. La revolución rusa convertía a la en otro tiempo clase vencedora del país en vencidos, mejor dicho, en montañas de cadáveres, y yo ganaba dinero. Hitler, ese monstruo político, alcanzaba el poder paso a paso ante mis ojos, y yo ganaba dinero. Esta era mi ocupación masculina: falsa dureza y auténtica culpa. La verdad es que, aun admitiendo que el no trabajar nos dejara libres de culpa, la falsedad sí nos hace culpables. Y eso tenéis que comprenderlo.

—Y si estuvieras en Rusia, tendrías que pagar, con la muerte más amarga, esta serie de fechorías burguesas y de actos criminales a los que, a fin de incluirlos en un todo purificador, podemos sumar la seducción de Melitta. ¿Es así como reconoces tu culpa?

—No —respondió A. ante su propia sorpresa.

—En resumen, una total y embustera insensatez, desde la A hasta la Z pese a que, en apariencia, tus palabras son razonables.

A. se sintió de nuevo absolutamente desnudo, a pesar de que las olas del tiempo, que habían cubierto el ahora con un vacío espectral, parecían empezar a aclarársele.

—No hay ninguna razón para esa vergüenza —comentó el viejo, como si sus ojos ciegos hubieran visto el profundo sonrojo de A.—, yo la he provocado en parte. Cuanto más necio se muestra uno, más impele a su interlocutor a decir necedades. Pero volvamos a nuestro asunto... En ese extraño esconderse junto a la madre, ¿no se encubre una gran parte de culpa, al tiempo que la confesión de esta?

—Sí —afirmó A.

—Yo también lo creo —confirmó el viejo.

A. le rogó:

—Me gustaría intentar explicarlo.

—Hazlo. Para eso estamos aquí.

Se hizo un silencio. El viento seguía entrando en la habitación, unas veces soplaba más fuerte, otras en suaves ráfagas. Los papeles que levantaba iban a parar al suelo con un ligero ruido, para finalmente —algunos estaban allí ya de antes— acumularse en los rincones que formaban las estanterías de libros o quedarse apoyados en las paredes, como en busca de reposo. La superficie de la mesa aparecía vacía y brillante.

Entonces A. comenzó a hablar:

—Los fallos que he cometido van desde mi actitud para con Melitta hasta mi postura social y política. Y no son ficticios, como tampoco lo es mi sincero arrepentimiento. Sí es, en cambio, falsa la interpretación que les di y que en realidad no es tal. Falso es igualmente el arrepentimiento fácil en exceso que, al igual que un tribunal revolucionario, quiere castigar a toda costa los comportamientos dictados por situaciones legalmente irreprochables y simplemente humanas. Arrepentimiento que, en consecuencia, acepta sin más cualquier motivación con visos de justicia, como es, por ejemplo, pertenecer a una clase social determinada. El reconocimiento de mi propia culpa era precisamente hipocresía. Tanto los motivos erróneos como la ausencia de ellos llevan el estigma de la hipocresía y son peligrosos por esta causa.

»¿Cuál puede ser el motivo de la culpa y de la conciencia de culpabilidad? Incluso en las personas no religiosas se impone el pensamiento del mal innato en el hombre, del pecado original, aparte de toda distinción de clases. Son planteamientos que no se pueden superar, y nada más lejos de mi intención pretender modernizarlos. Mas puedo preguntarme por la forma concreta con que el mal se presenta en nuestros tiempos. Partiendo de ello, busco el denominador común de todos mis malos actos y encuentro mi culpa más profunda, y más merecedora de castigo, en la indiferencia. Es la indiferencia primitiva, la que atenta contra la misma condición humana, la indiferencia ante el sufrimiento ajeno, consecuencia de la anterior.

»El hombre ha dejado de tener límites, se ha convertido en una imagen flotante de sí mismo y no ve al prójimo. Hablo y no sé si soy yo quien habla. Es como si otros hablaran en mí: las gentes de esta ciudad, las gentes de este país, muchas y diversas gentes. Yo sé que nada les diferencia de mí y que ninguno sabe en nombre de quién habla, ni si las palabras que oye han salido de su boca. El hombre ha saltado por encima de sus límites y ha penetrado en la pluridimensionalidad, en la nueva morada de su Yo, donde anda perdido, errante, extraviado en la falta de visión más allá de sí mismo. Nosotros constituimos un Nosotros no porque formemos una sociedad sino porque nuestros límites se funden unos en otros. ¡Oh! ¿Dónde estamos? ¿Dónde estamos?

»Las posibilidades de nuestro pensamiento no tienen límite, son más ilimitadas que las posibilidades de la naturaleza. Pero cuando se encuentran ambas multiplicidades, es posible su fusión constituyendo una nueva realidad, igualmente ilimitada, libre de las infinitudes del Yo humano, con el cual comparte la nada, extrañamente entrelazados ambos. La mirada desde la "cámara oscura", la mirada desde la patria hacia lo extraño, de lo limitado a lo ilimitado, le ha sido robada al ser humano. Se le ha concedido a cambio algo que apenas se puede llamar mirada, porque se cumple dentro de lo ilimitado y es como un retorno a lo mágico, a la magia de la fusión de lo externo y lo interno, más vacía de misterio que la magia del pasado pero no por eso menos terrorífica. ¡Oh, viaje hacia la nueva patria de los hombres!

»Vos, padre y abuelo, me habéis hecho volver a lo más íntimo de mi Yo. Es evidente que poseo un Yo. Me ha acompañado desde mi niñez y a él debo la coherencia duradera de mi vida. Yo soy mi Yo. Por poseer este Yo me diferencio de los animales y estoy hecho a imagen y semejanza de Dios, pues en la base del Yo se juntan el infinito y la nada, ambos inasequibles para el animal pero transformables en unidad para Dios y sólo para Él. ¿No es esta la raíz inmutable e invariable de mi condición humana? Sin embargo yo no puedo, nosotros no podemos alcanzarla. Oh, ¿qué ruptura de límites puede ser tan fuerte que cambie lo inalterable?

Y la respuesta llegó:

—Cada dos mil años se cierra un ciclo del universo. La fuerza de este cumplimiento hace temblar no sólo al cosmos sino más aún al Yo humano. ¿Cómo podría ser de otro modo? El tiempo del término es el del nacimiento, y en lo inalterable se efectúa el cambio, la crisis del crecimiento. La generación de esta época de transición está bendita y maldita al mismo tiempo. Debe cumplir esta misión.

El viejo calló. Al cabo de un rato dijo:

—Continúa.

A., con los ojos fijos en el objeto heredado de la muchacha muerta, prosiguió su confesión:

—¿Cómo podemos llevar a cabo una misión así? El mundo cambia y el Yo también. Ambos se alteran mutuamente ascendiendo hasta lo ilimitado. ¿Cómo podemos nosotros establecer de nuevo las relaciones entre los dos? La misión es irrealizable, ¡oh, sí!, irrealizable, y el peligro de un final sin nuevo comienzo se cierne sobre nosotros, en verdad nos amenaza. Nuestra generación está bajo la amenaza de que el hombre, apartado de la cercanía de Dios, se precipite en lo animal, peor aún, en lo infraanimal, ya que las bestias nunca han tenido un Yo que perder. Nuestra indiferencia ¿no señala el comienzo de nuestra caída hacia lo animal? El animal es capaz de lamentarse, pero nunca de ayudar y menos aún de prestarse a dar ayuda. El animal está bajo el yugo de la seriedad que lleva en sí la indiferencia y no puede sonreír. A nosotros el mundo no nos sonríe, el Yo no nos sonríe. Nuestra angustia crece.

»El puerto está destruido y ya no es tal puerto. No obstante, nos resulta difícil abandonarlo y atrevernos a marchar hacia lo ilimitado.

»Nuestra misión es demasiado grande y por eso nos amparamos en la indiferencia. La fuerza de expansión de nuestro Yo es demasiado intensa para nosotros. No se le pueden poner diques. En sus consecuencias lógicas y terribles ha creado un mundo cuya multiplicidad nos resulta impenetrable y cuyas fuerzas desatadas tampoco pueden ser reprimidas. La consecuencia de nuestra propia obra de expansión nos ha enseñado que es imposible escapar a la consecución del Ser, y en eso hemos aprendido que debemos dejar que los acontecimientos se sucedan encogiéndonos de hombros. Incluso ante los crímenes que tienen lugar por todas partes, entre la maleza de la impenetrabilidad, cerramos los ojos y permitimos que ocurran. Lo que hemos hecho paraliza nuestros actos, nos ha llevado a la sumisión y nos ha degradado hasta convertirnos en fatalistas angustiados en exceso. Por eso volvemos a refugiarnos junto a la madre, única relación que carece de rasgos fantasmagóricos y que permanece clara dentro de la impenetrable multiplicidad, como si el hogar materno fuera una isla de la tridimensionalidad en lo infinito y más allá de toda misión.

»Paralizados por misiones exorbitadas, no queremos cargar con la de la paternidad. Incapaces de implantar leyes, no queremos soportar al que las hace, al padre, y como hijos mimados que somos, sin atenernos a leyes invocamos al animal para que nos dé órdenes.

»Paralizados, huimos de la inmovilización hacia una parálisis mayor, huimos de la soledad para caer en una soledad más devastadora aún. Estamos paralizados por la soledad. La comunidad humana, nuestro sueño hasta ahora, el sueño de entregarnos unos a otros, ha dejado de ser un sueño. Las revoluciones se han pronunciado siempre en favor de un atrevido despertar pero sólo han conseguido, con mayor o menor éxito, variar la postura de sueño. Las revoluciones han surgido de la decepción que los hombres provocaron con su deseo quimérico de vivir unos para otros, pero no pueden forjar otra comunidad. En consecuencia, dado que no es posible vencer la soledad, ni la vida tiene sentido sin el sueño; las revoluciones han intentado fabricar un nuevo sueño, sustituyendo a los hombres actuales por las generaciones futuras, por hijos y nietos. En beneficio de estos está permitido matar, y de ellos, con un conservadurismo por así decirlo preproyectado, se espera que continúen la comunidad revolucionaria y la lleven a su consecución. Pero ¿puede actualmente esperarse algo así? Este sueño de comunidad ¿no permanece unido siempre a lo tridimensional de donde ha surgido, de forma que le es imposible incorporarse a lo ilimitado? Y según esto, ¿no resulta una matanza sin sentido cualquier revolución?

»Puede que en el mañana exista un nuevo sueño de comunidad adaptado lo ilimitado. Es posible que se necesite valor para la muerte en solitario, un arrojo que el hombre no ha encontrado todavía. Pero ¿quién se atrevería a predecirlo, a planearlo, a plantearlo como meta de toda lucha? Ya no levantamos la mano. Consideramos con desprecio al que se ocupa de política, por querer imponer puerilmente sus concepciones tridimensionales en una pluralidad del mundo que se ha convertido en algo ilimitado. Pero, a pesar de todo, nos inclinamos a creer que el político podría ser el instrumento místico de la realidad que se está renovando. Por eso hemos dejado actuar a Hitler, el beneficiario de nuestra parálisis.

»En el fondo de mi Yo, el infinito se junta con la nada, cosas ambas inaccesibles al animal. Y entre la nada y el infinito se encuentra enclavado el mundo, reconocido y creado por el hombre, inaccesible al animal y también al monstruo político. Y entre el infinito y la nada está enclavado, tenso, el espacio de la responsabilidad humana, igualmente inaccesible al animal.

»Nuestros compromisos producen rechazo, y son tanto más repugnantes cuanto que provienen de un "dejar hacer". Nos vamos a la guerra, nos pudrimos en las trincheras, entregamos la luz de nuestros ojos y nuestros rostros a la más horrible carbonización, los intestinos se nos escapan por las heridas del vientre. Pero la Cruz Roja está ahí, y nuestros hospitales de campaña tienen, en su mayor parte, modernas instalaciones. Quien tiene suerte es atendido por un cirujano que le aplica una nariz o una boca artificial o un hueso craneal de plata. Estos son los compromisos que el animal nos plantea y que nosotros aceptamos, exigiéndolos por nuestra parte al prójimo y consolándonos pensando que aún habremos de soportar el apocalipsis. Si al final la bestia se arranca también esta máscara para, en su lugar, recurrir a la guillotina desinfectada, a la silla eléctrica, al azotamiento hasta la muerte, a las hogueras y a las crucifixiones, lo hallaremos soportable, porque si no tendríamos que morirnos del asco, de la repugnancia hacia nosotros mismos.

»Indiferentes ante el sufrimiento ajeno, indiferentes ante la propia suerte, indiferentes ante el Yo humano, indiferentes ante el alma: poco importa quién sea la persona llevada al patíbulo. Hoy serás tú, mañana yo.

»A veces hacemos el bien. Nos preocupamos de la madre, de los enfermos, de los débiles. Sentimos compasión de vez en cuando. Las buenas obras consisten en compromisos adquiridos. El bien se justifica por sí mismo y, sin embargo, es difuso. Sólo alcanza forma en lo tridimensional. Sólo así se convierte en ejecución de la orden que, como una llamada de la responsabilidad absoluta de Dios, inclina todo acto humano hacia lo infinito. Pero el bien perderá su fuerza y su orientación. Las ha perdido ya al ser desplazado el ser humano hacia lo ilimitado, pues la pluridimensionalidad no posee ya metas. La orientación absoluta ya no se puede conservar mediante un acercamiento, sino que se mantiene gracias a un alejamiento. Es decir: el absoluto concreto y verdadero no se alcanza mediante un acercamiento al bien, sino mediante un alejamiento del mal de este mundo, mediante la lucha contra lo animal y lo monstruoso. La llamada nueva de la responsabilidad es una concreta declaración de guerra al Aquí apocalíptico y al Ahora del monstruo. Hemos de reconocer el valor absoluto de esta llamada, admitiendo la orden de sublevación activa en contra del mal.

»De este modo, apartados del idiota y embustero "estar bien" del pacifismo incondicional, apartados del noble y absurdo deseo de lucha que aprueba el derramamiento de sangre en favor de las generaciones futuras y de sus sueños paradisíacos, que se comporta de manera bárbara, apartados de aquellas grandezas utópicas, nos vemos obligados a adoptar una actitud decorosa, a mantener la decencia frente al momento que ha de venir. Todo depende de la limpieza del momento mundial en que el bien y el mal sean separados de nuevo, extraídos de la mezcla impía y funesta en que se hallan. Nada nos podrá liberar de esa obligación de decencia altamente militante, ni siquiera la falta de perspectiva en su comienzo. Eso sí, cualquier intento en contra de esa obligación, aunque esté bien fundado, sólo será una manifestación de nuestra indiferencia, que no podrá ser reparada por ninguna buena acción.

»Estas son las cuentas que he de rendir, el recuerdo que de nuevo he hallado. He de rendir cuentas por haber perdido el Yo, por el peligro en que estoy de caer en la animalidad, peligro en que también está el mundo, que nos condiciona a los dos, al mundo y a mí.

»No soy yo quien debe decidir si la decencia, aunque sea un alejamiento del mal de este mundo y de su absoluto, un alejamiento inmediato de la bestialidad infraanimal, será capaz de acercar de nuevo el mundo a Dios. Lo que sí es seguro es que no conseguirá ningún acercamiento a Dios mientras persistamos en la indiferencia y aumentemos nuestra culpa colaborando a que el mundo caiga más rápidamente por la pendiente que lo está llevando a la criminalidad. El pecado original y la responsabilidad que hemos heredado tienen mucho en común, y la pregunta por la muerte del hermano va dirigida a todos nosotros, aunque ignoremos el crimen. Hemos nacido en el seno de la responsabilidad, eso es lo que cuenta, y no el lugar mágico de nuestro nacimiento ni nuestro Ser. Sólo nuestro propio sacrificio, como prueba de nuestra eterna disconformidad, podría salvarnos.

»Yo soy responsable de los crímenes que quizá alguna vez se cometieron en esta casa. Soy responsable de los crímenes que se multiplicarán cruelmente a mi alrededor, cometidos por otros, sin mi participación.

»El Yo se desmembra en el infinito. Pierde sus límites y nos convertimos en una unidad fría y mágica, precisamente a causa de nuestra falta de sentido comunitario. Nos hemos fundido fríamente con la irresponsabilidad y la indiferencia, de modo que tanto la culpa como la expiación son compartidas por todos. La nueva venganza de sangre tiene carácter mágico en su sobriedad, pero es justa porque ninguno de los afectados por ella se ha rebelado. Creí poder huir de la irresponsabilidad y en realidad huí de la responsabilidad. Esta ha sido mi culpa. Me inclino ante la justicia y, aunque mi sacrificio sea tardío, me hallo dispuesto.

A. terminó así su confesión.

El viento seguía penetrando en la estancia haciendo vibrar los cristales. El fuego de la estufa se había apagado; apenas si se veían relucir algunas brasas entre las cenizas. El cuarto quedó muy frío, de este surgía una esperanza, desconocida hasta entonces, la espera de la revelación total del secreto. A., ausente de sí mismo por el frío y la espera, repitió:

—Estoy dispuesto.

—Lo sé, Andreas, estás preparado desde hace mucho tiempo.

El hecho de que el viejo pronunciara su nombre fue como un consuelo dentro de la creciente angustia, la angustia consciente de que lo heredado conlleva la aniquilación de uno con las propias armas.

El viento todavía hizo revolotear algunas hojas por el suelo. Al tiempo que fijaba la mirada en ellas, A. preguntó:

—¿Quién se ocupará entonces de la anciana?

—Te cuesta entender, Andreas.

Lo admitió. Sólo que no había querido comprender, pues la preocupación por la madre encubría su propio miedo a la muerte. Y el miedo crecía:

—Ayúdame, abuelo —rogó.

La mano venosa del anciano, que descansaba poderosa sobre la mesa, se tendió hacia él y él la tocó. No sintió ningún temor, pese a que era fría y dura como el diamante. Al contrario, fue como si le llamaran para volver al mundo de los hombres, y se preguntó si el viejo, a pesar de haber recibido alimentos de mano de Zerline, no estaría hecho de diamantes en su interior. Pronto se dejó oír la respuesta, con una suave sonrisa en la que se percibía nuevamente el canto:

—Si yo fuera un espíritu y no estuviera hecho de carne y sangre como tú, no habría podido venir a traerte ayuda ni mensaje alguno. La palabra se difunde en este mundo, en el espacio terrestre, y es pronunciada por labios que pertenecen a la tierra, escuchada por oídos de este mundo.

Este era también un consuelo, claro que sólo un consuelo terrenal. A., embargado por la angustia de la muerte, preguntó:

—¿Por qué se me exige a mí la expiación? ¿Por qué a mí precisamente?

—Todo aquel a quien se le exige pregunta lo mismo.

—Y ¿a quién se le exige?

—Quizá es un favor divino, pues la expiación de la culpa se verifica en la purificación y no en la penitencia, no en el castigo. Tú no eres un criminal. No serás castigado. Pero la recompensa es secreta.

—¿La llegaré a conocer?

—Yo sólo he venido a traerte ayuda. El resto debes procurártelo tú.

La mano del anciano sostenía la suya con fuerza, igual que la mano del padre sostiene la del hijo, la mano de niño que recibe eterna protección. En la ancianidad de esa mano huesuda sentía él confianza, percibía en ella el orden absoluto que proporciona el fundamento a toda la realidad a través de las múltiples dimensiones. Era como una promesa, y la voz, en efecto, prometió:

—Me quedaré contigo hasta que desaparezca todo tu miedo.

Estaban sentados uno frente al otro y el sosiego se transmitía de la mano del padre a la suya. Cerró los ojos y esperó a que desapareciera el miedo. Este se esfumó con suavidad, igual que se desliza la fina grava en un reloj de arena. Luego sintió un tenue soplo sobre su cabeza, era la imagen de sus predecesores, el abuelo ancestral que, con su barba agitada por la brisa, se inclinaba sobre él y le besaba la frente con sus labios de diamante para despertarle, llamándole por su nombre por tercera vez como si, al igual que un padre, quisiera sacar al niño del anonimato:

—No es difícil, Andreas.

—Lo sé, abuelo.

A. también se levantó. Con la cabeza inclinada y sin sombrero, casi en actitud implorante, se quedó de pie ante el ciego, temiendo la despedida y el abandono que precede a la soledad. Su ademán era de súplica.

El viejo, con el vidente saber del ciego, posó su mano en el hombro de A.

—No estás solo. Ponte de nuevo el sombrero. Cubre tu cabeza ante el Eterno, como lo hacen el sacerdote y el juez. Aquel que reconoce su culpa es elegido.

Como el anciano estaba hecho de carne y de sangre, la escalera crujió bajo sus botas. De hecho habría crujido igualmente si hubiera sido un espectro de diamante.

Luego se oyó de nuevo el canto, con el acompañamiento acompasado de los hachazos del leñador. Canto de leñador, marcha, salmo e himno de consolación, el bosque estaba lleno de canciones. Y por encima del bosque, en el cielo gris nieve cubierto ya por las primeras sombras del atardecer, mas con una luz invisible tan potente que casi hería la vista, allá en la mitad norte de la cúpula celeste, se dibujaba consolador un gran triángulo de trazos suaves y grises, desde cuyo centro dirigía su mirada hacia abajo el ojo del mundo, escrutador y vigilante, incoloro, inescrutable, ancianamente atemporal. Su mirada inspiraba respeto porque todo lo ve y todo lo sabe pese a ser ciega.

Atravesado por una realidad monstruosa, el no-Ser cubre los límites del triángulo, la resolución de lo tridimensional. Arrastrado por la mirada ciega del centro, sumergido en esta mirada, rodeado de estrellas invisibles, circundado por soles que no se pueden percibir, con lo invisible haciéndose visible y con la música de las estrellas, el no-Ser descendía, cautivado por el canto que resonaba en infinitas dimensiones. Empezó a nevar dulcemente, como en Navidad, uniéndose las realidades de lo alto con las de abajo, fundiéndose el espacio con el tiempo. Y bajo la dulzura de la nieve desaparecieron el cielo, el canto, este mundo y el otro, permaneciendo empero inviolables en la armonía de los astros del universo, sonoros dentro de la inviolabilidad del punto central, ahora común a todos.

El frío de la habitación pareció acercarse al absoluto, mas el aposento no existía ya. El reloj de pared había cesado en su tictac. Señalaba las 5.11 pero no existía en el tiempo que marcaba, pues todas las ondas del tiempo, levantándose unas frente a otras, habían convergido en el punto central del Ser, sumergidas en las esferas de la ingravidez y engendrándolas.

¿Había él mismo alcanzado de igual modo el punto central del Yo? ¿Era esta ingravidez la ingravidez del alma? ¿No era la ingravidez que recibe toda vida al nacer y que está libre de la pesadez de la muerte? Aquel que permanece atado a su cuerpo vive en la pesadez de la muerte, y, apartado de la ingravidez dentro de la que se mueve, o mejor dicho, dentro de la que aún se encuentra, ve su alma convertirse en anhelo, en un deseo irresistible de superar el aislamiento: si consigue evitar los últimos restos de pesadez terrena, la muerte, que se agita poderosa en ella, se libra de la herencia humana, que es duradera gracias a la renuncia de sí misma y penetra y es admitida en el reino de las voces inaudibles, expandiéndose en los siete colores debido a su invisibilidad. Lo mismo ocurre en el lenguaje, también él está unido al cuerpo y a su pesadez, porque es pronunciado por una boca corporal y sólo habla de cosas corporales, exige renuncia, renuncia de sí mismo, a fin de, según dice, hacer «tabula rasa» y dejar espacio a los pensamientos puros que van más allá del lenguaje mismo.

Todo ello pasó, sin que sucediera nada espectral, en el no-espacio del punto central, más allá de la altura, la anchura y la profundidad, pero sí en este mundo, y sucedió del modo más natural. Lo tridimensional, existente en su propio cuerpo y en su propio recuerdo, tendía hacia la extinción. Y las imágenes, con la pesadez del recuerdo, sólo con las manchas de sangre de este último, carecían ya de forma cognoscible ante los ojos que aún veían y recorrían la mesa inexistente, que querían librarse de la pesadez y la dureza. ¿Había captado todo esto su mente? ¿Se lo había comunicado el hálito superior y era arrastrado por la fuerza poderosa, por la fuerza del punto central que une lo corpóreo al cuerpo? ¿Quién había dado libertad a la pesadez? ¿Quién había roto lo cósico? ¿Quién lo había transformado en arma? No había amenaza, no inspiraba temor. Y sucedió del modo más natural.

Estaba allí erguido, con las piernas separadas a fin de encontrar un punto de apoyo en medio de lo flotante, en lo ingrávido, en medio de lo no-dimensional. Se quitó el sombrero y lo colocó ante él en lo no-existente. Todavía vio cómo se lo llevaba el viento, mas enseguida se desplomó con la sien atravesada por un balazo, los brazos y las piernas abiertos, como si tuviera que ser clavado en la cruz de san Andrés.

Zerline oyó el disparo y acudió corriendo. «Ts, ts, ts», salió de su anciana boca al ver el cadáver, pero en realidad no estaba sorprendida. Cogió una silla con la tranquilidad y pesadez propias de los obesos y se sentó junto al muerto mirándole con toda atención. Parecía que él había adelgazado súbitamente y que su rostro volvía a ser el del joven rubio que ella había conocido diez años antes.

—Ha consumado su expiación —dijo finalmente en voz alta.

Apenas sabía qué había querido decir con esas palabras, ni

por qué las había tenido que pronunciar en voz alta. Pero como había empezado la conversación, continuó:

—¡Precisamente hoy que he hecho el guisado de pollo con salsa picante y albóndigas que tanto le gustaba, sobre todo por el vino blanco y las trufas que le echo! De pronto le ha entrado prisa, vaya.

Todavía siguió hablando un rato entre dientes, hasta que por fin decidió:

—Hay que dejarle como está. La policía así lo exige.

No informó de inmediato a la policía sino que bajó a preparar la mesa para la cena. Tuvo la precaución de poner dos cubiertos, como tenía por costumbre.

Cuando la baronesa se hubo sentado a la mesa, esperó unos minutos. Luego pulsó con impaciencia el timbre para que Zerline acudiera:

—¿Dónde está el señor A.?

—Ah, olvidé decírselo, señora baronesa. Le han llamado por teléfono hará una media hora y ha tenido que irse a toda prisa a la ciudad.

Con semblante impertérrito, recogió el segundo cubierto.

—¡Qué raro! ¿Y por qué no se ha despedido de mí? No suele marcharse así, sin más. Él, siempre tan correcto.

—Pensamos que estaba usted durmiendo.

La baronesa no se tranquilizó. No obstante no dijo nada, y a la hora acostumbrada se acostó.

Hasta que estuvo segura de que la baronesa se había dormido, no comunicó el caso al médico y a la policía. Les mintió al decirles que acababa de encontrar el cadáver. Dijo que A., al parecer para poder llevar a cabo lo que se traía entre manos sin ser molestado, había pretextado un viaje a la ciudad, por lo que su ausencia no resultó extraña a la hora de la cena. Dijo también que, debido a la fuerte tormenta, no se había oído el disparo y que, por tanto, no se había dado cuenta hasta el momento de hacerle la cama. No había razón para no creerla y, a indicación suya, aquella misma noche trasladaron el difunto al depósito.

Al día siguiente, la baronesa se sintió muy inquieta. Zerline le recordó que el señor A. no era ningún niño y que no iba a estar siempre pegado a las faldas de su madre, y que además es necesario dejar siempre cierta libertad, incluso a los niños.

—Sí, pero no es su costumbre —se lamentaba la anciana.

—Habrá adquirido nuevas costumbres —contestó Zerline en tono brusco.

Por la tarde entró con una expresión muy animada en la habitación de la baronesa.

—Acaba de telefonear. Se ha interesado por el estado de la señora baronesa y ruega le disculpe. Debido a una visita que ha de hacer en las afueras, no podrá estar aquí hasta mañana. Como ve, la señora baronesa se ha preocupado sin motivo.

La baronesa, sin embargo, desconfió:

—Yo no he oído el teléfono.

—Pero yo sí —le cortó Zerline, desapareciendo a continuación en la cocina.

A la hora de cenar, la baronesa manifestó no tener apetito.

—No me extraña —rezongó Zerline—, la señora baronesa acabará enfermando como no deje de inquietarse así, sin ningún sentido.

—¿Sin sentido?

—Sí. Ya se lo he dicho, no es ningún niño, y llegará aquí sin haber sufrido daño alguno. Me preocupa mucho más el basset. —Y señaló al perro que, casi ciego, gordo y triste, yacía ante la estufa.

La baronesa se limitó a mover la cabeza con aire melancólico. Permaneció todavía un rato sentada a la mesa, comió un poco con desgana y se acercó a los perros, los acarició. Tomó en su regazo al rubio y atigrado Sidi, uno de los dos gatos de angora, pero al otro, el negro Arouette, no hubo forma de hacerlo salir de su escondite, lo cual le dio motivo para lamentarse de nuevo cuando Zerline reapareció.

—Arouette también le echa de menos. Se ha escondido.

—Arutt ha tenido siempre antojos.

—No, no. Los animales le echan de menos, lo sé.

—Vamos, vamos, ¿qué se está imaginando ahora la señora baronesa? Sidi ronronea muy tranquilo.

La baronesa contempló al gato.

—No es cierto. Hay algo en la actitud de los animales que indica temor.

Luego depositó con sumo cuidado a Sidi sobre una de las sillas acolchadas y se retiró a descansar.

—Dame mis polvos, Zerline, no quiero permanecer despierta toda la noche.

—Es una buena idea, señora baronesa.

—Dame dos sobres.

—Me parece muy bien. Esto no puede perjudicar a la señora baronesa.

Zerline disolvió el polvo somnífero en un vaso de agua.

A la mañana siguiente, la anciana yacía muerta en su cama.

Se llamó a Hildegard. Hacía tantos años que esperaba la muerte de su madre que no se afectó demasiado por ello. Al entierro acudieron algunos de los viejos amigos de la baronesa. Le quedaban ya pocos, no sólo debido a que el antiguo círculo de amistades se había reducido considerablemente sino porque, a causa de su aislamiento en el pabellón de caza, había caído casi en el olvido. Fue enterrada junto a su esposo, al que había sobrevivido tres decenios. No lejos de allí se encontraba la tumba del suicida A., todavía fresca.

Según las condiciones testamentarias, Zerline se hizo cargo del viejo pabellón de caza, que conservaría hasta el fin de sus días. La sucedería Hildegard.

—Se lo ha ganado usted a pulso —le dijo Hildegard a guisa de despedida.

—Así lo creo —respondió Zerline. En realidad había querido añadir «distinguida señorita» pero se calló a tiempo.

En cuanto tomó posesión de lo que le pertenecía, Zerline se preocupó primero de reabastecer el ganado. Las piezas fundamentales fueron dos vacas, que instaló en la antigua cochera. Pero no se encargó personalmente del trabajo, al contrario. Se puso todos los vestidos nuevos que A., en el curso de los años, le había regalado y tenía guardados en baúles, y contrató personal a su servicio.

XI. NUBE PASAJERA

«Es curioso —decía una parte del alma de la señorita a la otra—, es curioso cuánto tarda este hombre en acercárseme.»

La calle se extendía ante ella. Un auto desapareció a lo lejos. Era una mañana clara de principios de verano. Los árboles prodigaban una sombra regular que, de cerca, aparecía moteada de sol y, de lejos, formaba una línea continua a lo largo de la calzada de la avenida. No se veía a nadie en la acera, sólo al hombre que descendía lentamente la suave pendiente de la calle y que necesitaba, cosa curiosa, mucho tiempo para llegar a donde estaba ella.

La señorita iba al oficio divino que se celebraba en la capilla del castillo. Sostenía el libro de rezos en la mano enguantada, un poco apretado junto al cuerpo, ya que llevaba, además, un pequeño bolso. Producía impresión de recato, una imagen semejante a la de las innumerables mujeres que a esa misma hora se dirigían a la casa de Dios en Centroeuropa y también a la de aquellas que lo habían hecho durante siglos. Su actitud era completamente tradicional.

Cuando se llega al final de la calle, en suave pendiente, los zócalos de las casas ya no convergen sino que se hallan paralelos a las ventanas. A cierta distancia, se ve la plaza del castillo, donde desemboca la calle. Y el palacio de los grandes duques aparece como un hermoso telón de fondo, de estilo barroco.

Como la hilera de casas estaba interrumpida por muy pocas bocacalles, resultaba difícil precisar con qué rapidez se acercaba el hombre, lo que producía sensación de malestar. La señorita pensó si no sería mejor cruzar a la otra acera, reflexión poco definida que desapareció en cuanto sus ojos distinguieron el sol que brillaba a pocos pasos de ella. Siguió, pues, en su acera, y sólo acortó un poco su andar —¿era miedo o espera?— como si tuviera que acomodarlo al del hombre que se acercaba lentamente.

Puede que el pacífico silencio de la avenida en domingo exigiera de por sí movimientos lentos, aunque la calma fuera sólo aparente, puesto que en las capas altas de la atmósfera los cirros blancos, formando cintas estrechas, eran arrastrados hacia lo lejos con rapidez. Tantas veces como se interponía una de tales líneas ante el sol, el día se ensombrecía por unos momentos en un oscurecimiento claro, un luto juvenil al que nadie prestaba atención, pues no se quiere admitir la influencia que pueda tener en el hombre el comportamiento de las nubes, que no obstante son mensajes del acontecer cósmico superior que permanecen grabados en los ojos y en el alma humanos.

Seguramente habían aparecido otras personas en la acera. Pero la señorita no apartaba los ojos del desconocido que, con lentitud, bajaba o, mejor dicho, se acercaba vacilante desde el castillo. Su andar desmadejado lo relacionaba —de un modo confuso, que probablemente nunca se aclararía— con el castillo, con el telón de fondo de estilo barroco. Y no es que la señorita le confundiera con uno de esos diplomáticos u oficiales a los que, siempre con renovada satisfacción, uno solía y deseaba encontrar aquí antes de la guerra, cuando ella era aún una mocosa: la señorita, joven aún de aspecto pero de porte muy digno, hacía tiempo que había apartado de sí deseos de tal índole. Su evocación era aún más inmotivada porque —en lo que su recuerdo alcanzaba— cuanto se relacionaba con la corte no producía nunca una impresión de lentitud o torpeza sino de energía o, al menos, de elegancia. Lo contrario que en este caso. Los pequeños fragmentos de cirros que corrían por el cielo semejaban una pared de nubes todavía invisibles, y tanto esta circunstancia como el acercamiento demasiado lento del hombre, a quien uno habría podido atribuir la cojera servil de un viejo empleado de la corte, se mostraban como efluvios de la serenidad que emanaba la fachada del castillo.

Hay que estar muy compenetrado con una ciudad y sus rasgos arquitectónicos para pensar de este modo. Pero cuando se da tal caso, estos pensamientos constituyen una atmósfera natural apenas perceptible. Para la señorita, que desde su infancia había vivido en la ciudad, el castillo era valioso e importante por una serie de razones. Entre ellas, la arquitectura era, por supuesto, la más irrelevante. Por eso no supo explicarse por qué causa se sintió decepcionada al distinguir con claridad al hombre. Que anduviera mucho más despacio de lo que había imaginado carecía de importancia; sí, en cambio, la tenía el que su aspecto no fuera el de un tipo de la corte, sino más bien el de un burgués medio.

Para alguien que se tiene en gran estima y que se dirige al oficio divino de la capilla de un castillo, para alguien que día a día ha lamentado que el viejo castillo de los grandes duques haya sido convertido en museo, expuesto a la mirada pública después de haber sido propiedad silenciosa y privada, heredada de generación en generación, para alguien que deplora a diario que los dormitorios donde, durante siglos, fueron engendrados y nacieron los hijos de los príncipes sean ahora pisoteados no sólo por gentes con las botas sucias, sino también con sucios pensamientos (por ejemplo, que en los armarios se escondieran amantes afrentosos), para una mujer, en suma, a quien la reserva del *boudoir* parece la institución más importante del mundo, no deja de ser desagradable haber concentrado su atención en un hombre que, en toda su persona, produce una impresión radicalmente opuesta a esa concepción de la vida.

Casi con sorpresa, pues no acababa de creerlo, y porque

había conservado el hábito juvenil de mirar con aire crítico a los hombres sin ponerse por ello en evidencia, fijó la mirada en el que venía, sus ojos se clavaron de inmediato en los ojos protegidos por gafas. Era una mirada desafiante pero vacía; en cuanto obtuvo respuesta, se hundió en la nada, atravesando el rostro del hombre y perdiéndose en la lejanía que estaba tras él. La señorita, en realidad, se sentía desconcertada por la expresión entre tímida, suplicante y al mismo tiempo dolorosa de aquel hombre vulgar. Por un segundo olvidó dar a su mirada un carácter impersonal, cosa que hizo cuando su asombro se encontró con el del hombre: su expresión adquirió entonces su neutralidad habitual, y avanzó con la inalterable indiferencia de una dama sin mácula, casi semejante a una novicia.

De nuevo tenía la calle desierta ante sí. Era como un vacío sin esperanza. No había que concederle demasiada importancia. En definitiva, el trozo de camino era corto y se llegaba pronto a la plaza del castillo y a la capilla. No obstante, la ausencia de esperanza persistía, y no se limitaba al breve camino que aún quedaba por recorrer, ni a este día de verano. Abarcaba toda la vida. Incluso suponiendo que ahora viniera en dirección contraria otra figura humana, tan despacio como la anterior o más aprisa, no habría tenido valor para interesarse por ella ni para sufrir idéntica decepción. No era un voto solemne, es verdad, pese a que el alma de una muchacha inclinada a la penitencia formula fácilmente un voto así.

Fuera lo que fuere, la señorita experimentó de repente, al tiempo que avanzaba, un sentimiento de fidelidad, si bien no sabía a quién iba dirigido. El incidente no había tenido final y la señorita se sentía muy frustrada, porque una ley interna y externa le había impedido dejar reposar su mirada por más tiempo en aquel rostro preparado para responder. Se escondía una profunda injusticia en aquella situación, e incluso un exasperante peligro, pues el hombre, sin lugar a dudas, se detendría a su espalda, la observaría y la seguiría, mientras ella no podía permitirse volver la cabeza para cerciorarse.

La señorita, acostumbrada a soportar situaciones heroicas por educación y convicción, continuó caminando tranquila. No huía. Además, habría sido inútil, pues el desconocido podía alcanzarla con suma facilidad. Sostenía el libro muy apretado contra su cuerpo, no porque esperara de ese contacto una fuerza especial sino porque la presión sobre la cavidad del estómago le daba seguridad y calmaba la inquietud concentrada en esa zona del cuerpo. Oyó con toda claridad detenerse los pasos del hombre tras ella. Notó también su mirada en la espalda, y que sus pasos irregulares la seguían a cierta distancia. Estuvo tentada de avanzar más despacio, no porque hoy la ascensión se le hiciera más penosa que de costumbre sino por parecerle lógico obligar a su seguidor a que la adelantara.

Había llegado a lo alto. Los zócalos de las casas aparecían paralelos a las ventanas y la calle desembocaba en el gran óvalo de la plaza del castillo. En el centro de esta se erguía la estatua del príncipe elector. La efigie parecía a punto de emprender el galope hacia la avenida, pero la retenían pesadas cadenas de hierro que unían un bloque de piedra a otro, formando todo ello un óvalo menor que rodeaba la obra de arte.

¿Qué aspecto tenía el hombre? No era joven, quizá unos cincuenta años. Desde luego, de clase media baja casi proletaria, pero con una expresión altiva en el rostro. Si Hitler no hubiera suprimido a los comunistas, a Dios gracias, podría ser uno de ellos. Tenía el tipo un aspecto sufrido pero impertinente, casi de maestro de escuela, con sus gafas y su bigote rojizo, ¿o tal vez blanco? ¿Qué buscaba ese hombre aquí, en la plaza del castillo?

La sombra de la iglesia se proyectaba sobre el lado izquierdo de la plaza, y la sombra de sus dos torres llegaba hasta el monumento. A la derecha, en cambio, había una portalada que daba acceso al jardín del castillo. Ambos batientes, de rico hierro forjado, estaban abiertos, y se veían los rectos corredores, llenos de sol, así como toda clase de figuras de gres contorsionadas y los juegos de agua. Una niñera atravesaba ahora el portón empujando un cochecito. Antes estaba prohibido, pues los cochecitos infantiles, con su contenido indecoroso, no tenían razón de ser en una zona de ambiente cortesano. La señorita olvidó por un instante que también las generaciones de señores se multiplican: aquel que está por encima de los hombres no tendría que relacionarse con lo humano. Y cuanto más baja es la clase social —le parecía a la señorita— tanto más desarrollados tiene los feos instintos. La superioridad de lo puro sobre lo impuro había sido destruida por la democratización del mundo; no tenía plena conciencia de todo ello, pero veía muy claro que, en un Estado donde reinara el orden, no le sería permitido a un hombre de condición inferior seguir con pasos precipitados a una dama. Tiempo ha montaban guardia ante el castillo dos centinelas, y como si su guardia aún continuara, se sintió protegida. Un fotógrafo había instalado su aparato con paño negro frente a la puerta de entrada, en espera de los forasteros que quisieran retratarse junto a la estatua ecuestre —pobre sustitución de los centinelas militares—, pero con todo la señorita se sentía protegida.

Cruzó la plaza en línea recta hacia las escaleras de la iglesia, convencida de que su seguidor no se atrevería a poner en evidencia sus desvergonzadas intenciones en un lugar tan público y se limitaría a seguirla con la mirada desde una esquina de la plaza. En efecto, dejaron de oírse los pasos detrás de ella. Pero ahora, igual que antes, no le estaba permitido volver la cabeza. La nuca le dolía por el esfuerzo de resistirse a mirar hacia atrás. No le servía de alivio levantar los ojos hacia arriba, allá donde habitaba Dios y se movían los cirros. Era, no obstante, una pequeña acción de gracias por haber desaparecido el peligro.

¿Qué aspecto tenía, en realidad, el hombre? ¿No llevaba —el recuerdo pareció hacerse más claro— la insignia del partido, dorada además? De ser así, se trataría de uno de los primeros partidarios del nacionalsocialismo y no de un comunista. No obstante, era un atrevido. Desde que se habían hecho con el poder, su atrevimiento plebeyo salía cada día más a la superficie. Un populacho con gafas, eso son. Pero no quería pensar más en el hombre ni tenía por qué hacerlo.

Con todo, al entrar en la iglesia y pretender ocupar un sitio, notó de nuevo la tirantez en la nuca y la mirada que la abrasaba. Se detuvo, indecisa. Era una ofensa a Dios asistir al oficio divino fascinada por la sucia mirada de un impío, mirada a la que no podía sustraerse ni olvidar. La iglesia estaba llena; había llegado tarde de todos modos y se podía zafar. Pasó lentamente por entre la muchedumbre hacia una de las alas laterales donde los pasos, si se andaba de puntillas, resonaban menos que en la nave central, cuyo suelo estaba recubierto de planchas de madera y no de baldosas como aquellas. Se deslizó junto a las pilastras y alcanzó la salida lateral que años atrás usaran los miembros de la familia real. Empujó, sin hacer ruido, la puerta tapizada de piel y, en cuanto la cerró tras de sí con un suspiro contenido, aspiró el aire con suavidad y se llevó la mano a la nuca (ya para sustraerse de algo, ya para frotarse la parte dolorida).

Se encontró en el pequeño patio enclavado entre la iglesia y el ala derecha del castillo. ¡Qué descanso! Estaba realmente sola. El pequeño patio, severo y majestuoso, semejaba una antesala sin techo, con su pavimento de piedra labrada, perfectamente plana y ensamblada. El gorrión que con saltitos vacilantes iba de un lado para otro poca cosa tenía que hacer aquí. De haber algún banco, podría uno quedarse aquí, tanto más cuanto que el apagado canto que provenía de la iglesia era como una exhortación. Con pasos indecisos siguió bajo la doble arcada descubierta —no menos majestuosa y severa que el resto del patio— en dirección a la plaza del castillo. La recorrió con una mirada un tanto astuta. El fotógrafo estaba todavía allí. Junto al monumento había un matrimonio con todo el aspecto de forasteros, más allá pasaban unas mujeres, pero nadie más. Por consiguiente, gracias a su astucia, había escapado de su perseguidor, ya que ahora miraba donde antes no había podido. Hizo un pequeño zigzag para mirar hacia atrás y lo consiguió. En efecto, no había nadie detrás de ella, si bien la nuca aún le dolía y notaba todavía la ardiente mirada en ella.

Como queriendo protegerse definitivamente y desterrar para siempre toda incertidumbre y oscuridad a su espalda, se apoyó en uno de los pilares que sostenían la puerta, o, mejor dicho, se acercó a él lo suficiente para sentir el frescor que emanaba de la piedra sumergida en la sombra. ¿No puede acaso resguardarse así y contemplar la hermosa plaza? ¿No le está permitido respaldarse aquí, en la línea divisoria entre la oscuridad del patio en sombras tras ella y la plaza soleada que se extiende ante sus ojos? ¿Puede o no hacerlo?

Muchos han contemplado la plaza desde este ángulo, mirando hacia los jardines cuyas avenidas se pierden en el declive de la colina. El matrimonio que estaba junto al monumento se marcha ya, sus piernas caminan al unísono, cuatro piernas que sostienen dos cuerpos y dos cabezas. El hombre lleva en la mano una guía de tapas rojas. El aparato del fotógrafo se sostiene sobre tres pies y la pata curvada del caballo del monumento hiende el aire, bate con su casco el cielo azul que, por encima de los jardines, se esfuma en el horizonte, absorbido por la tierra que se pierde en el infinito de las regiones inferiores. El marido americano abre la guía, su mujer la consulta también y sus miradas se encuentran sobre las mismas letras.

El que camina por el atajo puede zafarse del mal, porque el diablo, al ser cojo, sólo puede correr en línea recta, pese a toda su astucia. Al final, además, es él quien queda como un requetetonto.

La señorita permanece apoyada en el pilar, el cual la oculta completamente. Caso de estar su perseguidor en el pequeño patio —cosa que no hará, ¡seguro que no!— no podría verla. De pronto deja caer la mano que sostiene el libro y, en un momento de debilidad, se agarra al canto de la pilastra con un ligero movimiento torpe que deja el libro abierto por una de sus negras cubiertas. Su perseguidor —¡oh, qué espanto!— podría descubrir, con su roja mirada oculta tras las gafas, no sólo el dedo sobre el libro abierto en el canto del pilar, sino incluso descifrar las letras impresas. Retira como un rayo la mano y el libro. ¿Por qué? ¿No puede el libro santo anatemizar al maligno? ¿Teme acaso que él sea más fuerte y despoje al libro de su santidad? ¿Tiene miedo de una alianza, de unos desposorios con el diablo, si sus miradas se unen sobre estas letras? ¡Oh, no! Él no debe siquiera rozar su mano, o el hecho estaría consumado.

En el asta situada en lo más alto del castillo está izada la bandera con la cruz gamada —símbolo de la ruptura con la tradición—, cuelga inmóvil en la quietud del viento, franja roja que se destaca penetrante sobre el azul del cielo. De pronto, el color rojo de allá arriba se junta al rojo del libro que los dos viajeros, unidos en matrimonio, están consultando. Color rojo del advenedizo en la bandera y en el libro, color rojo del que arrastra a la desgracia.

Bajo el arco del portal pían los gorriones. El matrimonio se acerca. Están casados y, por tanto, considerados dentro de la misma escala social. Vienen a contemplar la plaza ovalada y a conmemorar el recuerdo del príncipe que la hizo construir. Para ellos existe un orden, acaban de enterarse por su libro rojo de que esta arquitectura es hermosa. El perseguidor del patio es un hombre de condición inferior, sin embargo, es imposible rehuirle. Está condenada junto a este pilar, como una mendiga.

La señorita ha apretado otra vez el libro contra su cuerpo, pero sabe que el corazón, junto al cual lo sostiene, es incapaz de descifrar las palabras, sabe que sólo hay letras en las blancas páginas encuadradas por las negras cubiertas.

La redondez del cielo se condensa en la curvatura de la plaza y la de esta en el círculo que rodea el monumento. El canto de los ángeles halla eco en el que sale de la iglesia y los cánticos litúrgicos están en el libro que sostiene junto al corazón. Pero uno tiene que saber que es así, que Dios se refleja en el príncipe y el príncipe en el hombre mortal que atraviesa la plaza. Si no se sabe esto, entonces la redondez en torno al monumento no es nunca el cielo, ni las palabras del libro son el canto de los ángeles. Entonces los cochecitos de niños pueden cruzar la portalada del parque, cosa vergonzosa, sin estorbar a nadie. Los cochecitos infantiles son negros, negros como la mirada muerta del negro aparato del fotógrafo, el cual lo concentra todo en imágenes, ¡oh, sí!, lo retiene todo en imágenes para que una cosa no se precipite en otra, para que el cielo y la tierra se mantengan separados tal y como lo ordenó el Señor el primer día de la creación, separados y, en cambio, unidos en la palabra.

El redentor descendió de lo alto, divino y terreno a la vez, verbo encarnado que vino a anunciar la verdad divina en el lenguaje de los hombres, a redimir al mundo con su sacrificio humano y el sufrimiento de su carne. Los ángeles amotinados bajaron también de lo alto. Pero ellos se precipitaron en los abismos incandescentes, donde radica la maldad, para resurgir de ellos bajo figura humana, mutilados para siempre desde luego por la caída, pero precisamente por eso más obstinados aún y entregados al deseo de unirse carnalmente con los hijos de los hombres. Estos, a causa de su debilidad terrena, se entregan cada vez más a seductoras violaciones y sucumben a la tentación, hechiceros y brujas unidos en el pecado hecho carne, y del mismo modo que este a merced del exterminio, impotentes en definitiva frente al acto expiatorio contra el cual atentan siempre de nuevo, transmitiendo el mal de generación en generación hasta que llegue el Juicio Final.

Pero las nubes ¿no son mediadoras entre cielo y tierra? ¿No elevan la tierra y hacen descender el cielo a fin de que la redondez de este penetre entre las casas y los muros de la plaza, obligándolos a que se abran en una imitación de redondez que merece castigo? Blancos son los muros y también las nubes que preceden a los negros nubarrones. Negros son los libros y las palabras que contienen. Pero la mirada que surge de la oscura caverna es roja y ardiente; absorbe el Yo y lo obliga siempre a regresar al ruidoso portal de la muerte, al frío de las tinieblas incandescentes.

Los caminos rectilíneos del parque se entrelazan y forman curvas y más curvas, se funden en un ovillo deshonesto en el que todo es igual, se enmarañan y devoran entre sí, renaciendo siempre unos en otros. De nada sirven entonces los centinelas, ni que un libro rojo pretenda reflejar lo incandescente, pues el reflejo de lo grande en lo pequeño se ha interrumpido: lo bello y la belleza ya no existen. Los caballos de los monumentos huyen al galope de su belleza inmóvil, los pulmones de los hombres se asfixian en las naves de las iglesias y ninguna imagen puede ya retener lo que sucede, pues lo más secreto aflora y se expande por la plaza pública.

Sin pensar que su perseguidor puede cogerla de los brazos, arrastrándola hacia él y su abismo, los extiende hacia atrás. Arrimada, adherida a la pilastra, se ciñe a ella sin darse cuenta de que su abrigo oscuro se ensucia en contacto con la pared. El piar de los gorriones bajo el arco de la puerta es cada vez más intenso, se amplía y acrecienta hasta convertirse en un zumbido silbante. Como si desaparecieran todas las sombras del mundo y huyeran de la oscuridad, de un mundo que ya no es mundo, abandonándolo a una desnudez inaguantable, dejándolo como botín a los advenedizos, a los que todo lo destruyen, dejándolo como botín al diablo.

¡La violación es inevitable! Bajo el deslumbrante sol la confusión diabólica inicia su danza en círculo, la danza sin sombra de los cojos. Para ello vendrá pronto a buscarla su perseguidor, cojeando servil, se inclinará ante ella con una reverencia y llevará a cabo inevitablemente la violación.

En tanto, el matrimonio extranjero, siempre sobre sus cuatro piernas, había llegado a la escalinata de la iglesia y ahora, con la guía todavía abierta en la mano, se dirigía hacia el patio. Quizá ya nada importaba, aunque los hombres descubrieran allá el secreto y la vergüenza, el perseguidor victorioso. Nada importaba, pues ya no había sombras. Incluso el patio, en cuyo centro, erguido como una estatua, estaba de pie y daba órdenes aquel hombre de bajo origen, incluso el patio estaba desprovisto de sombra. Tal vez para proteger al perseguidor, de quien ella sería víctima y compañera para siempre, dispuesta al exorcismo, quizá para huir con él antes de que fuera demasiado tarde, o para esconderle en un armario, ocultándole de los dos extranjeros, se separó con gran esfuerzo del muro y regresó al patio.

¡Oh, decepción y descanso! El patio estaba desierto y en sombras, tal y como lo había dejado antes, y el gorrión seguía allá sobre las losas. Los muros, severos y fríos, enmarcaban el cuadrado del patio, la tarde iba declinando acogedora y, para un hombre de condición inferior, para un comunista o para alguien de tal clase, no había sitio allí. El patio estaba limpio de maldad diabólica.

La señorita se atrevió a mirar a la plaza del castillo. También estaba limpia de maldad diabólica, pues ningún diablo ejecutaba su danza. La bandera pendía flácida del asta, y la violación había sido suprimida. Tal vez sólo aplazada, pero al menos por hoy no existía. Una especie de alegría perversa y apesadumbrada se apoderó del alma de la señorita. La fría belleza de lo sucedido y consumado había vencido de nuevo, quizá por última vez, al demonio plebeyo y cojo con toda su fealdad y falta de inteligencia.

La plaza se extendía en espacioso y hermoso óvalo ante la gravedad de los edificios y reflejaba, experiencia cerrada, la redondez y el silencio lleno de paz del cielo. Las sombras de las torres apenas alcanzaban ahora el óvalo del monumento. El caballo del príncipe elector se erguía sobre tres patas en belleza estática. Asimismo se mantenía sobre tres patas el trípode del fotógrafo. Y las avenidas del parque, enmarcadas por sombras negras y rectilíneas, se prolongaban hasta la colina, cubiertas por la cúpula azul del cielo en que se deslizaban lentos los pequeños cirros. Pureza que está por encima de toda impureza.

De la iglesia surgían los cánticos. La señorita, embargada por una sensación de fidelidad, atravesó el patio y penetró en la iglesia por la misma puerta por la que antaño hiciera su entrada en la casa de Dios la familia del gran duque y por la que, Dios lo quiera, ella seguirá entrando asiduamente. Una parte del alma de la señorita ya no necesitaba dialogar con la otra, pues ambas sonaban acordes. La señorita, llena de una dulce desesperanza, apenas podía pensar en sí misma: con el ademán de una monja abrió el libro de rezos.

ORIGEN DE ESTE LIBRO

Los inocentes salió a la luz de manera un tanto pintoresca. Hace más de veinte años aparecieron una serie de novelas cortas del autor en diferentes periódicos y revistas. Algunas cayeron en el olvido, y ni el propio autor las recordaba. La editorial se impuso la tarea de averiguar el paradero de los viejos fragmentos, con el fin de recopilarlos y publicarlos en un solo volumen. La búsqueda dio resultado. Se trataba de las narraciones breves «Navegando con brisa suave», «Construido metódicamente», «El hijo pródigo», «Una leve decepción» y «Nube pasajera» —las fechas de publicación figuran en el índice—. Cuando el autor las recibió en Estados Unidos para que las revisara, no le resultó un agradable reencuentro: aparte de su dependencia de una época, de que estaban íntimamente ligadas al ambiente alemán de entreguerras, aparte del elemento soñador, casi del más allá, común a casi todas ellas, alusión en cierto modo al espíritu del momento en que fueron escritas, nada parecía justificar su nueva publicación. ¿O eran tal vez estos motivos suficientes para su reimpresión?

Existía la posibilidad de reconsiderar los fenómenos que caracterizaron el espíritu de la época. Tras una ligera vacilación se intentó. Para conseguir uniformidad de sentido y ambiente, se añadieron seis narraciones inéditas y se dotó a todo el conjunto de un marco lírico. Mediante este sistema pudieron conservarse intactos los antiguos textos ya impresos (excepto algunas modificaciones de tipo técnico, tales como la correspondencia de nombres, etcétera). Únicamente sufrieron ampliaciones considerables los fragmentos iniciales y finales, o sea, las narraciones «Navegando con brisa suave» y «Nube pasajera». Se comprobó entonces que la estructura temática de los viejos fragmentos era más que suficiente para sustentar asimismo los nuevos. La unidad del conjunto quedaba con ello asegurada.

Si puede calificarse o no de novela al resultado obtenido mediante estos arreglos es una mera cuestión terminológica carente de importancia. La estructura de una novela —incluso aquellas que son puro instrumento recreativo en forma narrativa y sin ambición artística— ha cambiado mucho en estos últimos años: la novela, como el arte en general, ha de reflejar la totalidad de un mundo, sobre todo la vida global de los personajes que presenta. Tal exigencia resulta cada vez más ardua en un mundo en continua complicación y división. En la actualidad, la novela necesita mayor acopio de material que en tiempos pasados e incluso una abstracción y una técnica superiores. La novela de antaño se ceñía a temas determinados. Era novela didáctica, social o psicológica, y tuvo el mérito de ser precursora en estos ámbitos delimitados, especialmente en el terreno de la psicología. En nuestros tiempos, de acendrado radicalismo, no existe la pseudociencia novelística. La novela que pretende divulgar conocimientos de esa índole en el mejor de los casos no se ocupa sino de vulgaridades más o menos populares. La ciencia no puede poseer visión de conjunto. Es cosa que ha de abandonar al arte, y, en consecuencia, a la novela.

El arte reclama ahora una radical visión de conjunto que antes no era de prever. Para satisfacer tal exigencia, la novela precisa una superposición de planos para la que no basta la vieja técnica naturalista: hay que presentar al hombre en su totalidad, en toda la gama de sus posibles experiencias, desde las físicas y sentimentales hasta las morales y metafísicas. Se hace necesario, además, recurrir al elemento lírico, pues sólo él es capaz de ofrecer la precisión requerida. Esta es una de las razones que han motivado la inclusión de «voces» líricas en el texto, pues las narraciones no ofrecían una visión total de la vida sino sólo de situaciones, y no variaban con tal ampliación sino que adquirían su sentido más pleno al quedar encuadradas dentro de un marco lírico puro. Si se ha alcanzado dicho objetivo, podrá llamarse novela la visión de conjunto ofrecida.

Por último —y en relación con los planos superpuestos de que hablábamos— unas palabras sobre el problema argumental de esta novela:

La novela describe tipos y situaciones de la época prehitleriana. Los personajes escogidos son completamente «apolíticos»; en cuanto a ideas políticas, flotan en terreno vago y nebuloso. Ninguno de ellos es directamente «culpable» de la catástrofe hitleriana, por eso se titula el libro *Los inocentes*. Ahora bien, el nazismo adquirió su fuerza —la experiencia lo ha confirmado— en estas situaciones espirituales y anímicas.

En política, la indiferencia es indiferencia ética, y está emparentada, en definitiva, con la perversión ética. En resumen: aquellos que en política no son culpables lo son en alto grado en el sentido ético. Exponer este hecho y fundamentarlo íntimamente fue una de las metas del libro, para lo cual se precisaba el método de superposición de planos; porque la falta de culpabilidad culpable llega, por una parte, hasta las altas esferas representativas, mágicas y metafísicas y, por otra, hasta la fuerza de los instintos más bajos y oscuros.

Esta falta de culpabilidad se ve muy clara, sobre todo, en el burgués medio, el cual, incluso cuando es un criminal, actúa por nobles motivos. El espíritu del burgués medio, cuya pura encarnación fue Hitler —teniendo en cuenta una de las figuras centrales del libro, se podría hablar también del espíritu de raza de Zacharias—, se manifiesta de continuo como el del animal de presa mojigato que admite cualquier crueldad, incluso las atrocidades de los campos de concentración o de las cámaras de gas, y que en cambio se siente personalmente herido y ofendido ante cualquier alusión a lo sexual por leve que sea, traicionándose a sí mismo en este terreno.

Para explicar el fenómeno del mal se pueden alegar toda clase de razones. Por ejemplo, el quebrantamiento de la tradición de los valores occidentales, hecho que trajo consigo una inseguridad espiritual y una inestabilidad que afectaron más intensamente a la burguesía media, encuadrada en un estadio intermedio de tradiciones débiles. De ser válido este razonamiento, es comprensible que esta clase intermedia alcanzara el poder en Alemania, ya que, a consecuencia de la derrota de 1918, la caída en picado de los valores adquirió gran resonancia en el país; puede decirse que desembocó en la arbitrariedad total de valores. Como en tales circunstancias nadie atiende a sus semejantes, la comprensión entre los hombres hubo de reducirse a la violencia más desnuda, más cruel y más abstracta. ¡Espantoso progreso encabezado por el burgués medio, quien, al parecer, no piensa detenerse! Los campos de concentración proliferan por todo el mundo, el terror aumenta por doquier, como si el espíritu nazi del burgués medio debiera convertirse en paradigma para toda la humanidad, dispuesta a encontrar, en el crimen abstracto, no su esencia de vida sino de muerte.

Mas ¿por qué ofrecer un espejo a esta generación burguesa en forma de novela? ¿Sólo por el goce artístico? ¿Para mostrar que en un mundo de terror y de crimen abstracto lo tradicional ya no tiene consistencia y que a la novela tampoco le basta lo tradicional? ¿Para poner de manifiesto que el retrato naturalista (al que la novela se adhirió mucho antes que las demás artes) necesita ser completado a pesar de toda su concreción y veracidad, si uno quiere, abstractas? En otras palabras, ¿para patentizar que la honestidad artística ya no puede contentarse con lo que ve y oye sino que debe sumergirse en lo inaccesible para descubrir la forma invisible, el discurso inaudible del hombre? Joyce dilucidó estas cuestiones con extraordinaria autenticidad. En su obra demuestra que un mundo excesivamente complejo sólo puede ser representado en su totalidad con el recurso de medios pluridimensionales, mediante construcciones simbólicas y reducción de símbolos. Pero el burgués medio (suponiendo que lea novelas) ¿se reconocería en un espejo artístico construido de acuerdo con estos principios? ¿Sabe a quién se alude cuando se habla de Bloom? Ni siquiera se reconoce en la caricatura más simple, porque se mantiene inflexible en no querer ver lo que se oculta bajo la superficie externa. Por tanto, no ve nada. ¿A qué viene, entonces, una novela de este tipo?

La cuestión afecta a uno de los problemas más esenciales del arte, su problema social. ¿Ante quién pretende colocar un espejo el arte? ¿Qué puede esperarse de ello? ¿Un despertar? ¿Una elevación? Ninguna obra de arte ha «convertido» todavía a nadie. El público burgués se entusiasmó con *Los tejedores* y con las obras de Brecht, pero no por eso se volvió socialista; y el catolicismo no ganó creyentes por Claudel, ni la Iglesia anglicana por Eliot. El autor manifiesta siempre sus convicciones, mas la profunda emoción que despierta con ello queda en el campo de lo estético. Sólo el que está convencido de antemano se deja convencer. Al público le es indiferente que en la escena un héroe se sacrifique por una creencia o por otra; lo que importa es el hecho dramático en sí de la muerte como sacrificio. Sea cual sea el fin perseguido por una obra de arte, vaya dirigida en contra de una persecución religiosa, de una culpabilidad moral o de crímenes manifiestos, busca siempre, en último término, un efecto estético al que subordina lo ético. En consecuencia, no es posible acercarse a un hombre cuya culpabilidad radica en una indiferencia total y continua frente al propio destino y al de sus semejantes, frente al dolor propio y ajeno. Si se le marca con la señal de fuego del criminal culpable, se rebelará, y con razón. La penitencia o la purificación que exige la falta ética (a diferencia de la condena que merece el crimen jurídico inteligible) le dejan indiferente, porque no se siente afectado por la acusación de culpabilidad.

Ahora bien, aunque la obra de arte no convenza o no despierte el sentimiento de culpabilidad en algún caso concreto, el proceso de purificación en sí pertenece al dominio artístico. La obra de arte es capaz de ejemplificar este proceso —el *Fausto* constituye un ejemplo clásico—, y su facultad de representación o, lo que es más, de interpretación, hace que el arte adquiera una resonancia social que alcanza niveles metafísicos.

Entiéndase bien: la obra de arte funciona —y el *Fausto* lo muestra bien claro—, no como instrumento de la religiosidad o de la predicación moral, sino como instrumento de sí misma. En efecto, en la totalidad del Ser, o sea, en la obra de arte (en tanto represente a aquella) están contenidos de forma esencial el infinito y la nada. Ambos son la condición previa del conocimiento conceptual, condición previa (vedada al animal) para la más humana de todas las capacidades, a saber, la de decir «Yo». Ambos son, en consecuencia, absolutamente inviolables por parte del hombre, pero escapan a su conocimiento tanto más cuanto que siempre es posible inclinarse a pensar en —o a contar con— el infinito como en la nada. Sin embargo, el pensamiento no podrá nunca llegar hasta ellos, porque las últimas condiciones del existir (precisamente por ser las últimas) se insertan en una segunda esfera lógica que escapa al existir y es inalcanzable con los medios de la primera. Esta última esfera es la del absoluto, inasequible en su alejamiento, mas patente de improviso en la obra de arte, asequible de inmediato, milagro de lo humano en sí, belleza, primera etapa hacia la purificación del alma humana. El absoluto se sumerge intacto en el Yo. Por más que el hombre sea arrojado a la incertidumbre y a la inestabilidad, a la soledad, al abandono y a la desnudez; aunque se hunda en la indiferencia, ausente para sí mismo y para sus semejantes, y por tanto culpable, el destello del absoluto que existe en su interior —en tanto él sea capaz de decir «Yo»— permanece dispuesto a arder y a ser de nuevo avivado, posibilitándole el encuentro del Yo de sus semejantes junto al suyo, aunque estuviera aislado en una isla como Robinson: de este modo tiene lugar el proceso de purificación, promovido por el destello del absoluto que arde y se renueva en el hombre.

Las obras de arte —no todas, sino sólo las que se aproximan a la totalidad, sin que por ello tengan que ser un *Fausto*— poseen la fuerza de este impulso, a veces por la plenitud de su aliento, otras por un simple suspiro y otras, si así lo quiere la suerte, por un mero gesto, una leve seña al gato Arouette.

HERMANN BROCH

ÍNDICE

RELATOS ANTERIORES

LOS RELATOS

RELATOS POSTERIORES

Las piezas no fechadas se escribieron entre los meses de junio y agosto de 1949.

TÍTULOS PUBLICADOS EN ESTA COLECCIÓN

Biblioteca César Aira
Una novela china
El bautismo
Ema, la cautiva
El mago
Cómo me hice monja
Cumpleaños
Las noches de Flores
Canto castrato

Biblioteca Isabel Allende
De amor y de sombra
Eva Luna
Cuentos de Eva Luna
El plan infinito
Paula
Hija de la fortuna
Retrato en sepia
La casa de los espíritus

Biblioteca Ivo Andrić
Un puente sobre el Drina
Crónica de Travnik
La señorita

Isaak Bábel, *Caballería Roja / Diario de 1920*

Biblioteca Arturo Barea
La forja de un rebelde (3 vols. en estuche)
Cuentos completos

Biblioteca Xuan Bello
Historia Universal de Paniceiros
Los cuarteles de la memoria

Biblioteca Saul Bellow
Herzog
Las aventuras de Augie March
Henderson, el rey de la lluvia
La víctima
El diciembre del decano
El planeta de Mr Sammler
El hombre en suspenso
El legado de Humboldt
Son más los que mueren de desamor
La verdadera
Ravelstein
Todo cuenta. Del pasado remoto al futuro incierto

Paul Bowles, *Memorias de un nómada*

RAY BRADBURY, *Fahrenheit 451*

Biblioteca HERMANN BROCH
Pasenow o el romanticismo
Huguenau o el realismo
Esch o la anarquía

AFREDO BRYCE ECHENIQUE,
Un mundo para Julius

MIJAÍL BULGÁKOV, *El maestro y Margarita*

Biblioteca JUAN CAMPOS REINA
Trilogía del Renacimiento (3 vols.)
La cabeza de Orfeo (2 vols.)

Biblioteca ELIAS CANETTI
Masa y poder
Auto de fe
La lengua salvada
La antorcha al oído
El juego de ojos
Las voces de Marrakesch / El Testigo Oidor

Biblioteca CAMILO JOSÉ CELA
La colmena
La familia de Pascual Duarte
Viaje a La Alcarria

Biblioteca LOUIS-FERDINAND CÉLINE
Muerte a crédito
Guignol's Band
Fantasía para otra ocasión
Cartas de la cárcel

Biblioteca J. M. COETZEE
Desgracia
Esperando a los bárbaros
El maestro de Petersburgo
Infancia
Juventud
La edad de hierro
Foe
Elizabeth Costello
En medio de ninguna parte
Hombre lento

JOSEPH CONRAD, *El corazón de las tinieblas*

LUIS MATEO DÍEZ, *El reino de Celama*

JOHN DOS PASSOS, *Manhattan Transfer*

Biblioteca UMBERTO ECO
El nombre de la rosa
El péndulo de Foucault
La isla del día de antes
Baudolino

Biblioteca FRANCIS SCOTT FITZGERALD
El gran Gatsby
Hermosos y malditos

ANA FRANK, *Diario*

Biblioteca FEDERICO GARCÍA LORCA
Poesía completa I: Juego y teoría del duende / De «Libro de poemas»/ Primeras canciones / De «Suites» / Canciones
Poesía completa II: Arquitectura del cante jondo / Poemas del cante jondo / Conferencia-recital

del «Romancero gitano» / Primer romancero gitano / Odas / Poemas sueltos I
Poesía completa III: Poemas en prosa / Un poeta en Nueva York / Poeta en Nueva York / De «Tierra y luna» / Poemas sueltos II / Cómo canta una ciudad de noviembre a noviembre / Diván de Tamarit / Seis poemas galegos / Ensayo o poema sobre el toro en España / Llanto por Ignacio Sánchez Mejías / Sonetos / Poemas sueltos III
Teatro completo I: Charla sobre teatro / Tragicomedia de don Cristóbal / Retablillo de don Cristóbal / La zapatera prodigiosa
Teatro completo II: Amor de don Perlimplín / Declaraciones / Diálogos / El público / Así que pasen cinco años
Teatro completo III: Declaraciones / Bodas de sangre / Declaraciones / Yerma
Teatro completo IV: Declaraciones / Doña Rosita la soltera / Declaraciones / La casa de Bernarda Alba

Biblioteca GABRIEL GARCÍA MÁRQUEZ
Cien años de soledad
El coronel no tiene quien le escriba
La increíble y triste historia de la cándida Eréndira y de su abuela desalmada
Ojos de perro azul
El general en su laberinto
La mala hora
La aventura de Miguel Littín clandestino en Chile
El otoño del patriarca
Del amor y otros demonios
Crónica de una muerte anunciada
Doce cuentos peregrinos
El amor en los tiempos del cólera
Los funerales de la Mamá Grande
La hojarasca
Noticia de un secuestro
Vivir para contarla

JEAN GENET, *Querelle de Brest*

Biblioteca ANDRÉ GIDE
El inmoralista
Et nunc manet in te / Corydon

Biblioteca JULIEN GRACQ
En el castillo de Argol
El mar de las Sirtes
Los ojos del bosque

Biblioteca ERNEST HEMINGWAY
Fiesta
El viejo y el mar
Por quién doblan las campanas
El jardín del Edén
Muerte en la tarde
Islas a la deriva
Publicado en Toronto
El verano peligroso

HERMANN HESSE, *Siddhartha*

ALDOUS HUXLEY, *Un mundo feliz*

Biblioteca CHRISTOPHER ISHERWOOD
Historias de Berlín
Un hombre soltero
Desde lo más profundo

JUAN ITURRALDE, *Días de llamas*

Biblioteca ELFRIEDE JELINEK
Los excluidos
La pianista

Biblioteca JAMES JOYCE
Ulises
Dublineses

Biblioteca FRANZ KAFKA
El proceso
El castillo
El desaparecido
Carta al padre
La transformación
Ante la Ley. Escritos publicados en vida
El silencio de las sirenas. Escritos y fragmentos póstumos
Aforismos
Diarios

Biblioteca D. H. LAWRENCE
Hijos y amantes
Mujeres enamoradas
El amante de lady Chatterley

Biblioteca ANTÓNIO LOBO ANTUNES
Tratado de las pasiones del alma
El orden natural de las cosas
La muerte de Carlos Gardel
Manual de inquisidores
Esplendor de Portugal
Buenas tardes a las cosas de aquí abajo
Segundo libro de crónicas
Yo he de amar una piedra
Memoria de elefante

Biblioteca LUIS MAGRINYÀ
Los aéreos
Belinda y el monstruo

KLAUS MANN, *Mefisto*

KATHERINE MANSFIELD, *Cuentos completos*

Biblioteca JAVIER MARÍAS
Los dominios del lobo
Travesía del horizonte
El siglo
El hombre sentimental
Todas las almas
Corazón tan blanco
Mañana en la batalla piensa en mí
Negra espalda del tiempo
Cuando fui mortal
Mientras ellas duermen

Biblioteca JUAN MARSÉ
La oscura historia de la prima Montse
Un día volveré
Si te dicen que caí
Últimas tardes con Teresa

Ronda del Guinardó
El embrujo de Shanghai
Encerrados con un solo juguete
Teniente Bravo
La muchacha de las bragas de oro

Biblioteca GUSTAVO MARTÍN GARZO
Luz no usada
Una tienda junto al agua
El amigo de las mujeres
Marea oculta
Ña y Bel
La vida nueva
El valle de las gigantas
Los amores imposibles

CARMEN MARTÍN GAITE, *Cuadernos de todo*

Biblioteca W. SOMERSET MAUGHAM
Servidumbre humana
El filo de la navaja
Ashenden o el agente secreto

ANDRÉ MAUROIS, *Climas*

Biblioteca CORMAC MCCARTHY
Todos los hermosos caballos
Meridiano de sangre
Hijo de Dios
En la frontera
Ciudades de la llanura
El guardián del vergel
La oscuridad exterior
Suttree

Biblioteca ALBERTO MORAVIA
Los indiferentes
La romana
La campesina
El conformista
El tedio
El desprecio
El hombre que mira

Biblioteca TONI MORRISON
La canción de Salomón
La isla de los caballeros
Sula
Beloved
Ojos azules
Amor

Biblioteca IRIS MURDOCH
La negra noche
El mar, el mar
Amigos y amantes

ROBERT MUSIL, *Diarios. 1899-1941/42* (2 vols. en estuche)

Biblioteca V. S. NAIPAUL
India
Una casa para el señor Biswas
El sanador místico
Al límite de la fe
Un camino en el mundo
Leer y escribir

Biblioteca PABLO NERUDA
Crepusculario / El hondero entusiasta / Tentativa del hombre infinito
Veinte poemas de amor y una canción desesperada
El habitante y su esperanza / Anillos
Residencia en la tierra
Tercera residencia
Canto general
Las uvas y el viento

Odas elementales
Nuevas odas elementales / Tercer libro de las odas
Los versos del capitán
Estravagario
Navegación y regresos
Cien sonetos de amor
Canción de gesta / Las piedras de Chile
Cantos ceremoniales / Plenos poderes
Memorial de Isla Negra
Arte de pájaros / Una casa en la arena
La barcarola
Fulgor y muerte de Joaquín Murieta
Las manos del día
Fin de mundo
Maremoto / Aún / La espada encendida / Las piedras del cielo
Geografía infructuosa / Incitación al mixocidio / 2000 / El corazón amarillo / Elegía
Jardín de invierno / Libro de las preguntas / El mar y las campanas / Defectos escogidos
Confieso que he vivido

FLANNERY O'CONNOR, *Cuentos completos*

Biblioteca AMOS OZ
Un descanso verdadero
Una historia de amor y oscuridad
Contra el fanatismo
El mismo mar
No digas noche
La bicicleta de Sumji
Mi querido Mijael

ORHAN PAMUK, *La casa del silencio*

DOROTHY PARKER, *Narrativa completa*

Biblioteca ABEL POSSE
Los perros del paraíso
El largo atardecer del caminante
Daimón
La pasión según Eva
Los cuadernos de Praga

Biblioteca MARCEL PROUST
Por la parte de Swann
A la sombra de las muchachas en flor
La parte de Guermantes
Sodoma y Gomorra
La prisionera

Biblioteca PHILIP ROTH
Pastoral americana
Me casé con un comunista
El teatro de Sabbath
Operación Shylock

Biblioteca SALMAN RUSHDIE
El último suspiro del moro
Los versos satánicos
La sonrisa del jaguar
Hijos de la medianoche
Vergüenza
Oriente, Occidente
Furia
Shalimar el payaso

Biblioteca José Luis Sampedro

Congreso de Estocolmo
Octubre, octubre
El río que nos lleva
La sonrisa etrusca
El caballo desnudo
La vieja sirena
Mar al fondo
Mientras la tierra gira
Monte Sinaí
Real Sitio
El amante lesbiano

Biblioteca Antonio Skármeta

El cartero de Neruda
La insurrección
Soñé que la nieve ardía
No pasó nada
La velocidad del amor (Match Ball)
La boda del poeta
La chica del trombón
Desnudo en el tejado
El entusiasmo
Tiro libre

Wallace Stevens, *De la simple existencia*

Amy Tan, *El Club de la Buena Estrella*

Dylan Thomas, *Relatos completos*

Giuseppe Ungaretti, *Sentimiento del tiempo / La tierra prometida*

Biblioteca Manuel Vázquez Montalbán

Los alegres muchachos de Atzavara
Cuarteto
El pianista
Galíndez
Memoria y deseo
Pigmalión y otros relatos
El estrangulador

Biblioteca Gore Vidal

La ciudad y el pilar de sal
Myra Breckinridge
Myron
Duluth
Una memoria

Biblioteca Edith Wharton

El arrecife
La renuncia

Tennessee Williams, *La noche de la iguana y otros relatos*